La disputa
del pasado

TURNER NOEMA

9/13/22

La disputa del pasado

España, México y la leyenda negra

EMILIO LAMO DE ESPINOSA (COORD.)
MARTÍN F. RÍOS SALOMA
TOMÁS PÉREZ VEJO
LUIS FRANCISCO MARTÍNEZ MONTES
JOSÉ MARÍA ORTEGA SÁNCHEZ
MARÍA ELVIRA ROCA BAREA
GUADALUPE JIMÉNEZ CODINACH

TURNER

Dedicamos este texto a todos aquellos de origen hispánico tachados de "ilegales" por los descendientes de aquellos que en 1836 y 1848 los despojaron de sus tierras.

Y al personal de la salud de ambos hemisferios, por su comportamiento que raya en la heroicidad, no siempre apreciado como merece.

ÍNDICE

PRESENTACIÓN
Tiempos de memoria, tiempos de olvido, tiempos de reconciliación
Emilio Lamo de Espinosa

L a tarde del 21 de octubre de 1940 tuvo lugar en el Hotel Ritz de Madrid un homenaje a Heinrich Himmler, entonces director de la policía de Hitler. Era anfitrión el director de la policía franquista y posterior alcalde de Madrid, conde de Mayalde, quien en su discurso dijo:

> Camaradas italianos y alemanes, si existe un pueblo de
> memoria histórica, es el español, por ello no podrá olvidar
> las afrentas de que ha sido objeto durante varios siglos de
> decadencia por ciertos odiados poderes del mundo.[1]

Sospecho que puede ser una de las primeras referencias a la "memoria histórica" de los pueblos, referencia que a Himmler seguro le sonó a conocido pues toda la ideología nazi se basaba en la venganza frente a la humillación sufrida por Alemania en el Pacto de Versalles y la "puñalada por la espalda" supuestamente asestada por la República de Weimar. El futuro como venganza de un pasado humillante.

Una anécdota reveladora de cuanto de confuso y turbio hay en la expresión *memoria histórica*, que hoy regresa, con frecuencia por el otro lado del espectro político, aunque siempre con la misma vocación totalitaria que entonces. La memoria confundida con la historia y como instrumento de propaganda. Pues memoria e historia no riman, salvo que se haga por un *diktat* del poder que impone una y otra.

Este libro nace en el contexto de numerosas reivindicaciones de supuestas "memorias históricas", y lo hace a partir de alguna constatación y no pocas perplejidades. Por una parte, la constatación de que parece ser necesaria una reconciliación del mundo hispano consigo mismo y de algunos países con su propia historia (es el caso de España

9

o de México), pero también de la dificultad de articular una historia común a un "nosotros" discutido y debatido. La perplejidad emerge al constatar que quizá esa reconciliación no es del todo necesaria, pues nunca se produjo la separación y ésta es producto de las estrategias políticas cortoplacistas más que de la verdadera memoria colectiva, otra más de las muchas "tradiciones inventadas" que las cambiantes historias nacionales van produciendo. ¿De verdad hay las fisuras que algunos perciben? ¿Acaso nuestras sociedades necesitan conciliarse, o son los políticos quienes nos invitan a la división, para luego imponer *su* reconciliación?

Y se trata de un libro pensado de modo coral, como una serie de voces, distintas, en lo que cuentan, pero también en los presupuestos de ese narrar, pero que confiamos en que puedan entonar una historia unitaria o al menos iniciar un camino que lleve a ello. No pretende ser –parafraseando a Churchill– el comienzo del fin sino, modestamente, el fin del comienzo. Por ello hemos buscado voces de ambos lados de las sensibilidades, pero también de ambos lados de la hispanidad. También, de generaciones distintas y de ambos géneros. Que ello acabe articulando una melodía o un griterío es el riesgo que hemos corrido quienes hemos animado esta aventura. Que va de memorias personales o colectivas, de historias rigurosas o maliciosas y, sobre todo, de olvidos y perdones.

DE MEMORIAS Y OLVIDOS

Las sociedades, todas, del pasado o del presente, son memoria, que es el sustento de las tradiciones y herencias y, por lo tanto, la raíz de rutinas, hábitos, actitudes y creencias. Por ello el mejor predictor del futuro de cualquier país es su pasado. Los pueblos, al igual que los individuos, no pueden librarse de la mochila de su historia y de su linaje que, como todas las estructuras o los *habitus* (por decirlo en argot sociológico moderno) son al tiempo limitación y recurso, habilitan para ciertas cosas pero constriñen para otras; todo modo de ver es un modo de no ver. Es lo que nos enseñó Maurice Halbwachs en *Les cadres sociaux de la mémoire* (1925), donde ya consideraba al fenómeno de la memoria como una representación colectiva en el sentido de Emilio Durkheim, algo que existe más allá de las conciencias individuales, más allá de la subjetividad.

Y ello porque la memoria se plasma en hitos objetivos, se condensa en escenarios que tienen sus lugares (sus espacios), pero también sus tiempos (sus momentos), unos y otros colectivos, sociales. Espacios sagrados cargados de energía numinosa que llaman a la reverencia y el recogimiento, pero también tiempos, momentos, que marcan el ritmo de la vida social. Las onomásticas o los cumpleaños de las personas se doblan en conmemoraciones colectivas que pretenden sacarte de lo ordinario, de lo profano, para introducirte en el ámbito de lo intemporal y lo extraordinario. Como si la dimensión temporal de la existencia quedara cancelada al establecerse una conexión directa entre el pasado y el presente. *Lieux de la mémoire*, los llamaba Pierre Nora.

Y ya señalaba Nora lo que es quizá el tema central de este libro: que "la historia se escribe hoy bajo la presión de las memorias colectivas" que pretenden "compensar el desenraizamiento histórico de lo social y la angustia del futuro valorizando un pasado que hasta entonces no se había vivido así". El conde de Mayalde no lo decía peor: la memoria, no como recuerdo del pasado, sino como modo de compensar las frustraciones del presente, tarea a la que (al parecer) no pocos historiadores y muchos políticos se prestan con generosidad siguiendo esa regla que fijó Nietzsche: las guerras hacen vengativo al vencedor y resentido al vencido. Y me temo que en esas seguimos a uno y otro lado del Atlántico: abusando la llamada memoria para lo uno y lo otro, haciendo mofa, no solo de la historia, de la verdad histórica, sino incluso de la verdadera memoria. Como decía la vicepresidenta del Gobierno español en la presentación de la Ley de Memoria Histórica (la segunda ley, la de la memoria "democrática", pues la primera, de 2007, no fue suficiente), la ley "pretende aportar luz al pasado y construir el futuro".

Como en esas películas de ciencia ficción en la que el protagonista es proyectado al pasado para poder así, desde allí, cambiar el curso de la historia y arreglar los problemas del presente. Pero todo ello no es ciencia sino ficción, pues no es posible cambiar el pasado, de modo que, ¿hablamos del pasado o hablamos del futuro cuando invocamos la memoria? Es decir, ¿se trata de invocar la memoria existente o más bien de construir un futuro especifico, y no otros posibles? Memoria e historia aparecen así contrapuestos, como los dos extremos de un continuo. La memoria es individual y personal, es subjetiva y particular, tiene un punto de vista particular, una mirada. Es también mi mirada contra la tuya y, en ese juego de espejos, ¿cuál es más creíble, más respetable? La historia es (o debe ser) lo contrario: objetiva, rigurosa, impersonal, universal. No *mi* historia, sino *la* historia. Memoria e historia se contraponen, así como lo subjetivo a lo objetivo. Pero también se entremezclan, pues la historia, o mejor, las historias, alimentan la memoria, y acabamos recordando lo que nunca vivimos. La propaganda reiterada tiene ese efecto, que el maestro Goebbels conocía perfectamente. Pero también al revés, la memoria colectiva –como decía Nora– dirige en buena medida la pesquisa histórica, de modo que acabamos sabiendo mucho de algunas cosas, pero ignorando y silenciando otras. Y como en una burbuja de las actuales redes sociales, se retroalimenta. "La historia –decía Hobsbawm y reitera Martín Ríos– contiene no la memoria colectiva sino los acontecimientos que han querido ser recordados por quienes tienen esa función". Lo demás es olvido.

En todo caso, ni la memoria ni la historia pueden ser objeto de legislación o mandato en sociedades libres. Ni se puede mandatar lo que debo recordar (es un absurdo), ni menos aún legislar sobre lo que es verdadero o falso. Por ello bien harían los políticos, de uno u otro signo, en retirar sus manos de esas materias pues su intervención, siempre interesada, no hace sino enturbiarlo todo: la memoria, la historia y, a la postre, la convivencia.

EL "ENCONTRONAZO" Y SU LECTURA

Pero nosotros, los hispanos todos, confrontamos inevitablemente unos tiempos de memoria que, sospecho, deberían ser de historia. Y ese es el problema: que no podemos evitar las conmemoraciones, pero no sabemos bien cómo hacerlo. Nos ocurrió ya en 1992, al conmemorar/recordar el descubrimiento/encuentro de dos mundos, y ya la dificultad para nombrar lo que sin duda ocurrió (pues algo ocurrió, sin duda, e importante) muestra la paralela dificultad para alinear memorias colectivas. Vale la pena detenerse por un momento en este *casus belli*.

Las palabras no son neutras. Podemos decir que no se *descubrió* América en 1492, que fue un *encuentro* como señalaba, generosamente, Miguel León Portilla. Difícil argumento, como criticó brillantemente Edmundo O'Gorman.[2] Desde luego se descubrió para los europeos, para los asiáticos y para los africanos que, hasta entonces, no tenían la más mínima idea de su existencia. ¿Se descubrió también para los americanos? No parece que los nativos precolombinos de ese gran continente tuvieran tampoco noticia de su entera existencia, más allá de lo que cada uno de ellos conocía de su territorio. De modo que ¿existía *América* antes de que alguien la cartografiara y la etiquetara, la "inventara"? Sí como realidad geográfica, como "cosa en sí"; pero, desde luego no como "cosa para nosotros" los humanos. Por hacer una comparación *pro domo mea*, ¿existía *Hispania* antes de que los romanos colonizaran y etiquetaran así la península ibérica? Y por ir al presente, ¿existía *México* antes de que ese territorio fuera unificado y etiquetado? Las naciones modernas tienen vocación de eternidad, pero nacieron en algún momento, al igual que desaparecerán en otro, aunque nos cuesta reconocer lo uno y lo otro.

Por supuesto que hubo encuentro, o más bien –para ser castizos– "encontronazo". Para comenzar porque ninguno de los sujetos de ese encuentro esperaba encontrar la otra parte; fue una sorpresa mutua. Colón no buscaba "América" sino Asia, y encontró (afortunadamente) lo que no buscaba. Pero fueron unos los que buscaron a los otros, no al revés. Un *encuentro* puede ser, bien una cita preparada, bien una sorpresa fortuita entre conocidos, como decía O'Gorman. Pero nada de eso ocurrió. Al comienzo de su magnífico libro *Armas, gérmenes y acero*, Jared Diamond formula una de las grandes preguntas de la historia global, probablemente *la* pregunta, a cuya contestación dedica todo el libro. Y la pregunta es: ¿cómo llegó Pizarro a esa ciudad para capturarle, en vez de ser Atahualpa quien llegase a España para capturar al rey Carlos I? Pues es indudable que fue Pizarro quien llegó a Cajamarca y capturó a Atahualpa, y no éste quien llegó a Toledo. Diamond añade más adelante:

> ¿Por qué no fueron los incas los que inventaron las armas de fuego y las espadas de acero, los que montaron en animales tan temibles como los caballos, los que portaban enfermedades para las cuales los europeos careciesen de resistencia, los que desarrollaron buques capaces de cruzar los océanos y organizaciones políticas avanzadas, y los que fueron capaces de basarse en la experiencia de miles de años de historia escrita?[3]

No voy a responder a la pregunta; hay que leer el libro completo. Y vale la pena; solo adelanto que no tiene nada que ver con alguna superioridad biológica o racial. Lo importante ahora es que podría haber ocurrido al revés, podría haber sido Moctezuma quien llegara a la península ibérica para conquistar Medellín, Trujillo o Toledo y capturar a Cortés o a Carlos V. De hecho, casi ocurrió algo parecido, y sabemos, por ejemplo, que el Imperio chino llegó a África y pudo navegar hasta América a comienzos del siglo xv. Pudo hacerlo. Pero no lo hizo. Y sí lo hicieron Colón, Cortés o Pizarro. Esos son los datos. De modo que, ¿quién encontró a quién?

Y sin haber zanjado aún el encuentro/conquista de 1492, el presente nos conmina a continuar ese trabajo conmemorativo. Por una parte, la primera circunnavegación del globo en 1519-1522, la primera globalización física del mundo, en la gigantesca epopeya iniciada por Magallanes y culminada por Elcano, una hazaña que españoles y portugueses estamos celebrando conjuntamente estos años, al parecer en buena vecindad. Tras esta, la "conquista" de "México" por "Cortés", una de las gestas que ha alimentado más vivamente la imaginación de los occidentales, con la fecha mítica del 13 de agosto de 1521 en la que cae la ciudad sagrada de Tenochtitlan. Y pongo comillas a los sustantivos más relevantes pues, como veremos, ninguno de ellos es tan rotundo como parece y son más bien conceptos difusos, *fuzzy*, como los llaman los lógicos.

Y sobre todo ello, sobre los quintos centenarios de la "conquista", los segundos centenarios de las independencias (¿de las "reconquistas"?) de las nuevas republicas americanas, independencias que se consolidan en la década de 1820, singularmente el *Acta de independencia del Imperio mexicano* del 28 de septiembre de 1821. De modo que entre agosto y septiembre de 2021 vamos a asistir a todo tipo de recuerdos, historias, narraciones o relatos, míticos o no, nacionales o no, sagrados o profanos, que cubren todo el largo periodo del virreinato de Nueva España, trescientos años, cien años más de los que tiene la República Mexicana, que se prolongan en la historia de las mismas repúblicas.

Cronología que no es trivial; el territorio mexicano, incluido una gran parte de lo que hoy es Estados Unidos, fue parte de la Monarquía Hispánica más años (un tercio más) de los que ha vivido como territorio independiente. Y tres siglos es mucho tiempo. Pero es un dato que hay que leer también al contrario: si los primeros trescientos años pueden cargarse al pasivo/activo de España (que no de los españoles), los últimos doscientos años –y tampoco son pocos– son todos de su responsabilidad, para bien y para mal. Y en doscientos años se pueden hacer muchas cosas. Por ejemplo, se puede hacer Estados Unidos de América.

COMO FUNES EL MEMORIOSO

Como muestra Martín F. Ríos Saloma, hoy sabemos que la "conquista" de "México" por "Cortés" no fue ni lo uno ni lo otro sino una larga guerra civil de la sociedad azteca-mexica de modo que, en buena medida, fueron los nativos quienes conquistaron a los nativos, y poco hubiera podido hacer Cortés y sus hombres sin la colaboración de guerreros tlaxcaltecas y de otros grupos. ¿Conquistaron "México"? Dudoso al menos. La palabra *México*, que deriva del náhuatl, originalmente se utilizaba para referirse al valle de México, y fue su castellanización la que nos otorga su sentido actual, de modo que México como país no tuvo ese nombre hasta su independencia en 1821. Así pues, ni el México actual es aquello que fue "invadido" o "conquistado", ni hay conquista puntal que celebrar, ni fue Cortés el conquistador, sino un instrumento, un catalizador, de una guerra civil latente. La historia nos dice algo muy distinto a lo que se supone que es la memoria. Por ello, que dirigentes e intelectuales mexicanos se consideren hoy herederos de Moctezuma, o que el presidente de ese gran país se presente como *tlatoani*, ¿es una resignificación, una superchería o una operación de marketing político que pretende –como decía Nora– compensar un presente bochornoso valorizando un pasado mítico? Tradiciones inventadas todas al servicio de leyendas de construcción nacional que vehiculizan movilizaciones electorales. En última instancia, ¿en qué medida el México del siglo xxi es heredero de los aztecas? Desde una rigurosa perspectiva histórica, podríamos afirmar que la conquista/invasión forma parte de la historia de España más que de la de México, al menos tres siglos frente a dos.

Y la pregunta es, como señala Martín F. Ríos Saloma, ¿por qué una persona que vive en el siglo xxi aún se siente agraviada por lo que ocurrió hace quinientos años? ¿Por qué unos recuerdan lo que otros olvidan? Pondré un contraejemplo que menciona María Elvira Roca Barea: en Madrid (y en otras ciudades españolas) hay estatuas y monumentos (por cierto, bastante hermosos los de Madrid) dedicados a Bolívar y a San Martín, e incluso uno dedicado a José Martí, ofrenda de Fidel Castro. Y también, por supuesto, uno dedicado a Hidalgo, también en el parque del Oeste, y ello, a pesar de que (como Bolívar) Hidalgo declaró el exterminio de peninsulares. ¿Tendría sentido que los derribáramos por el dolor causado a España o los españoles? No solo no se derriban, sino que son objeto de ofrendas oficiales en fechas conmemorativas de la independencia. Esa herida se ha cerrado hace tiempo y, bien se ha olvidado, o se asienta en la memoria colectiva como una suerte de guerra civil española (en buena medida así fue) ya cancelada. ¿Por qué unos olvidan lo que otros recuerdan? ¿No es más sano y positivo denunciar la obsesión latinoamericana con el pasado y decir ¡basta de historias! como hace Andrés Oppenheimer?[4]

Por supuesto no es solo México (o Venezuela, Bolivia, Perú o Chile) quien anda a la gresca con su historia, pues también España lo hace, y doblemente. Lo hace por lo que se refiere a su historia americana, y no son pocos los españoles que se niegan a celebrar el 12 de octubre aceptando el relato genocida. Pero también por lo que hace a su historia reciente, e incluso recientísima, pues no hemos acabado de asimilar el olvido de la Guerra Civil y el franquismo (y ahí están las citadas leyes de la llamada "memoria democrática") cuando pretendemos acelerar el olvido de los más recientes crímenes de la banda terrorista ETA. Hay quien se horroriza ante lo que ocurrió en el siglo xv o a mediados del pasado siglo, pero blanquea a los asesinos de hace menos de una década, cuyas víctimas todavía viven.

Podríamos pensar que estamos aquí ante otra singularidad hispánica, una más de las muchas excepciones que historiadores (más pasados que presentes) han denunciado en nuestro devenir colectivo. Pero, para asombro de Oppenheimer, no somos solo los hispanos quienes no sabemos salir del pantano del pasado y nos hemos embarcado en una gigantesca mistificación histórica al servicio de la política partidista; al fin y al cabo los hispanos tenemos la justificación de las fechas y sus inevitables conmemoraciones, difíciles de evitar. Pues se diría que todo el occidente ha sido infectado de la pasión de la "pureza de sangre" que llevó a muchos castellanos a depurar su linaje de excrecencias malignas, y se ha lanzado a recomponer el pasado con una pasión que bien haría en orientar al futuro. Así, si unos tratan de recuperar la "verdadera" América o la verdadera Inglaterra (o Francia, o Alemania, o Polonia o Finlandia), de las garras de extranjeros que polucionan la pureza de sangre de los autóctonos, los *bad hombres* de uno u otro color; otros pretenden lo contrario, expulsar y cancelar de la historia lo que pueda quedar de injusticia centenarias, ya sean racistas, o misóginas, o coloniales, o xenófobas, o homófobas, expulsar la maldad del "hombre blanco" en una gigantesca *damnatio memoriae* similar a la que practicaba Stalin en sus purgas.

Casi podía decirse que Occidente, que ha perdido la ilusión del progreso y del futuro, en el que no ve potencia que arrastre e ilusione, se ha volcado sobre el pasado y, más que preparar el futuro para nuestros hijos y nietos, pretendemos solucionar las querellas de nuestros abuelos. No cabe mayor tradicionalismo, menor progresismo, ni mayor historicismo y dependencia de senda, que este quedar atrapado por el pasado, en el que *le mort saisit le vif*. Una verdadera colonización del pasado, que se piensa como si no hubiera pasado, como si fuera presente. Hay un profundo derrotismo sobre el porvenir detrás de esa fascinación enfermiza con el pasado.

La hermosa metáfora borgiana de Funes el memorioso nos recuerda la necesidad de olvidar, de "echar al olvido", para ser más precisos (como decía Santos Juliá), para escapar de la trampa del pasado. Pero hay pueblos que, como Funes, parecen atrapados en la eterna contemplación de un instante mítico, primordial, casi siempre inventado, y su historia se centra en la eterna visión de esa llama zigzagueante. "El año próximo en Jerusalén", repetido año tras año, siglo tras siglo.

Pero el progreso consiste en romper con el pasado, liberarse de la mochila de las tradiciones, rutinas y *habitus*, para enfocar el futuro libre del peso de la historia. "Del pasado hay que hacer añicos", cantaba *La Internacional*. Cierto, quien no conoce la historia está obligado a repetirla. Pero quien se obsesiona con ella no sale del pasado, y mala es la política que se diseña mirando por el espejo retrovisor. Es en el futuro donde todos podemos encontrarnos, solo él es un juego de suma positiva: todos podemos ganar o perder, está abierto y deberemos construirlo juntos. El pasado es un juego agónico donde si unos ganan otros pierden, como recordaba Nietzsche. Está cerrado, por mucho que tratemos de resignificarlo. Somos esclavos del pasado, pero libres del futuro, y si hay esperanzas de reconciliación −y debe haberlas− éstas solo podremos encontrarlas en el futuro a construir ¡Basta de historias!

LEYENDAS ROSAS O NEGRAS Y ABUSOS DE LA HISTORIA

El problema no es solo cognitivo sino sobre todo moral. Deconstruir conceptos como *descubrimiento, conquista, México* o *España* tiene consecuencias normativas evidentes. Si Tenochtitlan es México y AMLO su *tlatoani* entonces el rey Felipe VI debe responder por las brutalidades de Cortés y sus hombres. Pero ¿también de las brutalidades de los tlaxcaltecas contra los aztecas? Es interesante analizar las relecturas actuales de los sucesos de 1519. Lo vemos, por ejemplo, en el inmensamente documentado, bellamente editado y ampliamente elogiado libro de Matthew Restall *Cuando Moctezuma conoció a Cortés*.[5] Restall se plantea un objetivo meritorio: deconstruyamos la historia recibida, en buena medida escrita por los vencedores. Escuchemos la otra parte, al "otro", y atendamos otros testimonios. Utiliza para ello el instrumento de la etnohistoria, una rama mixta de antropología e historia que acude a otros "archivos" distintos: códices, escritura jeroglífica, cartas de relación, relatos orales, etcétera. La conclusión es ambiciosa e interesante y la hemos recogido antes. No hubo conquista puntual, sino una guerra prolongada varias décadas; no hubo pues rendición o entrega sino resistencia; no fue obra de los españoles sino de los propios nativos en alianza variadas; Cortés era un hombre bastante vulgar y ordinario, aunque lo suficientemente astuto y ambicioso como para conquistar (ahora sí) la gloria y el prestigio. No soy historiador y no puedo opinar, pero todo parece bastante acreditado.

Pero cuando llega la hora de los juicios morales la etnohistoria resulta ser tan parcial como lo era la historia, solo que ahora del otro lado. Los sacrificios humanos de los aztecas, las razias para conseguir víctimas, el canibalismo..., sí, cierto, pero se ha exagerado mucho, no hay pruebas concluyentes, hay que entenderlo en el contexto y, ¿cómo podemos los hombres del siglo XX criticar la violencia? Restall se resiste con razón (aunque quizá de modo exagerado) a aplicar criterios morales del siglo XXI a las brutales prácticas de los aztecas. Criterio que sin embargo no sigue cuando analiza minuciosa y detalladamente las brutalidades de "los españoles". Ahora sus aliados nativos han desaparecido y el sujeto son "los españoles". Y el criterio moral que se usa es el del siglo XXI, no el de la etnohistoria. Si, por ejemplo, los harenes de Moctezuma con cientos de mujeres no levantan sospecha moral alguna (al parecer es lo que se lleva), los "harenes" de los españoles son "explotación", "esclavitud sexual" y otras lindezas. Pero si las nativas eran pura mercancía ¿cómo entender entonces los frecuentes matrimonios mixtos y la continuidad de la aristocracia azteca, uno de los hechos más singulares del "encuentro", el mejor encuentro, que inaugura el mestizaje, comenzando por el mismo Cortés?

Y qué decir de la violencia... Restall se atreve a comparar la matanza de Cholollan o Cholula con las de My Lai vietnamita, un hecho del siglo XVI con otro del XX, comparación carente por completo de mesura pero que no le hace temblar el pulso. Por supuesto aplica la normativa moral moderna a la guerra de Vietnam, pero ningún historiador cometería el desmán de proyectar criterios morales retrospectivamente. Restall aplica la etnohistoria (cognitiva y moral) a los nativos, pero se olvida de que los españoles también son nativos y también son "otros" para un intelectual del siglo XXI. Y puestos a buscar elementos de comparación, más próxima y acertada hubiera sido la de la "invasión" americana de los territorios indios, como hace María Elvira Roca Barea, un hecho hasta hace bien poco celebrado por el cine de Hollywood y por todos nosotros con él (¿para cuándo una petición de perdón?). O la invasión o conquista por los Ejércitos de las nuevas Repúblicas americanas sometiendo a sangre y fuego a las poblaciones nativas, los "malones". No hace quinientos años, sino menos de cien.

Por supuesto, la pregunta no podía dejar de aparecer: ¿hubo *genocidio*? Ahora no hay deconstrucción etnográfica alguna y el concepto emerge con toda su brutal actualidad. Por supuesto que sí lo hubo, afirma Restall. Aunque inmediatamente le asalta el pudor histórico y se ve obligado a matizar: hubo genocidio en su "efecto", pero no en la "intención". No en la intención, por supuesto, pues nadie lo pretendió, más bien al contrario, aunque Restall olvida los reiterados intentos de la Corona española para proteger a los indios como súbditos prohibiendo su esclavización (y así, Restall cita a Hugo Grotio pero olvida a Vitoria). Pero afirmar que no en la intención aunque sí en su efecto es tanto como negar la mayor, pues sin dolo, sin intención, no puede haber acusación. Si no hubo intención no hubo genocidio, así de simple. Como ha escrito recientemente Jesús Hernández Jaimes:

> Todo genocidio es exterminio de personas, pero no todo exterminio de personas es genocidio. La diferencia no es la

cantidad de daño infringido [*sic*], sino las razones subyacentes. La llegada de los españoles tuvo como consecuencia el exterminio de millones de indígenas. No genocidio.[6]

Restall practica una etnohistoria bizca que hace ejercicios de weberiana *verstehen* comprensiva sobre unos, a veces incluso forzados, pero se lo niega a los otros. Cree en el testimonio de unos para descreer de los otros. Por supuesto Restall no es el único ni el primero en proceder de ese modo. Tiene detrás una larga tradición de historiadores y escritores que transformaron la leyenda rosa de la épica conquista cortesiana en leyenda negra de violencia y brutalidad (por ejemplo, muy recientemente en el exitoso *Sapiens* [2011] de Yuval Harari).

Y así, cuando AMLO les exige al rey de España o al papa que pidan perdón por los horrores de la Conquista (y por cierto, no le escribió al expresidente de Estados Unidos, perfecto ejemplo del débil que muestra coraje allí donde sabe que no hay peligro) está dando todo por supuesto. Da por supuesto (cognitivamente), que es el heredero de aquellos primitivos protomexicanos tres siglos antes de que existiera México. Da por supuesto que la situación actual de pobreza de los nativos, bochornosa por cualquier criterio, es herencia de la Conquista cuando, como sabemos, fueron las jóvenes repúblicas las que durante doscientos años fueron incapaces de hacer justicia e incluso los persiguieron (ahora con "intención"), de modo que, como decía Vargas Llosa: "para cualquier latinoamericano la crítica a la conquista de las Indias tiene la obligación moral de ser una autocrítica".[7] Y finalmente da por supuesto (ahora normativamente) que los horrores deben ser juzgados con criterios morales del siglo XXI.

Pues la clave de este embrollo es que no se puede juzgar el pasado con los criterios del presente salvo, claro está, si lo que se pretende es poner de manifiesto cuánto ha cambiado y cómo hemos progresado. Lo contrario es, al final, un ejercicio de propaganda política que "comprende" –y así silencia– los horrores de los unos, para magnificar los de los otros. Pura propaganda. No es un español imperial, sino los zapatistas, quienes se oponen a la petición de perdón. Los españoles "no nos conquistaron" pues "seguimos en resistencia y rebeldía", y no contra España. Para añadir con amarga ironía

¿De qué nos va a pedir perdón España? ¿De haber parido a Cervantes? ¿A José Espronceda? ¿A León Felipe? ¿A Federico García Lorca? ¿A Manuel Vázquez Montalbán? ¿A Miguel Hernández? ¿A Pedro Salinas? ¿A Antonio Machado? ¿A Lope de Vega? ¿A Bécquer? ¿A Almudena Grandes? ¿A Panchito Varona, Ana Belén, Sabina, Serrat, Ibáñez, Llach, Amparanoia, Miguel Ríos, Paco de Lucía, Víctor Manuel, Aute? ¿A Buñuel, Almodóvar y Agrado, Saura, Fernán Gómez, Fernando León, Bardem? ¿A Dalí, Miró, Goya, Picasso, el Greco y Velázquez? ¿A algo de lo mejor del pensamiento crítico mundial, con el sello de la 'A' libertaria? ¿A la república? ¿Al exilio? ¿Al hermano maya Gonzalo Guerrero?
¿De qué nos va a pedir perdón la Iglesia Católica? ¿Del paso de Bartolomé de las Casas? ¿De quienes arriesgan su libertad y vida por defender los derechos humanos?

Por fortuna la vida de las sociedades, al igual que la de las personas, no reposa solo en la memoria, sino también en el olvido, como comprobó Funes. Y puede que no sea casualidad que sean miembros de un pueblo que jamás ha olvidado –el "pueblo de la memoria", como lo denomina Nora– quienes mejor la han estudiado. Ya he mencionado a dos, Maurice Halbwachs y Pierre Nora. Habría que añadir a su mentor, Emile Durkheim, hijo y nieto de rabinos. Y ahora debo mencionar a Guy Beiner quien, estudiando otro pueblo marcado por la memoria (Irlanda), nos propone en *Forgetful Remembrance* (2018) que, junto a los *lieux de la mémoire* deberíamos estudiar los *lieux de l'oubli*e, investigar el "olvido social". Pues, sin olvidar, la vida es imposible. Como decía, en eso consiste justamente el progreso, en reprogramar los *softwares culturales* heredados, que nos controlan desde el pasado, para sustituirlos por otros nuevos. Deshacerse de la mochila de la historia que pesa como una losa sobre los hombros de los vivos.

LA REALIDAD Y SU REPRESENTACIÓN

Un simple ejercicio de deconstrucción semántica (de desvelamiento) permite resignificar muchas de estas conmemoraciones para eliminar las "comillas". Es lo que pretende la primera parte de este libro: reconstruir, con la información de que hoy disponemos, la realidad de la "conquista" primero (Martín F. Ríos Saloma), de la "colonia" después (Tomás Pérez Vejo), o de su resultado actual: esa parte del mundo que llamamos "América Latina" (que abordo yo mismo).

Fue a finales del Virreinato cuando se empieza a ver la "conquista" y a Cortés de forma negativa y se empieza a interpretar como una imposición de España sobre América, una "conquista" que Martín F. Ríos Saloma deconstruye, y que ya hemos comentado anteriormente. Como afirma, fueron los indígenas quienes utilizaron a Cortés para sus propios fines, tanto como al contrario.

Más tarde, ya durante la guerra civil de independencia –como recoge Tomás Pérez Vejo–, empieza a utilizarse la idea de que América era *colonia* de España, idea que será básica en la formación de los relatos nacionales. Una vez más, subsumir realidades del siglo XVI o XVII bajo conceptos del XIX o del XX –como el de *colonia*– resulta un lecho de Procusto. Si nadie se preguntaba si eran colonias el reino de León o el señorío de Vizcaya, ¿por qué preguntárselo respecto al reino de Chile o el señorío de Tlaxcala? Y una vez más, ¿quién era colonia de quién, cuando México era más bien el centro del Imperio, sin duda una ciudad mucho más cosmopolita, abierta, comercial y "global" que Madrid o Toledo? Parece que los conceptos, tan caros a la sociología, de "centro" y "periferia" los tenemos cambiados. "Si hay una capital imperial en la Monarquía Católica en el siglo XVIII, desde el punto de vista arquitectónico-urbanístico, ésta es México y no Madrid", afirma Pérez Vejo.

Finalmente, el resultado de todo ello es que hoy es moneda común considerar que América Latina está formada por *torn countries* (Huntington), países partidos (¿mestizos?) que no forma parte de Occidente, como trato de mostrar yo mismo. La politóloga colombiana Marcela Prieto relata cómo un profesor colombiano –uno de los países más alejados del indigenismo– pregunta todos los años a sus estudiantes (que lo son de geopolítica) si América Latina es parte de Occidente.[8] Pues bien, la mayoría, año tras año, responde que no, ellos son América Latina, no Occidente, una respuesta que habría encantado al mismo Trump. El resultado es una América Latina que casi flota en el espacio sideral, rota la conexión con sus dos raíces, la ibérica y la indígena, rechazada en el norte por indígena, rechazo que se acepta e interioriza en el sur; rechazada en el sur por ibérica, rechazo que se acepta e interioriza en el norte. Una América incapaz de hacer las paces consigo misma. Países rotos, efectivamente, pero solo para una mirada incapaz de entender que es esa misma mirada la que rompe lo que es una unidad rica y variada que se ha ido construyendo durante cinco siglos.

Pero con todo ello hemos saltado, inevitablemente, desde la realidad a su representación. Y si la primera parte es un intento de cartografiar la realidad objetiva, se contrasta con la segunda parte que expone, no la realidad, sino su representación, el "relato" como se dice ahora. El relato *whig* de la historia del mundo (Luis F. Martínez Montes), el relato norteamericano de la historia de América en su conjunto (José María Ortega Sánchez), o el relato de la misma historia de Estados Unidos (María Elvira Roca Barea).

Martínez Montes desarrolla el "canon *whig*" de la modernidad, desde Hugo Grocio a Oliver Cromwell, a Huntington, a Reagan, a Walter Russell Mead en su libro *Dios y oro: Gran Bretaña, América y los orígenes del Mundo Moderno (*2007*)*. Un canon que fue aceptado por los mismos españoles (singularmente el mismo Ortega y Gasset), que excluye por completo el mundo latino, y leyendo a Martínez Montes he recordado al gran sociólogo italiano Luciano Pellicani, recientemente fallecido (gran orteguiano, por cierto), cuyo libro *La génesis del capitalismo y los orígenes de la modernidad* (1994) es una magnifica defensa de su origen mediterráneo. Frente a ello, Martínez Montes nos interpela con un caso llamativo:

> Intentemos encontrar un mestizo de indio algonquino y colono inglés educado en Jamestown a principios del siglo XVII,

conocedor, además de sus lenguas materna y paterna, del latín y el italiano, capaz de traducir a un autor neoplatónico judío al inglés isabelino y de escribir una historia de América del Norte que respetara, conciliándolos, el punto de vista amerindio y el de los europeos. No lo conseguiremos. Sencillamente, no existe un equivalente del Inca Garcilaso en toda la historia de la anglo-América colonial.

¿Fue esto conquista, colonización, mestizaje? De nuevo las palabras no nos ayudan.

Y para el triunfo del canon *whig* fue básico asumir la "mirada", que analiza José María Ortega Sánchez, quien se centra en el análisis de textos contemporáneos. En *Bolívar: American Liberator* (2013) o en *Silver, Sword and Stone* (2019), ambos de Marie Arana, o en las series *Blood and Gold: The Making of Spain* (2015) producida por la BBC, y *Civilisations* (2018) por la BBC y PBS, en los que España y la Monarquía Católica aparecen en el "lado incorrecto de la historia". Productos repletos de prejuicios y que se deslizan inconscientemente hasta el racismo, que aflora en la defensa de la "epigenética" para explicar el carácter indolente y violento de los latinos, como hace Arana.

Aceptar esta "mirada" implica muchas consecuencias, señala Ortega Sánchez: que el *ethos* español es ominoso, y por tanto, una conflictiva relación con lo español en general; demonizar la historia española, y en especial la Monarquía Católica, lo que genera en América Latina un conflicto con uno mismo y con el propio pasado; y finalmente la consecuencia, la necesidad de "desespañolizar" la nación, "copiando" a otras supuestamente superiores, o bien regresando a un pasado imaginado ("descolonización").

Finalmente, María Elvira Roca Barea analiza la "frontera" con el mundo anglo, porque hasta 1848 la frontera entre México y Estados Unidos casi no existía. Lo que existía era un imperio casi desconocido que dominaba los grandes territorios entre uno y otro –el imperio comanche, del que habla Pekka Hämäläinen–,[9] y es a partir de su formación cuando se separan ambos mundos de tal forma que a un lado quedan los civilizados y a otro, los bárbaros. Roca Barea denuncia la *damnatio memoriae* que está sufriendo todo el pasado hispano de Estados Unidos, muy especialmente en territorio californiano. Y nos recuerda que cuando Donald Trump se refiere con rotundidad a la necesidad de expulsar a los *bad hombres*, no está pensando en España precisamente, de modo que la iconoclasia desatada en ese país afecta a lo hispano en todas sus manifestaciones, ya sea novohispano, mexicano, iberoamericano o español.

Así pues, la realidad y su representación, de eso va este libro que, abordando eventos de alcance histórico-universal (como los habría denominado Max Weber) y de inmenso poder evocador, eventos que han alimentado la imaginación, la literatura y las novelas, la música y las óperas, la plástica y la muralística, tanto que se hace difícil (si no imposible) ir a las cosas mismas –como quería Ortega y Gasset– traspasando el velo de las ideologías, los prejuicios, las mistificaciones o los fetichismos. Pero manda quien pone nombre a las cosas, y de eso se trata: de mandar.

Y por ello, con su maestría usual, y desde una muy larga experiencia como historiadora de México y de sus relaciones con España, Guadalupe Jiménez Codinach cierra el volumen animando a una tarea rigurosa de desvelamiento para saltar más allá de prejuicios y estereotipos a la enorme riqueza y complejidad de la realidad. Pues de mitos y sueños, pero también de realidades va este libro.

CONCLUSIÓN

No podemos cambiar la historia, que es frecuentemente una historia de enfrentamientos, aunque sí podemos reevaluarla; lo hacen los historiadores constantemente, y nosotros con ellos. Y podemos aprender de ella para evitar en el futuro esos enfrentamientos. Por ello es bueno dejar el pasado a los historiadores para centrar la política en el futuro, que es el espacio donde sí podemos encontrarnos de nuevo.

Pero no es posible juzgar el pasado con los criterios morales del presente. Si lo hiciéramos liquidaríamos todo y todos, acusados de racistas, de machistas o de homófobos. El presentismo, la carencia casi total de conocimiento histórico, es muy dañino. Desde Julio César a Alejandro Magno a Napoleón, por no citar a Aristóteles, nadie se libra. ¿Vamos a renombrar el teorema de Arquímedes si descubrimos que era machista, tenía esclavos o era homófobo? ¿Qué hacemos con Washington o Jefferson, que eran propietarios de esclavos (y otras cosas)? ¿Vamos a renombrar Colombia o Washington? Si lo hiciéramos seríamos injustos con ellos y cancelaríamos la realidad del progreso moral de la humanidad. ¿Cómo nos juzgaran a nosotros en el futuro, con qué estándares morales?

Por lo demás, los hombres somos muchas cosas. Hay artistas o científicos magníficos que son personas despreciables, y no por eso dejan de ser grandes artistas o grandes científicos. Se les valora por aquello en lo que destacaron y se les critica por el resto que, por lo demás, lo compartían con la mayoría de sus contemporáneos. Al pobre Colón no se le puede juzgar con criterios morales de universitario de la Ivy League.

Y si vamos a hacerlo, habrá que hacerlo con todos. No solo los "hombres blancos" han practicado el racismo, la esclavitud, el machismo o la homofobia. Creer que los negros son naturalmente agresivos es racismo, pero creer que los blancos son naturalmente racistas o naturalmente machistas es también racismo. No se puede criticar el racismo practicándolo.

La historia de los descubrimientos, de la conquista y de la colonización de unos pueblos por otros ha sido siempre una historia llena de ruido y violencia. Lo fue la conquista romana de la península ibérica, y lo fue también lo que España, Portugal y otras muchas naciones hicieron en los siglos XVI en adelante, llenas todas de relatos de grandeza y heroísmo, pero también de violencia y de maldad. Lo ha sido la historia toda de Europa, y por eso hicimos la Unión Europea, para superar ese terrible pasado de guerras civiles europeas. Pues el "hombre blanco" no solo ha masacrado al "otro"; antes de nada, se ha masacrado a sí mismo. En eso al menos tampoco se diferencia del "no blanco".

España, no los españoles (y menos los actuales) fue sujeto histórico y responsable de horrores, pero también de aciertos. Las primeras universidades, los primeros hospitales, las primeras imprentas y los primeros libros impresos, los primeros matrimonios mixtos y el mestizaje, las primeras gramáticas de lenguas nativas, todo eso, figura en el activo. Como es también cierta la importante aportación que aquellos pueblos hicieron a la cultura y la economía de España y de Europa. A comienzos del siglo XVIII, antes de las independencias, México era una gran ciudad cuando Boston o Filadelfia eran pequeños poblachos. Hoy sabemos que el relato del atraso y pobreza de la "colonia" es falso y que la decadencia de América Latina (relativa, por cierto) no precedió a su independencia.

Pero la destrucción de pueblos y etnias, bien por la violencia o por las enfermedades, la explotación, la esclavitud, figura en el pasivo, y no podemos ni negarlo ni olvidarlo. España no puede sino lamentar y pedir perdón por cuanta maldad y dolor pudo causar en aquellos pueblos, sin quererlo, como asegura Restall casi a regañadientes. Y lo hace con dolor y el máximo respeto a ellos y a sus herederos actuales.

Pero pide al tiempo una mirada objetiva para que todo sea valorado conjuntamente. Pues si América hoy forma parte del concierto de los pueblos occidentales, ello se debe también a aquellos eventos.

No se arregla el pasado cancelándolo sino, al contrario, conociéndolo y teniéndolo presente para que no vuelva a ocurrir. Las batallas del presente no deben desviarse al pasado, deben ganarse en el futuro.

Y termino plagiando una de las ideas de estas mismas páginas. En los albores de la segunda década del siglo XXI y en plena reconfiguración del orden mundial, es necesario que América Latina conozca su propia historia, se libere de prejuicios, deje de cargar el pasado y se reconozca en esa historia compartida de matriz hispana. Pero es igualmente necesario que España mire a América Latina en condiciones de igualdad, reconozca su herencia americana y asuma que la conquista fue también la destrucción de otras culturas que existían previamente e, incluso, de muchas de las poblaciones locales. Miguel León Portilla terminaba en 1985 su bella introducción a *La visión de los vencidos* invocando "formas más humanas de encuentro" y recordando a "todos cuantos están así emparentados" que nos "interesa esta historia que es, a la vez, de México y de España".[10] Es "nuestra" historia, no la de los "hunos" contra los "otros" como hubiera escrito Miguel de Unamuno.

Tendría que dar las gracias a mucha gente, pero me voy a limitar a pocos pero esenciales. En primer lugar, a José María Ortega Sánchez, pues este libro es más suyo que mío. Nació de una conversación en mi despacho, que provoqué tras interesarme por un trabajo suyo. Y nació espontáneamente, casi sin darnos cuenta de que brotaba. Serendipia, creo que se llama cuando no buscas pero encuentras. Y sin buscar, encontré libro, y colaborador. No sería posible sin su ayuda, apoyo y dirección. A Turner, por supuesto, y a Santiago Fernández de Caleya, que nos animó desde el primer momento. Mi agradecimiento sincero a la gran historiadora Guadalupe Jiménez Codinach, que aceptó el reto de colaborar en una empresa complicada como ésta. Y por supuesto a todos los restantes autores que aceptaron sin dudar participar en este proyecto. A todos, mi sincero agradecimiento.

Emilio Lamo de Espinosa
En un extraño Madrid nevado, enero de 2021

LA REALIDAD.
DE LA CONQUISTA AL VIRREINATO
Y A AMÉRICA LATINA

CONQUISTA, ¿QUÉ CONQUISTA?
Notas para una revisión y crítica historiográfica

Martín F. Ríos Saloma

LA CONQUISTA DE MÉXICO (Y DE AMÉRICA)
MÁS ALLÁ DE LOS NACIONALISMOS

Entre los años 1929 y 1935 el pintor mexicano Diego Rivera (1886-1957) realizó en los muros de la escalinata central del Palacio Nacional de México –antigua sede del poder virreinal– el mural "México a través de los siglos", conocido también como "Epopeya del pueblo mexicano". El nombre del mural se inspiró en el proyecto historiográfico del político y polígrafo mexicano Vicente Riva Palacio (1832-1896), quien en 1884 había publicado en cuatro lujosos tomos la historia *México a través de los siglos*. Como es sabido, en la escena central se representa la conquista de México-Tenochtitlan simbolizada por el combate entre Hernán Cortés –quien, a caballo y con armadura, ataca con una lanza a un caballero águila– y Cuauhtémoc, el último *tlatoani* que, cual David americano, enarbola una honda para enfrentar a un enemigo descomunal; junto a Cortés, un soldado indígena de pie y vestido con un traje de color amarillo, presumiblemente un tlaxcalteca, ataca también al caballero águila, representando así la alianza entre el conquistador castellano y los diversos pueblos indígenas de Mesoamérica en contra de los mexicas.

Desde la finalización de los frescos de Palacio Nacional a principios de 1950 y hasta la fecha, generaciones de niños mexicanos han visitado año tras año los murales, aprendiendo una interpretación particular del pasado mexicano y de la Conquista anclada en tres ejes rectores: primero, que México como nación existía previamente a la llegada de Cortés; segundo, que la época virreinal fue un periodo oscuro de la historia de México marcado por la violencia, la explotación económica de los indígenas y la ambición de conquistadores y encomenderos;

y, tercero, que, paradójicamente, el México contemporáneo era producto de la fusión de dos pueblos, de dos razas, de dos naciones y, por lo tanto, era un México mestizo.

La visión deformada de la Conquista existente en México –y otras naciones latinoamericanas– donde la población nativa era muy grande y fue diezmada en el siglo XVI, tenía –y tiene– su contraparte en la idealización que de la misma hizo el discurso nacional español del siglo XIX y que, como en el caso mexicano, tuvo en la pintura su principal vehículo de transmisión. En 1892, por ejemplo, coincidiendo con el cuarto centenario del primer viaje colombino, José Garnelo Alda realizó el célebre cuadro "Primeros homenajes en el Nuevo Mundo a Cristóbal Colón" que se conserva actualmente en el Museo Naval de Madrid. En dicho lienzo, el almirante –erguido y ataviado con manto y botas– señala una cruz de gran tamaño y las armas de Castilla que se encuentran detrás de él, mientras que los indígenas –semidesnudos, tocados con plumas y armados con arcos y flechas, dócilmente se inclinan ante él y le ofrecen regalos–. El cuadro sintetiza muy bien el discurso decimonónico: la España imperial, representante de la cristiandad y la civilización, revelaba a los indios antillanos –y por extensión a los de todo el continente– la única y verdadera fe y éstos aceptaban de buen grado integrarse en el mundo occidental reconociendo el señorío de los Reyes Católicos y la supremacía del cristianismo.

Estas dos visiones opuestas sobre la conquista de América comparten, sin embargo, el hecho de ser producto de los discursos nacionalistas forjados en el siglo XIX que tenían como objetivo cardinal dotar de una identidad particular a las diferentes naciones –tanto en América como en Europa– que las distinguieran de otras, remarcando los elementos culturales –tradiciones, costumbres, lenguas– y los hechos históricos que las hacían únicas.

En ese proceso de construcción identitaria el discurso historiográfico desempeñó un papel central, de tal suerte que los historiadores se dieron a la tarea de buscar en el pasado los elementos que desde el origen de los tiempos encarnaban el espíritu del pueblo o el *volksgeit*, para decirlo en palabras de Herder. De igual forma, los historiadores, que la mayoría de las veces fueron también hombres políticos y defendieron a través de la historia una cierta visión del mundo, de la política y del Estado, seleccionaron aquellos sucesos que habían marcado la historia del pueblo –o, por mejor decir, de la nación– e hicieron de los hechos de armas las nuevas efemérides a conmemorar de manera oficial. Asimismo, los historiadores exaltaron a unos determinados personajes históricos que, desde su perspectiva, representaban más claramente los valores y espíritu nacionales y que fueron presentados como héroes, es decir, como modelos de virtudes cívicas y patrióticas a esa ciudadanía en formación. Así, por ejemplo, mientras en la España del ochocientos se exaltaba la figura de Pelayo como primer rey de la España restaurada y caudillo de la Reconquista, en México se exaltaba la figura de Cuauhtémoc como el gran guerrero y soberano que defendió a su pueblo y a su ciudad –a su nación– hasta el último aliento.

En un trabajo célebre, añejo de casi cuarenta años, Eric Hobsbawm señaló que el discurso historiográfico estaba gobernado por "reglas de naturaleza simbólica que buscan inculcar determinados valores o normas de comportamiento", de tal suerte que, según el historiador británico, "la historia contiene no la memoria colectiva sino los acontecimientos que han querido ser recordados por quienes tienen esa función". De esta voluntad selectiva se desprenden las tres funciones que Hobsbawm atribuye al discurso histórico: a) crear lazos de cohesión social y pertenencia; b) legitimar instituciones y estatus; y c) inculcar creencias y sistemas de valores. Así pues, es necesario subrayar la función socializadora del discurso histórico, así como el hecho de que la historiografía académica permite realizar el análisis de las relaciones que existen entre el discurso historiográfico y los valores, imágenes y símbolos que en él se encarnan y profundizar de esta manera en el estudio de los aspectos simbólicos y culturales en el proceso de construcción del pasado elaborados por una sociedad determinada en un tiempo y un espacio concretos.[1]

En función de estas consideraciones podemos señalar que si queremos comprender y explicar el proceso de reconocimiento, conquista y colonización de América bajo nuevas perspectivas, debemos abandonar la perspectiva nacionalista desde la cual ha sido visto e interpretado dicho proceso a lo largo de doscientos años. Ello debe llevarnos a aceptar, por ejemplo, que ni México ni España existían como Estados nación en 1519 y que, en consecuencia, España no conquistó México, sino que en realidad la conquista de México-Tenochtitlan fue el resultado de una conjunción de factores entre los que deben señalarse tanto la ambición, la inteligencia y el tesón de Hernán Cortés y sus soldados castellanos, como las alianzas políticas y militares conformadas con los distintos pueblos mesoamericanos. Abandonar el discurso nacionalista permite, asimismo, evitar juicios de valor, manifestar sentimientos de orgullo, adhesión o aberración –tan propios de la historiografía decimonónica que buscaba exaltar el sentimiento nacional– y, sobre todo, nos previene del enorme riesgo de proyectar hacia el pasado conceptos tan caros a nuestros presente –tiempos en los que ninguna conquista o invasión puede justificarse– como los de *derechos humanos* o *genocidio*, so pena de incurrir en un grave anacronismo. Finalmente, abandonar la óptica tradicionalista permite comprender la actuación de los protagonistas de este complejo proceso histórico en función de los valores, mentalidades, codificaciones y prácticas de su tiempo.

Frente al desamparo que el ciudadano común educado en la retórica nacionalista puede sentir ante estos asertos –particularmente en el mundo americano– la historia académica ofrece la posibilidad de construir explicaciones mucho más ricas y complejas en las que las personalidades centrales del relato canónico como las de Cristóbal Colón, Diego Velázquez, Hernán Cortés, Malitzin, Moctezuma y Cuauhtémoc pierden protagonismo frente a los procesos generales o pueden resignificarse y comprenderse mejor a la luz de sus propios marcos referenciales. Así, por ejemplo, los hechos de armas protagonizados por los castellanos pueden explicarse en función de tradiciones militares de larga duración que se insertan a su vez en un marco mucho más amplio –la expansión de las fronteras de la Monarquía Hispánica–en tanto que los pueblos indígenas pueden dejar de ser considerados como un grupo homogéneo y como entes pasivos ante la historia por cuanto, en realidad, fueron tan protagonistas de la Conquista como Cortés y sus hombres. En ese mismo sentido, la historia permite comprender que el proceso de conquista no ocurrió en un sentido unívoco, sino que fue un proceso de reconocimiento mutuo, de fascinación por los otros y de intercambios culturales enormemente complejos.

Así pues, al preguntarnos ¿qué conquista? respondemos de entrada que no es ciertamente la de un Cortés héroe o genocida, ni aquella que define las acciones de guerra llevadas a cabo por los soldados castellanos como genocidio, ni considera a los indígenas como entes desprovistos de toda voluntad y capacidad de acción; tampoco la que silencia o niega los actos de violencia y destrucción amparándose en la vigencia de una leyenda negra que pretendería desacreditar los méritos de España en la historia y en el mundo, ni la que considera a doña Marina y los indígenas que se sumaron al Ejército de Cortés como traidores; menos aun la que considera a los frailes y evangelizadores como fanáticos religiosos y a Cortés y sus soldados gente despiadada y avariciosa movida solo por el afán de botín. Por el contrario, como se señaló más arriba, es deseable explicar esta Conquista en una perspectiva de larga duración que inserte el proceso de reconocimiento, conquista y colonización de América en el marco de la proyección de las experiencias de múltiple signo –económicas, políticas, militares, ideológicas, religiosas, espirituales– gestadas en el espacio mediterráneo sobre los espacios atlánticos, considerando, a su vez, la óptica de los diversos actores –marinos, conquistadores, frailes, representantes de la Corona, caciques indígenas, esclavos, mujeres de uno y otro grupo, etcétera–, que ponga en valor los mecanismos de negociación y de articulación de pactos y alianzas, los intercambios culturales de todo signo –alimentario, medicinal, religioso–, las estrategias militares aportadas por los distintos actores, que reconozca en sentido amplio la participación indígena en la conquista militar y que permita comprender, en fin, cómo y en qué medida ello supuso la integración de las tierras americanas a la Monarquía Hispánica y la conformación de un nuevo reino –la Nueva España– que a la postre acabó convirtiéndose en el eje central y articulador de la economía mundo en la época moderna.

LECTURAS DEL PASADO QUE CONDICIONAN EL PRESENTE

Recientemente Andrés Ríos Molina ha puesto de manifiesto en qué medida la lectura que el filósofo mexicano Samuel Ramos (1897-1959) hizo de la conquista de México en su libro *Perfil del hombre y la cultura en México* (1934) como un trauma obedecía a un contexto histórico en el que las ciencias sociales utilizaban "conceptos de las ciencias naturales o de las disciplinas 'psi' (psicoanálisis, psiquiatría, psicología) para comprender fenómenos sociales y dirigir políticas públicas". De esta suerte, al emplear el concepto de *trauma*, Ramos no solo utilizaba de manera equívoca el término que Freud había desarrollado para hacer referencia a las experiencias dolorosas e impactantes experimentadas por un sujeto que se traducían en una huella dolorosa en su memoria, sino que hacía una lectura ideologizada del pasado al considerar que los pueblos originarios fueron incapaces de adaptarse al cambio "ya que el apego total a sus costumbres los hacía mantener la mirada fija en un pasado mítico que les impedía caminar hacia el futuro y el progreso. Así, el violento encuentro con los europeos −señala Ríos Molina al referirse a la interpretación de Ramos− no solo significó la pérdida de sus instituciones, tradiciones, formas de organización y de ejercicio del poder, sino que generó una total resistencia al cambio evidenciada en la profunda melancolía y un complejo de inferioridad". A estas ideas se sumaba una aún más nociva pues, a decir del filósofo mexicano, la experiencia traumática sufrida por los indígenas del siglo XVI se transmitía a sus descendientes, es decir, a los mexicanos contemporáneos, aquejados por esa misma incapacidad de avanzar hacia el progreso.[2]

La posición que tuvo Samuel Ramos en el ambiente intelectual mexicano hizo que sus ideas tuvieran una amplia difusión tanto en el ámbito educativo como en el cultural, signado, además, por el desarrollo del indigenismo, una corriente ideológica que buscaba legitimar al nuevo régimen político emanado de la Revolución de 1910 y que, como una manera de desligarse del régimen porfiriano −amparado por una élite política y económica en buena medida de ascendencia europea−, se volcó, con el apoyo del Estado mexicano, en el rescate y exaltación de las culturas prehispánicas por medio del desarrollo de grandes proyectos de excavación y restauración/reconstrucción arqueológica –como el de Teotihuacan, liderado por Alfonso Caso en la década de 1940– y la fundación de entidades públicas como el Instituto Nacional de Antropología e Historia (INAH) en 1939, la Escuela Nacional de Antropología e Historia en 1942 o el Instituto Nacional Indigenista (INI) en 1948. Como puede observarse, fue en este contexto en el que José Vasconcelos (1882-1959), antiguo rector de la Universidad Nacional de México (1920-1921) y a la postre secretario de Instrucción Pública, encargó a Diego Rivera la realización de los murales del Palacio Nacional a los que hacíamos referencia al principio del texto, y aunque el propio Vasconcelos se había interesado por la figura de Cortés en el estudio *Hernán Cortés, creador de la nacionalidad* (1941), la visión que a la postre se impuso del marqués del Valle no fue la del filósofo sino la del artista plástico.

De manera paralela al desarrollo del indigenismo, en las décadas de 1940 y 1950 se formuló una corriente de pensamiento filosófico que pretendía reivindicar la capacidad creadora y la originalidad del pensamiento latinoamericano y cuestionaba la posición de sumisión de América Latina frente a Europa y Estados Unidos en el marco de la reconfiguración del mundo de la segunda posguerra. Así, a los trabajos pioneros del propio Vasconcelos como *La raza cósmica* (1925), se sumaron las obras de Leopoldo Zea (1912-2004), a cuya pluma se debe el ensayo *En torno a una filosofía americana* (1942); de Luis Villoro (1922-2014), autor de un estudio sobre *Los grandes momentos del indigenismo en México* (1950) y de Miguel León Portilla (1926-2019), quien obtuvo su doctorado en Filosofía en la UNAM con la tesis intitulada *La filosofía náhuatl estudiada en sus fuentes* (1956). Naturalmente, la tradición filosófica americana solo podía analizarse a partir de la relación con la filosofía occidental, pero lo importante era subrayar la capacidad intelectual del hombre americano y situar su pensamiento a la altura del pensamiento europeo.

Mención aparte merece el ensayo de Octavio Paz (1914-1998) "El laberinto de la soledad", publicado por vez primera en *Cuadernos Americanos* en 1950 y reeditado de forma ininterrumpida por el Fondo de

Cultura Económica. Siguiendo la estela de Samuel Ramos, Paz se preguntaba por el ser, el carácter y la idiosincrasia de los mexicanos y concluía:

La desconfianza, el disimulo, la reserva cortés que cierra el paso al extraño [...] son rasgos de gente dominada, que teme y que finge frente al señor. [...] La indudable analogía que se observa entre ciertas de nuestras actitudes y las de los grupos sometidos al poder de un amo, una casta o un Estado extraño, podría resolverse en esta afirmación: el carácter de los mexicanos es un producto de las circunstancias sociales imperantes en nuestro país; la historia de México, que es la historia de esas circunstancias, contiene la respuesta a todas las preguntas. La situación del pueblo durante el periodo colonial sería así la raíz de nuestra actitud cerrada e inestable.[3]

Por si fuera poco, Paz añadía, páginas adelante, al interrogarse sobre los orígenes del pueblo mexicano, que éste era producto de una violación, en la que Malitzin representaba la figura de la mujer ultrajada que pasivamente era objeto de la violencia que ejercía sobre ella el conquistador, relegando a esta mujer indígena a un papel secundario y silenciado y condenando al oprobio a quienes preferían lo extranjero frente a lo nacional, los "malinchistas":

¿qué es la chingada? [se interroga Paz] La chingada es la Madre abierta, violada o burlada por la fuerza. El 'hijo de la Chingada' es el engendro de la violación, del rapto o de la burla. Si se compara esta expresión con la española, 'hijo de puta', se advierte inmediatamente la diferencia. Para el español la deshonra consiste en ser hijo de una mujer que voluntariamente se entrega, una prostituta; para el mexicano, en ser fruto de una violación.[4]

Paz representaba para el ámbito de las letras lo que Rivera representaba para la pintura al exponer a través del ensayo una visión deformada de la historia que, además, al filo de 1950, en el contexto de lo que el régimen político comenzaba a llamar la "Revolución Institucionalizada", se convertía en una ideología de Estado que buscaba el control de las masas populares a través de la difusión de un determinado sentimiento de dominación, de oprobio, de revanchismo y de odio al conquistador hispano, artífice de los males que aquejaban al país y que en la práctica llevaba al inmovilismo de las clases populares y a la conservación del *status quo*. Reproducido al infinito por la editorial estatal, *El laberinto de la soledad* se convirtió en libro obligado de generaciones de jóvenes de bachillerato y universidad que se sintieron reconocidos en el discurso no por su condición indígena, sino por la segregación y el racismo que sufrían tanto por parte del Estado mexicano como por parte de las élites políticas y económicas.

Al finalizar la década de 1950 se conjugaron tres elementos que contribuyeron a difundir una visión negativa y distorsionada de la Conquista emanados de un mismo proyecto educativo y cultural encabezado por Jaime Torres Bodet (1902-1974), quien se desempeñó por segunda vez como secretario de Educación Pública entre 1958 y 1964 bajo la presidencia de Adolfo López Mateos. Estos tres elementos serían: la puesta en marcha del proyecto de los libros de texto; la publicación de la colección de textos indígenas de la conquista por Miguel León Portilla en 1959; y la construcción del Museo Nacional de Antropología e Historia entre 1963 y 1964. Veamos cada uno con detenimiento.

En 1959 Torres Bodet puso en marcha la Comisión Nacional de Libros de Texto encargada de proveer a los niños de toda la República mexicana de los materiales necesarios para su instrucción básica. Ello representó una oportunidad inigualable para transmitir a las mentes en formación la visión del Estado mexicano sobre el pasado en general y sobre la Conquista en particular.

La enseñanza de la historia de México se concentró en el tercer año y correspondió al profesor Jesús Cárabes elaborar la primera edición del libro de texto correspondiente, que vio la luz en 1960. La portada era ya una declaración de principios, pues en ella eran invisibilizados la época prehispánica y el periodo virreinal y solo aparecían retratados los tres personajes históricos más importantes del México independiente: Miguel Hidalgo –padre de la patria–; Benito Juárez –forjador de las leyes de Reforma y artífice de la victoria sobre el imperio de Maximiliano de Austria– y Francisco Madero, líder de la Revolución de 1910. El autor dividía la historia de México en seis etapas, siendo la primera la "Etapa prehispánica", "anterior al descubrimiento de América" y en la que "varios pueblos indígenas alcanzaron gran cultura". La segunda era la "Etapa virreinal –nótese que no emplea el calificativo de "colonial"– en la que "nuestro país estuvo gobernado por España" y en la que "la cultura indígena se transformó y enriqueció con la española". En la tercera etapa, la de independencia, México buscó "formas de gobierno más justas y, sintiéndose capaz de gobernarse por sí mismo, el país se separó de España".[5] Páginas adelante, el autor hacía un repaso de las diferentes culturas asentadas en el territorio nacional antes de la llegada de los españoles para concluir con un detallado cuadro sobre "el imperio azteca", sus costumbres, sus formas de organización, su religión y su educación. De ahí se hacía un salto a los preparativos del viaje colombino, a las primeras empresas de exploración española en las Antillas y a la tipificación de las relaciones entre españoles e indígenas. A decir del autor, a los españoles que vinieron a América tras el viaje de Colón se les podía clasificar en tres grupos: "conquistadores, colonos y misioneros". "Los conquistadores –asienta el autor– se apoderaron de la tierra por medio de las armas. Venían en busca de riqueza y honores. Los colonos se dedicaron a explotar la tierra y las minas por medio del trabajo de los indios. Los misioneros se afanaron por conseguir el bien espiritual y material de los indios".[6] Desde el análisis del discurso es sencillo mostrar cómo el relato que se imponía a la niñez mexicana era simplista y maniqueo: México había sido invadido por España, cuyos conquistadores se apoderaron de la tierra de manera injusta por medio de las armas con el fin de expoliar sus riquezas agropecuarias y minerales a través de la explotación de los indígenas.

En 1959 Miguel León Portilla publicó bajo los auspicios de la Universidad Nacional Autónoma de México una antología de textos indígenas de la conquista destinada "a estudiantes y a un público no especializado" cuya traducción había sido hecha en realidad por el sabio jesuita e investigador de las antigüedades mexicanas Ángel María Garibay, quien entonces dirigía el Seminario de Cultura Náhuatl de la UNAM. León Portilla se desempeñaba a la sazón como secretario de dicho Seminario de Cultura Náhuatl y buscaba con esta obra no solo dar a conocer el trabajo de su maestro, sino "abrir las puertas a posibles investigaciones de profundo interés histórico". "El examen sereno del encuentro −concluía don Miguel en su presentación− de estos dos mundos, el indígena y el hispánico, de cuya dramática unión México y los mexicanos descendemos, ayudará a valorar mejor la raíz más honda de nuestros conflictos, grandezas y miserias, y en una palabra del propio "rostro y corazón", expresión de nuestra fisonomía cultural y étnica".[7]

La antología, libre de las notas a pie de página e ilustrada con copias de imágenes de factura indígena contenidas en distintos códices, estaba llamada a tener un enorme éxito entre el público de la segunda mitad del siglo XX y hoy puede decirse, sin temor a equívoco, que es una de las obras más vendidas salida de las prensas universitarias.

¿Qué factores explican la gran difusión de la obra? En primer lugar, el hecho de que por primera vez desde el ámbito de la historiografía académica se daba a conocer la visión indígena de la Conquista, moviendo el foco de la figura de Cortés y proyectando la luz sobre los testimonios de quienes habían perdido el conflicto. En segundo término, el propio título elegido, *La visión de los vencidos. Relaciones indígenas de la conquista*, pues permitió a esos mexicanos de los que hablaban Samuel Ramos y Octavio Paz en sus textos identificarse con aquellos indígenas del siglo XVI y, por una rara operación de psicología colectiva, sentirse descendientes directos de aquellos vencidos. En tercer lugar, su bajo costo, ya que el patrocinio universitario garantizaba su circulación entre estudiantes de secundaria y bachillerato y entre el público no especializado. Por último, el propio prestigio intelectual de León Portilla, que conforme pasaron los años ocupó diversos cargos universitarios, se hizo acreedor a múltiples reconocimientos nacionales e internacionales y continuó trabajando incansablemente a lo largo de toda su vida por dar voz a los pueblos indígenas, al punto que, en el imaginario popular, León Portilla pasa como el autor del libro y no como lo que en realidad es –que no es poco–: el mero compilador y anotador de los textos traducidos por Garibay. De esta suerte, la *Visión de los vencidos* contribuyó a reforzar la conciencia histórica victimista de amplios sectores de la población mexicana para quienes *El laberinto de la soledad* de Paz era inaccesible. No era esa la intención de don Miguel, pero el clima intelectual de la época propició una lectura y un uso sesgado y descontextualizado de las fuentes indígenas y contribuyó a difundir una visión sumamente negativa de la Conquista y los conquistadores.

Entre 1963 y 1964 el arquitecto mexicano Pedro Ramírez Vázquez (1919-2013) encabezó los trabajos de la construcción en el bosque de Chapultepec del nuevo Museo Nacional de Antropología e Historia por instrucciones de Jaime Torres Bodet y con el apoyo directo de la presidencia de la república. El objetivo era claro: por una parte, poner al servicio de las piezas más importantes de las colecciones arqueológicas mexicanas las últimas innovaciones de la museología y la museografía para garantizar su conservación; por el otro, hacer del museo un lugar de memoria en el que los mexicanos del presente pudieran reconocerse en su pasado y, particularmente, en la gran cultura mexica, cuya sala situada en el eje central del museo articulaba todo el recorrido. Del sentido que tenía el museo para aquella generación de intelectuales y estudiosos del pasado dan testimonio las palabras del secretario de educación inscritas en mármol blanco en el vestíbulo principal: "Valor y confianza ante el porvenir hallan los pueblos en la grandeza de su pasado. Mexicano, contémplate en el espejo de esa grandeza, comprueba aquí, extranjero, la unidad del destino humano. Pasan las civilizaciones; pero en los hombres quedará siempre la gloria de que otros hombres hayan luchado para erigirlas".

A completar este vasto proyecto cultural fueron llamados los artistas más importantes del momento, como Rufino Tamayo, para elaborar los murales que decoraban las paredes de las distintas salas y los estudiosos más reconocidos del pasado indígena como el propio Miguel León Portilla, quien en 1914, al participar en la conmemoración del décimo quinto aniversario de la fundación del museo, escribió:

El Museo Nacional de Antropología ha tenido una función primordial en la formación de nuestra toma de conciencia de identidad cultural. ¿Por qué pienso eso? Porque acerca a los que lo visitan al mundo indígena en su plenitud. Nos acerca, desde la prehistoria, a los antecedentes indígenas que son la raíz más honda y profunda de nuestro ser mexicano. [...] El arquitecto Ramírez Vázquez me pidió que le proporcionara esos textos que están en los muros, traducidos del náhuatl y que ligan la herencia física que vemos, con lo que fue el pensamiento náhuatl. Para el niño que se acerca y ve ahí, primero la riqueza del preclásico, en Teotihuacán; después el esplendor clásico de la zona maya; la zona de Oaxaca, también extraordinaria, y va recorriendo después a los toltecas y llega a la gran sala del fondo con el arte azteca o mexica, le permite tener una toma de conciencia vital.[8]

Así pues, la conjugación en el tiempo de estos tres elementos –los libros de texto, la publicación de la *Visión de los vencidos* y la construcción del Museo Nacional de Antropología e Historia– llevó a consolidar una visión particular del pasado indígena y de la conquista que en la mentalidad popular acabó traduciéndose en una visión deformada, simplista y maniquea de los acontecimientos históricos que se mantiene hasta hoy.

A partir de la década de 1970, en el marco del intervencionismo norteamericano en América Latina, de la Revolución cubana, de los movimientos estudiantiles en toda la región, de la presidencia de Salvador Allende en Chile y de la lucha en contra de las dictaduras del cono Sur, el discurso antihispano forjado en México se nutrió de ensayos que tuvieron una enorme acogida entre la juventud del momento, como *Las venas abiertas de América Latina* (1971) del escritor uruguayo Eduardo Galeano (1940-2015), o del más cercano *México profundo, una civilización negada* (1987), de Guillermo Bonfil Batalla (1935-1991). Ambos textos subrayan el saqueo sistemático de la región latinoamericana y la negación de la realidad indígena como consecuencia de la implantación del régimen de dominación colonial en el siglo XVI y si bien es cierto que los dominios americanos de la Monarquía Hispana se insertaron en el orden económico mundial de la época moderna en una situación de dependencia, no es menos cierto que en una generación marcada por el materialismo histórico y la utopía revolucionaria estos discursos calaron profundamente.

El reflejo más notorio de la forma en que cristalizaron estas ideas consiste en el hecho de que en el libro de texto de cuarto año editado por la Comisión Nacional de Libros de Texto gratuito, si bien se conservó el nombre de virreinato de la Nueva España, "porque estaba gobernado por el rey de España a través del virrey", se hizo hincapié en el hecho de que lo que se había establecido era en realidad una colonia: "a esta etapa de la historia de México se la llama colonial, porque el virreinato era una colonia española que formaba parte del Imperio de España y dependía del Gobierno español. La época colonial duró exactamente tres siglos, de 1521 a 1821".[9]

Los debates en torno al quinto centenario del viaje colombino y en los que estaba en juego algo más que una simple cuestión nominativa —conquista, colonización, encuentro, genocidio de los pueblos originarios—, fueron una nueva posibilidad de revisar el pasado. Así, mientras en España el Estado auspició la conformación de la Comisión Nacional para la Conmemoración del V Centenario del Descubrimiento de América, en América Latina tal nombre generó una enorme incomodidad, pues a las personas de estas tierras no gustaba un discurso eurocentrista en el que sus antepasados eran considerados sujetos pasivos de la historia que simplemente habían sido "descubiertos" por Europa. Miguel León Portilla terció en el debate y propuso denominar al proceso "Encuentro de dos mundos", en tanto que el historiador mexicano Edmundo O'Gorman, autor del célebre ensayo *La invención de América*, destacado estudioso de la historiografía novohispana del siglo XVI, propuso seguir concibiendo a dicho suceso como conquista. La polémica entre ambos historiadores llegó a los diarios mexicanos y, al final, como una forma de garantizar las buenas relaciones diplomáticas y dada la necesidad de apoyar el proyecto de integración iberoamericano a través de las cumbres iberoamericanas, la intelectualidad acabó abrazando la propuesta de León Portilla de definir al acontecimiento como un "encuentro".

Por su parte, la crítica realizada desde distintas voces indígenas tuvo como consecuencia que en muchos países dejara de conmemorarse el día 12 de octubre –al que en México se le conocía como el Día de la Raza– y se hiciera una crítica a la exaltación de la idea de hispanidad. De igual manera, el quinto centenario significó una ocasión para remarcar el despojo sistemático de los pueblos originarios, su explotación, discriminación y segregación –en ocasiones su exterminio– y las políticas de homogeneización lingüística que en muchos casos casi terminan con la desaparición de numerosas lenguas autóctonas. Sin embargo, lo que no se puso de manifiesto en estas críticas y señalamientos es que en buena medida tales acciones no habían sido llevadas a cabo por la Corona española a lo largo de los siglos XVI y XVII, sino que habían sido puestas en práctica, en realidad, por los Estados liberales de las distintas naciones latinoamericanas a lo largo de los siglos XIX y XX, aunque hubiera innegables antecedentes en el periodo virreinal.

La voz que mejor reflejó esta visión del pasado fue la del Ejército Zapatista de Liberación Nacional (EZLN), que el día 1 de enero de 1994 bajó de las montañas chiapanecas y tomó las ciudades –de fundación virreinal– de San Cristóbal de las Casas y Ocosingo, entre otras. El Ejército Zapatista, cuyo portavoz era el "Subcomandante insurgente Marcos", dio a conocer en los primeros días de enero la *Primera Declaración de la Selva Lacandona*, la cual en realidad era un memorial de agravios en el que el Ejército Zapatista explicaba su situación de pobreza y marginación en el presente como resultado directo de la conquista española. Así, en su primer párrafo, la *Declaración* explicaba:

Somos producto de 500 años de luchas: primero contra la esclavitud, en la guerra de Independencia contra España encabezada por los insurgentes, después por evitar ser absorbidos por el expansionismo norteamericano, luego por promulgar nuestra Constitución y expulsar al Imperio Francés de nuestro suelo, después la dictadura porfirista nos negó la aplicación justa de leyes de Reforma y el pueblo se rebeló formando sus propios líderes, surgieron Villa y Zapata, hombres pobres como nosotros a los que se nos ha negado

> la preparación más elemental para así poder utilizarnos
> como carne de cañón y saquear las riquezas de nuestra
> patria sin importarles que estemos muriendo de hambre y
> enfermedades curables, sin importarles que no tengamos nada,
> absolutamente nada, ni un techo digno, ni tierra, ni trabajo,
> ni salud, ni alimentación, ni educación, sin tener derecho a
> elegir libre y democráticamente a nuestras autoridades, sin
> independencia de los extranjeros, sin paz ni justicia para
> nosotros y nuestros hijos.[10]

Si bien nadie puede dudar de la situación de pobreza y marginalidad en la que viven no solo los indígenas chiapanecos, sino los diversos grupos indígenas de México y otras regiones del continente, desde la perspectiva histórica el discurso zapatista es cuanto menos cuestionable por la manera en que deforma el pasado y mezcla diversos acontecimientos históricos en una única línea discursiva, obviando algo tan importante para la disciplina histórica como la propia historicidad de las cosas y de los sujetos históricos.

La lenta descomposición del régimen político encabezado por el Partido Revolucionario Institucional (PRI) surgido de las cenizas de la Revolución a mediados de la década de 1920 llegó a su punto culminante en el año 2000 con el triunfo del partido conservador –de carisma católico, como lo indica su propio nombre– Acción Nacional de la mano de Vicente Fox Quesada. Su triunfo electoral es importante para el problema que venimos analizando porque su gobierno quiso romper de manera explícita con el discurso indigenista y reconocer en la herencia hispana a una de las matrices culturales de la cultura mexicana. Ya el propio Vasconcelos en la década de 1940 había llamado la atención sobre la importancia de esta matriz en tanto que Luis Weckmann –autor del conocido estudio *La herencia medieval en México*– y José Luis Martínez en su biografía sobre Hernán Cortés habían comenzado a lanzar nuevas miradas. La diferencia radicaba en que no se trataba solo de visiones procedentes del mundo académico, sino que era el propio Estado mexicano el que transformaba su retórica y, por lo tanto, los fundamentos de su legitimidad.

De esta suerte, y con el fin de estrechar las relaciones culturales entre México y España, el Gobierno de la República mexicana organizó en las instalaciones del Museo Nacional de Antropología e Historia la magna exposición *España Medieval y el legado de Occidente*, la cual se mantuvo en exhibición entre octubre de 2005 y febrero de 2006. La muestra, inaugurada por la ministra española de cultura Carmen Calvo y coordinada por Miguel Ángel Castillo Oreja y Miguel Ángel Fernández, estuvo conformada por más de trescientas piezas y fue articulada en tres grandes secciones: "La formación medieval de España", en la que se hacía un recorrido por la historia política desde la época visigoda hasta el final del reinado de los Reyes Católicos; "España medieval: sociedad, religión y cultura", en la que se estudiaba "desde el papel asumido por la monarquía, la nobleza y el clero en la organización del Estado y en la estructuración del pensamiento político, hasta la convivencia controvertida de las religiones"; por último, "El encuentro entre dos mundos: el legado de occidente", dedicada "a la incorporación cultural europea en América". De forma paralela se organizaron numerosas conferencias, talleres, ciclos de cine y hasta una "cabalgata medieval".

Si instalar un facsímil del libro de Fernando I y doña Sancha o un relicario del siglo XIV en las instalaciones de un museo dedicado a glorificar las culturas prehispánicas era toda una declaración de principios, las primeras páginas del propio catálogo de la exposición, donde se asentaban las palabras de las correspondientes autoridades, reflejaban el giro interpretativo según el cual la historia medieval española no se concebía más como un mero antecedente sino como algo valioso en sí mismo y como parte esencial de la cultura mexicana. De esta suerte, don Juan Carlos I afirmaba que "en las raíces históricas y europeas de España se encuentra uno de los elementos esenciales de México, de su cultura y de su concepción de la vida".[11] Por su parte, el entonces presidente Vicente Fox agradecía, "profundamente", a nombre del pueblo de México, "el gesto generoso de España al permitir que con la exposición *España medieval y el legado de Occidente*, los mexicanos tengamos acceso a una de las vetas menos conocidas y más ricas de nuestra propia historia". Y añadía: "los textos de especialistas españoles y mexicanos, así como un profesional trabajo de curaduría, desvelarán a quienes consulten este libro cómo se configuraron *nuestras* costumbres, patrimonio artístico e instituciones públicas, así como la singular forma en que el pueblo muestra su devoción religiosa, elementos todos ellos vigentes en nuestro presente".[12]

El discurso del expresidente Fox marca sin duda un punto que inflexión en la forma en que se había constituido hasta entonces el discurso histórico oficial: la historia de España y sus soldados no se veían más como algo ajeno que había irrumpido en el idílico mundo mesoamericano para destruirlo y despojar y explotar a sus habitantes, sino como parte esencial de la cultura mexicana, católica como consecuencia de la Conquista. A ello habría que añadir que la palabra *conquista* desaparecía de las páginas introductorias y que la idea que pervivía era de nuevo la de don Miguel León Portilla: lo que había tenido lugar en el siglo XVI era, sin duda, el "encuentro de dos mundos".

LECTURAS DESDE EL PRESENTE QUE TRANSFORMAN EL PASADO

En un libro reciente, a la vez polémico y sugerente, Federico Navarrete, uno de los principales estudiosos mexicanos de la Conquista desde la perspectiva indígena volvía a cuestionarse quién había conquistado México y animaba al lector a no caer en la respuesta simplista – "los españoles"– sino a plantearse, a la luz de nuevas fuentes y a partir de una relectura de las ya conocidas, nuevas miradas sobre este proceso. En las páginas introductorias el autor señala asimismo que al hablar de la Conquista muchas personas sienten esos acontecimientos como cercanos, aunque hayan transcurrido quinientos años y llamaba la atención sobre la pasión y los sentimientos negativos de "coraje y [...] tristeza, [...] angustia [e] incomprensión" que tales sucesos despertaban en muchas personas. Y añadía:

> Cuando hablamos de la enigmática figura de la Malinche
> y su ambiguo papel, de las hazañas y las tropelías de
> Hernán Cortés y los expedicionarios españoles, del papel

desempeñado por sus aliados tlaxcaltecas, de la derrota de los mexicas, pareciera que muchos mexicanos discutimos una historia de nuestra familia, las acciones y tribulaciones de nuestros padres y nuestros abuelos.[13]

Esta constatación del estudioso mexicano permite afirmar que, a pesar del giro discursivo impulsado por el Gobierno de Vicente Fox a inicios de la presente centuria, en la práctica se mantiene vigente el discurso acuñado en la década de 1950 sobre la Conquista. Así, la conmemoración del quinto centenario del sitio y caída de Tenochtitlan es una ocasión privilegiada para lanzar nuevas miradas sobre un proceso que nos sigue resultando desconocido.

De entrada, hay que subrayar el hecho de hoy estamos en condiciones de acceder a una mayor documentación de procedencia hispana gracias a la labor infatigable y pionera de José Luis Martínez, que exhumó una gran cantidad de documentos cortesianos de distintos archivos a lo largo de la década de 1980 con la que construyó su monumental biografía *Hernán Cortés* (1992) y gracias a la cual fue posible acercarnos al personaje con sus luces y sombras y reconocer en él la ambición, el gusto por la aventura, el genio militar, el afán de riqueza, el entusiasmo por la exploración de lo desconocido, sus dotes escriturarias, su conocimiento del derecho y de la Corte, sus aspiraciones nobiliarias, sus conflictos con los conquistadores y con las autoridades virreinales y peninsulares, lo mucho que peleó en los tribunales y el profundo amor que sentía por la tierra que había conquistado.

La estela de Martínez ha sido continuada por su hijo Rodrigo Martínez Baracs, quien no ha dejado de continuar la labor archivística y, sobre todo, por María del Carmen Martínez Martínez, quien a lo largo de dos décadas ha exhumado un sinfín de documentos inéditos a ambos lados del mar y ha sabido tejer las redes de Cortés y reconstituir el universo cortesiano.

En los últimos tiempos también se ha dado voz a los otros soldados cronistas como Bernardino Vázquez de Tapia o Bernal Díaz del Castillo, entre otros, y lo que poco a poco va emergiendo es un coro de voces que reconocen la capacidad de mando de Cortés, pero que dejan ver hasta qué punto Cortés, sin sus hombres, hubiera logrado muy poco, así como la importancia que muchos de ellos tuvieron en la conquista de zonas como Michoacán, Oaxaca y Guatemala. De igual manera, esta polifonía muestra hasta qué punto Cortés manipuló la realidad, silenció acontecimientos y personajes y rompió pactos y promesas con el fin de presentarse a sí mismo como el conquistador –el único conquistador– de México y evitar así el castigo por traición y desobediencia, poniendo en marcha una serie de estrategias discursivas analizadas minuciosamente por Beatriz Aracil. Junto a los soldados cronistas más célebres hubo otros a los que solo conocemos gracias a las relaciones de méritos y servicios que enviaron a la península con el fin de que Su Majestad les reconociera sus servicios; Bernard Grunberg ha logrado constituir un *Diccionario de conquistadores* gracias a una paciente labor de archivo.

Frente a las fuentes hispánicas, en los últimos años y siguiendo la ruta señalada por León Portilla en 1959, son cada vez más las fuentes indígenas que han sido estudiadas y traducidas o que, habiéndolo sido ya como en el caso de los informantes de Sahagún, ofrecen visiones que complementan y complejizan la perspectiva hispánica. Este enriquecimiento permite constatar, por ejemplo, que el mundo mesoamericano estaba conformado por numerosos *altépetl* o señoríos con intereses encontrados y relaciones de subordinación y dependencia, y que así como Cortés explota en su beneficio tales divisiones, también es posible percibir que los indígenas utilizaron a Cortés para sus propios fines. Solo así se explican acciones como la matanza de Cholula –señorío enemigo de Tlaxcala– o la enorme cantidad de indígenas que se sumaron al ejército multiétnico que sitió Tenochtitlan en mayo de 1521: los cálculos de Mathew Restall señalan que por cada soldado castellano habría doscientos soldados indígenas, en tanto que Federico Navarrete sostiene que podrían haber sido cien; en cualquier caso, si tomamos la cifra más baja, el Ejército estaría conformado por cinco mil efectivos, de los cuales solo quinientos serían castellanos.

Este dato, que parece banal y propio de la historia positivista del siglo XIX, aporta en realidad muchas luces sobre el proceso de conquista y lo que aconteció en los años inmediatamente posteriores a la conquista de México. De pronto se muestra con claridad que Cortés y su ejército eran un grupo minoritario en un mundo desconocido y que, por lo tanto, para sobrevivir, debieron adaptarse a las condiciones que la realidad les presentaba. De igual manera, este dato refleja hasta qué punto los pueblos indígenas no solo no fueron actores secundarios silenciados por el propio Cortés, sino que fueron actores de primer orden que se encargaron, desde el desembarco del futuro marqués del Valle y sus hombres en Veracruz en abril de 1519, de proveerlos de alimento, de cargar los enseres, de darles aposento, de prestarles auxilio militar, de guiarlos por los caminos y de enseñarles las técnicas de combate de la tierra. Hoy no es descabellado sostener que fueron los indígenas los que utilizaron a Cortés y que ese interés –interés nacido del hecho de reconocer en él a un poderoso aliado, como muestran las primeras escaramuzas con los tlaxcaltecas– fue el que permitió la supervivencia del capitán extremeño. Naturalmente no puede dudarse del genio militar cortesiano ni de su capacidad para formar alianzas y explotar rencillas, pero ello obliga a reconocer, también, la capacidad de negociación de los caciques indígenas y su posición de fuerza.

El segundo hecho que se deriva de reconocer la importancia numérica del ejército indígena es el de reconocer el papel de Malitzin –doña Marina– en los procesos de negociación. Lejos estamos ya de las posturas –que hoy fácilmente podrían calificarse de machistas– de Octavio Paz, que había condenado a aquella noble indígena al silencio y la negación. Por el contrario, autores como los ya citados Federico Navarrete y Mathew Restall, a los que debemos sumar a Camilla Townsend, han subrayado el importante papel que tuvo Malitzin como traductora, diplomática y mediadora cultural. Analizando las diversas representaciones iconográficas de doña Marina en los códices de tradición indígena, Townsend ha subrayado en particular el papel activo que tuvo en las negociaciones con los distintos señores y la manera en que su conocimiento de la realidad política mesoamericana pudo haber influido en la estrategia cortesiana y en las alianzas forjadas por el capitán castellano. De ser poco menos que una traidora a su pueblo, Malitzin ha pasado a ser considerada como una mujer que supo aprovechar su inteligencia y sus dones naturales para mantenerse con vida y convertirse en la voz de Cortés –los textos indígenas se refieren a él como "Malinche"– y en agente indispensable de la empresa de conquista.

Reconocer el papel de Malitzin en la conquista ha hecho que las y los investigadores centren su atención en el papel de las mujeres, tanto indígenas como españolas, en este proceso. Se trata de mujeres que suministraban y preparaban alimentos, que eran entregadas como intercambio para solaz de los conquistadores y que, en caso de pertenecer a una familia noble, eran entregadas como esposas de conquistadores, como ocurrió con la propia Malitizin, con las hijas de Moctezuma o con la hija del propio Xicoténcatl, previa conversión al cristianismo. En el grupo español, ya Bernal Díaz del Castillo hablaba de María de Estrada, pero poco a poco van apareciendo más mujeres conquistadoras. Tras las conquistadoras llegaron las mujeres colonizadoras, como Catalina Juárez, la esposa de Cortés, que tuvieron un papel activo en la fundación del reino de la Nueva España y la articulación de un nuevo tejido social.

Finalmente, la numeralia permite comprender mejor el hecho de que todos aquellos pueblos que habían participado en la derrota de Tenochtitlan, comenzando por los tlaxcaltecas, se presentasen a sí mismos como conquistadores, se sintieran orgullosos del servicio prestado y reclamaran, en consecuencia, las recompensas correspondientes que podían tomar la forma del reconocimiento de su condición de preeminencia, el otorgamiento de títulos nobiliarios, el permiso de montar a caballo, portar espada y vestir a la española, la concesión de tierras y, en fin, el reconocimiento de los linajes gobernantes, a los que se sumaba la facultad de seguir hablando su propia lengua y emplearla en los pleitos judiciales, tal y como han estudiado Laura Mathews, Michel Oudjik y Raquel Güereca, entre otros. El resultado de tal reconocimiento es que, al menos durante los primeros años, las cosas no cambiaron radicalmente para la inmensa mayoría los habitantes de Mesoamérica desde la perspectiva de la organización política y social.

En otro orden de cosas, la historiografía reciente es unánime en reconocer que la conquista de la ciudad de Tenochtitlan solo representó el inicio de la conquista militar del actual territorio y que el sometimiento de los otros grandes señoríos se llevó a cabo a lo largo de ciento cincuenta años –la conquista de la última ciudad maya independiente, Tayasal, ocurrió en 1697– con la imprescindible participación de los pueblos indígenas súbditos de Su Majestad Católica. En este sentido, Cortés no fue el conquistador de México, sino tan solo el conquistador de Tenochtitlan y del Altiplano Central y no es éxito menor que, gracias a su labor escrituraria, en el imaginario colectivo a ambos lados del Atlántico se le tenga por tal.

A la luz de este breve repaso por las nuevas interpretaciones sobre la Conquista, la pregunta lanzada por Navarrete no resulta banal ni ociosa: "¿Quién conquistó México?". Ciertamente no Hernán Cortés, o al menos no en solitario. Tampoco "los españoles" o, mejor, no únicamente los castellanos. La conquista y colonización del reino de la Nueva España fue hecha por soldados castellanos, pero también por soldados indígenas procedentes de distintos señoríos que vieron la ocasión de recomponer las redes de poder en Mesoamérica –el argumento de que se aliaron a Cortés para liberarse de la tiranía de Moctezuma debe ser desechado por simplista– y de articular una nueva organización supra territorial. Tras la conquista de Tenochtitlan el capitán extremeño puso en marcha las acciones necesarias para materializar la fundación del reino y allí comenzó un segundo momento, quizá menos espectacular y más silencioso que la conquista militar, pero también quizá más importante: el de la articulación política e institucional del reino, el de la colonización, puesta en valor y explotación de los espacios conquistados, el del encuadramiento de las poblaciones locales y su conversión al cristianismo –la conquista espiritual, en palabras de Ricard– y, en fin, el de la fundación de ciudades, puertos y reales de minas a partir de los cuales articular el territorio. Bien es sabido que la privación del mando militar y de sus tareas de gobierno le impidieron llevar a cabo personalmente la tarea que había iniciado, pero la Corona muy rápidamente puso al servicio de la empresa su experiencia, sus instituciones, sus recursos económicos, su marco jurídico y sus representantes. La llegada del virrey Antonio de Mendoza –miembro de una las más prominentes familias castellanas– en 1535 supuso la materialización de una nueva etapa en la historia novohispana.

UN PASADO COMÚN; UN FUTURO COMPARTIDO.
A MODO DE CONCLUSIÓN

Las palabras nunca son inocentes. Cuando la historiografía española decimonónica se refería al desembarco de las huestes musulmanas encabezadas por Tarik ibn Ziyad en la península ibérica en el año 711 empleaba, la mayoría de las veces, el término *invasión* con el fin de mostrar la ilegitimidad de la conquista islámica. Por el contrario, al hablar de los acontecimientos ocurridos entre abril de 1519 y agosto de 1521, la historiografía de ambas orillas del Atlántico ha empleado el término *conquista* –y prácticamente nunca el de *invasión*– como una manera de legitimar histórica y discursivamente el dominio de la Monarquía Hispánica sobre la Nueva España en particular y sobre América en general.

Desde una perspectiva histórica, al conocedor de la Edad Media peninsular no deja de parecerle sorprendente la coincidencia de los procesos ocurridos en la península ibérica en el siglo VIII y en Mesoamérica en el siglo XVI, así estuviesen separados por ocho siglos: un poder desconocido hasta entonces penetró en un territorio nuevo cuyos habitantes mantenían serias disputas por el control político y territorial; terceros en una vieja disputa, los "invasores/conquistadores" supieron sacar provecho de las antiguas rencillas y erigirse como los nuevos señores, sellando los pactos políticos a través de alianzas matrimoniales, la concesión de tierras y el reconocimiento de privilegios a los antiguos grupos dirigentes.

Pero así como los españoles del siglo XXI no se lamentan por la destrucción del reino visigodo de Toledo ocurrida hace mil trescientos años, para los mexicanos del siglo XXI la destrucción de México-Tenochtitlan ocurrida hace quinientos no debería despertar tampoco sentimientos de "coraje, tristeza, angustia e incomprensión" como documenta Navarrete, y si así ocurre es porque los historiadores profesionales no hemos sabido transmitir a un público más amplio las nuevas interpretaciones sobre la Conquista y, en consecuencia, no hemos logrado que nuestra sociedad supere la visión nacionalista, simplista, maniquea y victimista forjada en las décadas centrales del siglo pasado.

¿Por qué una persona que vive en el siglo XXI aún se siente agraviada por algo que ocurrió hace quinientos años? La respuesta, desde la óptica de quien esto escribe, es sencilla: a la persona interpelada por la conquista del siglo XVI no le duele en realidad la destrucción de los santuarios indígenas o la muerte de los habitantes de Cholula o Tenochtitlan, sino el menosprecio, la segregación y el racismo que experimenta en su cotidianeidad. El orden político y social del México contemporáneo es sin duda heredero del orden político y social novohispano en el que los peninsulares –las élites blancas– impusieron un régimen de dominación y explotación ampliamente documentado en las fuentes de la época. En este sentido, la tarea es doble: por una parte, es necesario transformar la estructura social de México –y del resto de países latinoamericanos– para acabar con el clasismo, la segregación y el racismo imperante en nuestras sociedades y transformarlas en auténticas sociedades democráticas donde todos los ciudadanos gocen efectivamente de los mismos derechos políticos y de las mismas oportunidades económicas y educativas; por la otra, se hace imperioso no solo profundizar en el mejor conocimiento del proceso de reconocimiento, conquista y colonización de la Nueva España bajo nuevas premisas historiográficas, sino también llevar adelante diversos proyectos de difusión histórica para llegar a un público cada vez más amplio, tal y como lo ha venido realizando el proyecto digital *Noticonquista*, desarrollado por el Instituto de Investigaciones Históricas de la UNAM.[14]

El mejor conocimiento de la conquista de México solo puede hacer evidente el hecho de que a partir del siglo XVI las naciones que serían España y México –junto con los otros países de la región– poseen un pasado compartido en el que a lo largo de los siglos se han construido caminos de ida y vuelta que han significado una profunda influencia recíproca que se manifiesta –entre otros elementos– en el uso de una lengua compartida, en unas tradiciones, festividades y onomástica comunes, en la articulación semejante de los territorios y los espacios urbanos y, en fin, en una gastronomía que emplea cotidianamente productos originarios de ambos lados del mar. La conquista de América por parte de Castilla no fue buena ni mala, ni fue mejor ni peor que la que llevaron a cabo ingleses, franceses y holandeses en el septentrión del continente. Fue, sí, un proceso histórico que tuvo diversas consecuencias –positivas y negativas– para los habitantes de ambos mundos y el planeta entero, pues dio inicio a la primera globalización. En los albores de la segunda década del siglo XXI, en plena reconfiguración del orden mundial, es necesario que América Latina conozca su propia historia, que se libere de prejuicios, que deje de cargar el pasado, que se reconozca en esa historia compartida de matriz hispana y que asuma, en fin, el hecho de que ha sido el Estado nación liberal el que a lo largo de los siglos XIX y XX ha sumido a las poblaciones indígenas y mestizas en situaciones de marginación y pobreza indeseadas. Pero también es necesario que España mire a América Latina en condiciones de igualdad –y no como un mero mercado para sus inversiones–, que se reconozca en su herencia americana y que asuma que la conquista del siglo XVI no supuso únicamente la implantación en el Nuevo Mundo de importantes elementos culturales vigentes hasta hoy, sino también la destrucción de otros que existían previamente e, incluso, de muchas de las poblaciones locales. No se trata de pedir perdón –como propuso el presidente de México– porque la historia es la que es y no se puede cambiar, sino de reconocernos mutuamente en esas herencias comunes y encarar juntos los desafíos del presente.

COLONIA, ¿QUÉ COLONIA?

Tomás Pérez Vejo

*C*olonia y *colonial* han sido uno de los ejes de comprensión y explicación de la realidad latinoamericana. En los inicios solo una definición cronológica, el sustantivo que definía los tres siglos de pertenencia de los reinos americanos a la Monarquía Católica, pasó como calificativo a definir los más diversos aspectos del pasado del continente, desde culturales (arte colonial), a socioeconómicos (sociedades coloniales o economía colonial), para acabar connotando una especie de juicio moral omnicomprensivo: la Colonia y lo colonial como la marca que define y explica los males del continente bautizado por Eduardo Galeano como el de las "venas abiertas", se sobreentiende que por el bisturí de la colonización.

Latinoamérica como parte de un mundo poscolonial en el que se incluirían, en caótica mezcolanza, África y la mayor parte de Asia pero, paradójicamente, no la América anglosajona, o al menos no su parte continental, sin que quede demasiado claro por qué las sociedades mexicana o argentina deben de ser entendidas desde los parámetros del poscolonialismo pero no las estadounidense o canadiense. Cabría incluso, yendo todavía más lejos, preguntarse hasta qué punto resulta legítimo calificar como coloniales los tres siglos de pertenencia de los reinos americanos a la Monarquía Católica, mucha más monarquía compuesta que imperio con colonias y en la que, como consecuencia, el uso de los términos *colonia* y *colonial* resulta en gran parte anacrónico.

Una pregunta, la del carácter colonial o no de las sociedades americanas durante los tres siglos que van desde principios del siglo XVI a comienzos del XIX, que conoció un cierto auge de la mano de los historiadores del derecho y el debate en torno a si los territorios americanos habían sido jurídicamente colonias. El de respuesta más fácil, incorporados a la Monarquía como reinos anexos de la Corona de

Castilla, dentro de una organización política en la que cada uno de los reinos debía de ser regido y gobernado, en palabras de un jurista de la época de Carlos V, "como si el rey que los mantiene unidos fuera solo el rey de cada uno de ellos", nunca fueron jurídicamente colonias. No sin ambigüedades, como la carencia de algunos de los privilegios propios de esta condición de reinos, por ejemplo la de Cortes y leyes propias, las Leyes de Indias no lo fueron de un reino particular sino del conjunto de todos los americanos. Carencia tampoco excepcional en el complejo entramado jurídico de la Corona de Castilla, con varios reinos en esta misma situación (Granada, Toledo, Galicia...), una estructura político-administrativa en la que la heterogeneidad de privilegios y funciones fue más norma que excepción.

Estatus no colonial que mantuvieron hasta el momento mismo de la disgregación imperial, tal como de manera explícita afirma la *Declaración de la Junta Central* del 22 de enero de 1809: "los vastos y preciosos dominios que España posee en las Indias no son propiamente colonias o factorías como las de otras Naciones, sino una parte esencial de la monarquía española"; e implícita en todas aquellas declaraciones de independencia, la mayoría, en las que la ruptura fue con el rey y no con la nación española: "es voluntad unánime e indubitable de estas provincias romper los violentos vínculos que las ligaban a los reyes de España".[1]

El estatus ni siquiera cambió durante las conocidas como reformas borbónicas, interpretadas por algunos historiadores como un intento de conversión de los reinos americanos en colonias de España, "la segunda conquista". Un proyecto que sin duda tentó a algunos círculos de la Corte de Madrid pero que nunca pasó de propuestas más o menos imprecisas. Una cosa son los memoriales y cartas privadas y otra muy distinta la plasmación de estas ideas en reales órdenes y documentos administrativos: el término *colonias*, referido a los territorios americanos, aunque raro, aparece en algunos documentos privados, pero nunca en los oficiales. Al margen de que no era tan fácil convertir en colonias territorios que superaban ampliamente a los de la hipotética metrópoli en extensión y riqueza y cuya población, al menos parte de ella, compartía raza, lengua, cultura y memoria histórica con la de la élite de la metrópoli. Unas ricas y poderosas élites criollas, más ricas y poderosas en muchos casos que las de la península, para las que la idea de unos reinos americanos convertidos en colonias era algo ni siquiera imaginable, "el desatino de llamar colonias a unos reinos con todas las prerrogativas de los más distinguidos reinos de España".[2]

Unas reformas que parece más razonable entender como expresión del proceso de modernización intentado por las élites de la Monarquía en las que serían (pero esto ellas no lo sabían) sus últimas décadas de existencia. Asunto no precisamente menor si consideramos que se trató del programa de reformas más ambicioso y radical, a las puertas ya de la crisis que llevaría a su disolución, intentado por un Estado imperio que fue uno de la más extensos, longevos e influyentes de la historia de la humanidad: incluía territorios en los cinco continentes y fue el eje en torno al cual giró durante más de tres siglos la geopolítica del mundo Atlántico. No habrían sido, en esencia, otra cosa que un intento de modernización de estructuras políticas que permitieran hacer frente a la competencia del resto de las monarquías europeas, en un mundo regido por lo que en ese momento histórico el filósofo alemán Immanuel Kant definió como una sociedad asocial: las distintas monarquías eran sociedades sociales en su interior, regidas por leyes, pero asociales en las relaciones de unas con otras, regidas solo por la fuerza de las armas. Una necesidad, la de la modernización del Estado, agudizada por la debilidad mostrada durante la Guerra de los Siete Años (1756-1763), una especie de primera guerra mundial de la que la Monarquía Católica no había salido demasiado mal parada pero en la que había dado muestras de una alarmante debilidad, con la ocupación por los ingleses de La Habana, el eje en torno al que giraba toda la estructura comercial y geopolítica del imperio, y de Manila, la perla de las posesiones imperiales en un océano considerado hasta ese momento un "lago español".

La respuesta de las élites de la Monarquía fue acelerar el proceso de modernización iniciado desde la llegada de los Borbones al trono de Madrid, en un doble sentido, en el de un Estado más eficaz, en el contexto de lo que la historia militar más reciente ha denominado "Estado fiscal-militar", con el aumento de recursos fiscales para la guerra como principal objetivo; pero también de construcción de una identidad que de manera anacrónica podríamos denominar protonacional. Un proceso que, a grandes rasgos y al margen de la complejidad de detalles puntuales, podría ser definido como el intento, fracasado, de tránsito de un Estado imperio de Antiguo Régimen a un Estado nación contemporáneo, con dos versiones posibles: la de un Estado nación cuyos límites se confundieran con los de la antigua monarquía, que tendría su última expresión en la Constitución de Cádiz y su afirmación de que la nación española era la formada por la reunión de los españoles de ambos hemisferios; y la de una nación imperial en la que los territorios no europeos de la Monarquía pasaban a convertirse, jurídica y funcionalmente, de posesiones del rey, condición compartida por todos sus reinos, europeos y americanos, a colonias de la nación española.

El primero, uno de los proyectos más extraños de la historia política de Occidente, naciones que han querido ser imperios ha habido muchas, imperios que han pretendido transustanciarse en naciones, pocos, casi ninguno; el segundo, el camino seguido por todos los imperios coloniales decimonónicos, incluido el español posterior a la desaparición de la Monarquía Católica. Fracasados ambos, ni se logró construir una nación a partir de las fronteras imperiales (el proyecto gaditano fue el sueño de una noche de verano), ni tampoco convertir los territorios americanos en colonias de la nación española, con la excepción de Cuba y Puerto Rico, que lo fueron del Estado nación español decimonónico, pero no de la Monarquía Católica. Las dos islas caribeñas no fueron, como tantas veces se ha repetido, los últimos jirones del imperio colonial español en América sino las únicas colonias americanas de España.

Fracasados no por su viabilidad o inviabilidad, algo que nunca sabremos, sino porque el colapso imperial de principios del siglo XIX abortó cualquier posibilidad de continuar con ninguno de los dos: el de construir una nación española transatlántica y el de convertir a los antiguos reinos americanos en colonias de España. La Monarquía Católica desapareció sin que ninguno de los nuevos Estados nación nacidos de sus ruinas fuese capaz de ocupar su lugar como articulador del espacio geopolítico definido por las fronteras del antiguo Estado imperio, ni el español, que se asumió como su heredero y continuador pero convertido en una potencia de segundo orden y como consecuencia sin ninguna capacidad de articulación del antiguo espacio imperial; ni ninguno de los americanos, también todos de una manifiesta irrelevancia geopolítica y, sobre todo, construidos sobre el rechazo a una organización que pasó a simbolizar la opresión y la tiranía bajo la que habían estado subyugadas las naciones americanas durante tres siglos. Todos, tanto los latinoamericanos como el español, resultado del colapso de la Monarquía y no su continuación, "cuando un imperio colapsa nadie es el heredero legítimo de la soberanía de la corona".[3]

Las reformas borbónicas fueron, en resumen, mucho más expresión de un intento de racionalización administrativa, de construcción de un nuevo tipo de Estado, también de nación, que de una voluntad "colonial", al menos en el único que llegó a tener una plasmación jurídica concreta, el culminado con la Constitución de Cádiz de 1812. Una especie de canto del cisne de un proyecto que, si todavía no era el de la construcción de un Estado nación contemporáneo, se le parecía bastante, pero que en sentido estricto fue mucho más la última constitución de la Monarquía Católica, *Constitución política de la monarquía española*, que la primera del Estado nación español.

Un asunto más complejo y de mayor calado político-ideológico, también en última instancia historiográfico, es el de si tiene sentido hablar de colonias y metrópoli en un sistema político basado en la condición de súbdito, no en la de ciudadano, y en el que, como consecuencia, no existen intereses nacionales sino dinásticos. Todos los reinos de la Monarquía Católica eran de alguna manera colonias del rey, los europeos y los americanos, al servicio de sus intereses y no de los de un reino metrópoli, menos todavía al de los intereses del en esos momentos todavía inexistente Estado nación español. El rey lo era de manera individual de cada uno de sus reinos y señoríos, no de un reino del que dependían los demás. No era rey de España sino de Castilla, de León, de las dos Sicilias, de las Indias Orientales y Occidentales..., la interminable lista de reinos y señoríos que como una especie de mantra religioso repiten una y otra vez, de manera no gratuita, los documentos oficiales. La existencia de metrópolis y colonias exige la de intereses nacionales y en su ausencia resulta difícil hablar de *colonialismo*, al menos en el sentido actual del término.

La idea de la Monarquía Católica como un imperio colonial, "imperio español", es, como muchas de las que organizan nuestra forma de ver y entender el mundo, una construcción historiográfica, que incluyó desde muy pronto otra de profundo calado en el imaginario histórico latinoamericano, la del carácter retrógrado, arbitrario y despótico del colonialismo español. A la iniquidad de la explotación colonial se unía el haber sido ejercida por un imperio al margen de la civilización europea, una especie de desvío en el camino de la modernidad. La colonia como una especie de obscura Edad Media americana, expresión de una sociedad retrógrada y refractaria a cualquier tipo de progreso, regida por la arbitrariedad y el despotismo.

Todos estos sentidos están siempre de una u otra manera presentes en los términos *colonia* y *colonial*, incluidos aquellos de significado aparentemente más neutro, como el de arte colonial, en el que no deja de estar presente el sentido de algo dependiente y en definitiva de segundo nivel. Es lo que reflejaría el que las obras virreinales, adjetivo sin duda más preciso que el de coloniales, se exhiban en Madrid en el Museo de América y no en el Museo del Prado, junto a las demás obras maestras del Barroco hispánico, algo así como si las pinturas de Murillo se trasladasen a un hipotético Museo de Andalucía. Es el resultado de no entender uno de los aspectos peor comprendidos de la historia cultural de la América virreinal, que es el de su carácter no periférico, ni desde el punto de vista económico ni desde el cultural, algo que el caso de la Nueva España y su capital, la ciudad de México, ejemplifican de forma particularmente clara.

LOS REINOS AMERICANOS Y LA MONARQUÍA CATÓLICA: EL CASO DE LA NUEVA ESPAÑA

La ciudad de México se convirtió a lo largo del siglo XVIII no solo en uno de los principales centros económicos de la Monarquía, "corazón mercantil del Imperio español",[4] sino también artístico y cultural. Una auténtica metrópoli imperial, submetrópoli si consideramos que en ella no residía el monarca, pero a pesar de ello mucho más metrópoli que Madrid y que la mayoría de las demás ciudades "cabeza de reino" de la Monarquía. Algo que todavía hoy su degradado centro histórico, el conjunto de templos, palacios y conventos construidos durante los tres siglos virreinales, sin equivalente en ninguna de las demás, europeas o americanas, muestra con absoluta claridad. Si hay una capital imperial en la Monarquía Católica en el siglo XVIII, desde el punto de vista arquitectónico-urbanístico, ésta es México y no Madrid, como constatarán, sorprendidos, algunos novohispanos a su paso por esta última, "las iglesias [en Madrid] no son templos magníficos y elevados, como por acá, sino una capilla. [...] Los conventos son casas de vecindad, y los de monjas, excepto uno u otro, son casas embebidas en la acera con algún oratorio".[5]

Fueron muchos los autores del siglo XVIII que hicieron referencia a este papel de metrópoli de la capital novohispana: de "cabeza del Nuevo Mundo" la calificó Juan Manuel de San Vicente en la dedicatoria de su obra *Exacta descripción de la magnífica Corte mexicana*;[6] mientras que Juan de Viera, más discreto, lo hace solo de "corte y cabeza de toda la América Septentrional" en su *Breve y compendiosa narración de la ciudad de México*.[7] Y el uso del término *corte* no es casual, refleja la voluntad de afirmar el carácter de ciudad cabeza de reino, como muestra la repetición reiterada del adjetivo en otros muchos libros dedicados a ella, acompañado frecuentemente del de imperial. Éste último recuerdo tanto de su condición de cabeza de un imperio en tiempos de los aztecas como del título de "muy noble, muy leal e imperial ciudad" dado por Carlos V en 1523. "Ciudad de Carlos V" la llama Rivadeneyra Barrientos en su *Diario de la marquesa de las Amarillas*.[8]

Corte no sería tanto un adjetivo laudatorio como una definición jurídico-administrativa, según el *Diccionario de Autoridades* (1729): "Ciudad o Villa donde reside de asiento el Rey o Príncipe soberano, y tiene sus Consejos y Tribunales, su Casa y familia Real". Una especie de sinónimo del término *capital*, de uso relativamente tardío en español. La ciudad de México no era el lugar de residencia del rey católico ni, por lo tanto, capital de la Monarquía, pero sí de su *alter ego*, el virrey, y asiento de la soberanía de un reino, una *Corte*. Calificativo que obviamente tampoco era privativo de la capital novohispana: lo mismo ocurre en el caso de otras capitales virreinales, tanto europeas como americanas.

El virreinato novohispano, y con él su ciudad capital, tuvieron un papel particularmente relevante en el entramado de poder del último siglo de existencia de la Monarquía Católica. Con aproximadamente la mitad de la población total de la América hispana, aportó en las últimas décadas del siglo XVIII y primeras del XIX buena parte de los recursos que permitieron a la Monarquía seguir jugando un papel relevante en el complicado escenario internacional que se abrió para ella con la paz de Utrecht y su conversión, como consecuencia de la pérdida de casi la mitad de sus posesiones europeas, en una potencia mucho más americana de lo que hasta entonces había sido y de lo que ninguna de las otras europeas lo sería jamás, la primera y hasta ahora única potencia euroamericana de la historia de la humanidad. En realidad, mucho más americana que europea, en tajante afirmación de Montesquieu en *L'esprit des lois* (1748): "las Indias y España son dos poderes bajo un mismo amo [...] el principal es las Indias. España no es más que un accesorio".

Fue la plata novohispana la que permitió a la nueva dinastía borbónica mantener su papel como potencia planetaria. Las imponentes, y caras, fortificaciones de La Habana, por ejemplo, fueron pagadas en su totalidad con recursos novohispanos, después de que la ocupación de la ciudad cubana por los ingleses durante la Guerra de los Siete Años hiciese saltar todas las alarmas sobre la necesidad de asegurar la defensa de este estratégico puerto caribeño. Fue también esta misma plata la que financió buena parte de las guerras peninsulares contra Napoleón en el momento de su crisis final: las armas compradas a los ingleses en 1809 para la guerra contra Napoleón se pagaron directamente con libranzas sobre los fondos de la hacienda novohispana.[9] Y el término *plata* es utilizado aquí en un sentido figurado, ya que, si bien este mineral constituía una de las principales producciones de la economía novohispana, ésta no se reducía solo a la minería. La actividad económica incluía otros muchos sectores, igual de vitales para la hacienda de la Monarquía, en particular el comercio. El papel en la vida económica de la Monarquía de los comerciantes novohispanos, cuyas redes económicas se extendían desde Europa a Extremo Oriente y cuya capacidad financiera les hace figurar entre los grandes capitalistas internacionales de la época, fue en muchos momentos determinante, posiblemente más que el de los mineros.[10]

La Nueva España de finales del siglo XVIII no era la periferia de la Monarquía sino uno de sus centros neurálgicos. Una sociedad "moderna" y de gran dinamismo, económico, pero también cultural. Afirmación ésta última, la del carácter moderno de la sociedad novohispana, que, acostumbrados al discurso victimista del Virreinato como una época de atraso y explotación colonial, exige también algunas explicaciones. Es obvio que en el tránsito del siglo XVIII al XIX no hubo, en ninguno de los territorios de la Monarquía Católica, ni americanos ni europeos, una revolución industrial. Más dudoso, sin embargo, es que, en alguno de ellos, caso de las grandes ciudades de la Nueva España, no estuviese teniendo lugar desde mediados del siglo XVIII un proceso de expansión comercial y económica que si no forma parte de lo que de Jan de Vries ha denominado la "revolución industriosa"[11] se le parece bastante. Revolución industriosa, no industrial, definida por este autor como el conjunto de cambios, desde la intensificación productiva y la globalización económica a modificaciones en las pautas de consumo, que estarían en el origen del nacimiento de la modernidad económica, social y política en Occidente. Historia en parte no contada y que cuya exacta comprensión exigiría narraciones menos lineales y teleológicas de las que la historiografía ha construido.

Una revolución que De Vries limita a Holanda, sur de Inglaterra, norte de Alemania y costa este de Estados Unidos, los escenarios geográficos de la posterior revolución industrial. La mayor parte, si no todas, de las características utilizadas por él para definir esta revolución industriosa se encuentran, sin embargo, también en regiones como el Bajío novohispano, donde los procesos de intensificación económica y globalización en torno a la producción de plata, pero no solo, y los cambios en los hábitos de consumo fueron al menos tan intensos como los producidos en cualquiera de los lugares enumerados por el autor holandés. Una región que para las últimas décadas del siglo XVIII se había convertido en el eje financiero del mundo, llegó a producir en torno al ochenta por ciento de la plata que circulaba en el mercado mundial.

Cambios cualitativos, no solo cuantitativos, que han llevado a un autor como John Tutino a afirmar, en un libro con el inequívoco título de *Creando un nuevo mundo. Los orígenes del capitalismo en el Bajío y la*

Norteamérica española, que "antes de 1800 las relaciones sociales comerciales únicamente rigieron la vida en el Bajío, la Norteamérica española, los Países Bajos e Inglaterra";[12] y, consecuencia de lo anterior, a plantear la hipótesis de que sería necesario incluir estas regiones del septentrión novohispano como uno de los focos originarios del nacimiento del capitalismo. El territorio donde se forjó un nuevo mundo en el que

> a diferencia de lo que se afirma en algunos supuestos perdurables, el Bajío y la Norteamérica española no estuvieron gobernados por un Estado español dominante; no fueron dirigidos por hombres más interesados en el honor que en las ganancias; no organizaron el trabajo principalmente mediante la coerción; las rígidas castas no rigieron la vida, y las comunidades no se vieron constreñidas por un catolicismo impuesto que inhibiera el debate; por el contrario, fueron sociedades fundadas y dirigidas por poderosos empresarios de diversa ascendencia que buscaban utilidades; el régimen se adaptó, antes bien que imponerse; los pocos que gobernaron y los muchos que trabajaron se enfrentaron unos a otros en contiendas determinadas más por la dinámica de la población y la fuerza del mercado que por las coacciones personales.[13]

Nada muy diferente de lo que, desde el campo de la cultura y no del de la historia económica, y referido al conjunto de los reinos americanos de la Monarquía y no solo al de la Nueva España, afirma el historiador del arte, también estadounidense, Bill Dolson:

> Spanish colonial Latin America was a laboratory for the development of numerous facets of modernity. Highly organized agricultural plantation methods anticipated the Industrial Revolution. Spain's global trade empire can be understood as the precursor of multinational corporations and globalization, and was responsible for the birth of capitalism itself.[14]

Una imagen de la América española de la época virreinal que contradice en gran parte lo que sabemos o creemos saber sobre las denominadas sociedades coloniales americanas y sobre la que sería necesario reflexionar. No estaríamos tanto ante una especie de desvío, callejón sin salida, de la modernidad como del precoz laboratorio en el que se ensayaron y pusieron en práctica algunas de sus rupturas más radicales. Hipótesis que tiene en su contra el papel marginal de estas regiones en el desarrollo capitalista posterior. Aunque habría que considerar hechos como menor densidad poblacional y, sobre todo, el que la crisis imperial hispánica y la forma como se resolvió quebraron cualquier posibilidad de desarrollo en el sentido del que tuvo lugar en las regiones enumeradas por De Vries. Algo que tendría que ver más con las consecuencias de la disolución del sistema imperial y la forma como se produjo que con sus características previas. Tal como constata el propio Tutino: "los revolucionarios del Bajío redujeron la producción de plata a la mitad después de 1810, y el suministro de pesos, primero españoles y después mexicanos, se mantuvo cerca de esta mínima durante treinta años".[15]

Las revoluciones, incluidas las de independencia, no tienen por qué ser racionales desde un punto de vista económico, aunque sí desde el de los motivos de sus protagonistas, y sus consecuencias pueden ser, y han sido en muchos casos, catastróficas desde el punto de vista del progreso de las sociedades en las que tienen lugar. La disolución de la estructura imperial hispánica cambió de manera radical la geopolítica del mundo atlántico y los territorios que habían formado parte de ella quedaron, todos, del lado de los perdedores de una historia cuyos protagonistas no son solo los hombres o los grupos sociales sino también las comunidades políticas. Es posible, casi seguro, que la revolución del Bajío haya sido beneficiosa desde el punto de vista de las condiciones de vida de los trabajadores de sus minas, lo que no necesariamente tiene por qué haberlo sido desde el de la inserción geopolítica de ese mismo territorio en el nuevo orden que siguió a la disolución de la estructura imperial hispánica.

No son éstos, sin embargo, los aspectos que nos interesan aquí, sino cómo estos cambios en las pautas de consumo, suntuarias y globalizadas, poco tienen que ver con la imagen de una sociedad colonial, atrasada y dependiente. Cambios claramente reflejados en la construcción a principios del siglo XVIII, entre 1695 y 1703, del mercado del Parián en la plaza de Armas de la ciudad de México. Un mercado de productos de lujo, orientales (en tagalo, *parián* significa 'mercado de chinos', referencia a los productos llegados en la nao de China) pero también europeos y americanos, en el que se vendían desde sedas y porcelanas a relojes y especias. Productos reservados de manera general a grupos minoritarios, pero para los que en la ciudad de México hubo aparentemente un mercado mucho más amplio. Es lo que parece indicar el propio tamaño del mercado, con más de ciento cincuenta tiendas, pero también algunos documentos visuales de la época o los cambios en las pautas de consumo reflejados por las variaciones en el tipo de productos trasportados por el galeón de Manila, el ejemplo por excelencia del comercio de lujo de larga distancia.

Un cuadro como *Calidades de las personas que habitan en la ciudad de México*,[16] representación pictórica no del Parián sino de los cajones techados con tejamanil de uno de sus lados, el que daba al Palacio Real, muestra una exhibición de productos de lujo o semilujo (armas, ropas, joyas, vajillas de vidrio, monturas para caballos, etcétera) pero con compradores que no todos forman parte de la élite. Está concebido de hecho como una ilustración de los distintos grupos que convivían en la ciudad de México, cada uno identificado con un número, que remite al listado que se encuentra en la parte de posterior, y representado con la indumentaria y actividades que le eran propias.

Algo parecido muestran los cambios en las mercancías transportadas por el galeón de Manila en el que desde mediados del siglo XVIII los productos dirigidos únicamente a las capas altas de la sociedad fueron progresivamente desplazados por otros más baratos y de consumo más amplio:

> En la segunda mitad del siglo XVIII, el comercio transpacífico modificó el carácter de sus cargamentos: de artículos suntuarios textiles muy lujosos y caros, a textiles baratos y artículos de uso corriente en la colonia, lo que propició que las mercancías que introducía el galeón fueran accesibles para la población media e incluso pobre.[17]

Pero no se trata solo, ni siquiera principalmente, de un asunto económico, por importante que éste pueda ser. Pocas dudas caben, como ya se dijo, de que la Nueva España se convirtió en las últimas décadas del siglo XVIII en el centro económico de la Monarquía, con algunos de los territorios más dinámicos y modernos de los que constituían sus distintos reinos, pero también, lo que no parece tan obvio, uno de sus grandes focos[18] de producción artística, cultural y científica.

El arte de los territorios americanos de la Monarquía, el de la Nueva España, pero también el de los demás virreinatos, no puede ser entendido como el resultado de copias más o menos imperfectas de modelos europeos sino como expresión de un común universo civilizatorio. No se trató de la copia y reproducción de modelos y valores culturales llegados de una metrópoli que, en todo caso, al menos desde el punto de vista artístico, nunca existió como una realidad única sino como una suma de ciudades metrópolis, Sevilla o Madrid, pero también Nápoles o Amberes. Es la expresión de una comunidad cultural, extendida desde Europa a Filipinas, en la que algunas de las ciudades americanas de la Monarquía, México o Lima, pero también Cuzco o Puebla dejaron desde muy pronto de ser espacios periféricos para convertirse en algunos de sus principales focos de producción artística.

La circulación de objetos y modas artística no fue en el interior de la Monarquía Católica unidireccional, de la "metrópoli" hacia las "colonias", sino multidireccional, de la "metrópoli" hacia las "colonias" pero también de las "colonias" hacia la "metrópoli" y de las "colonias" entre sí. Es lo que muestra la continua presencia de objetos americanos (pinturas, muebles, orfebrería…), también chinos y japoneses llegados a través de la Nueva España, en iglesias, conventos y palacios de los reinos europeos de la Monarquía.[19] Incluidos los del propio rey, los inventarios de la época de Carlos III, por ejemplo, incluyen hasta un total de diez biombos repartidos entre las diferentes residencias reales, la mayoría de ellos, casi seguro, de origen novohispano o llegados a través de la Nueva España.[20] Nada muy diferente a lo que ocurre en el ámbito privado, donde la presencia de obras de arte provenientes de América está también profusamente documentada, por ejemplo en los "ocho lienzos de pinturas de N.ª S.ª de Guadalupe" llegados en 1749 a Cádiz o las "cinco imágenes de N.ª S.ª de Guadalupe" llegadas ese mismo año a El Ferrol, destinadas todas a vecinos de la península.[21]

Presencia, y valoración, del arte americano en la península que llegaría a su fin con la ruptura imperial, cuando, paradójicamente, las obras artísticas americanas pasaron a ser consideradas productos coloniales, interesantes como productos antropológicos pero no artísticos. Es lo que reflejan las colecciones privadas del siglo XIX, en las que los objetos artísticos de origen americano desaparecen casi por completo, sustituidos por los etnográfico-arqueológicos; o la muy tardía fundación del Museo de América, 1941, en los inicios del franquismo, respondiendo a una necesidad, la de un museo dedicado a los territorios coloniales americanos, que parece la Monarquía nunca tuvo.

El carácter colonial de la producción artística de los siglos virreinales no estaría tanto en las obras como en la mirada colonial, poscolonial o neocolonial, que de todo hay, de los historiadores del arte de los dos últimos siglos, empeñados, como la mayor parte de la historiografía, en estudiar el mundo del Antiguo Régimen a partir de categorías de análisis que le son completamente ajenas. Entre ellas la de entender la Monarquía Católica, un Estado imperio de marcado carácter no nacional, como si fuera uno de los imperios coloniales decimonónicos, obra de Estados nación de características radicalmente distintas a los Estados imperio del Antiguo Régimen.

No parece necesario precisar, aunque leyendo determinada historiografía surge la duda de si la precisión no resulta imprescindible, que los fundamentos de legitimidad en un Estado imperio y en un Estado nación son tan radicalmente distintos que categorías útiles en un caso resultan por completo inútiles en otro; tampoco que la evolución de las sociedades americanas posteriores a la conquista convierte "las oposiciones binarias que han caracterizado los debates coloniales y poscoloniales –'colonizadores'/'colonizados', 'americanos'/'europeos'– en puro anacronismo".[22]

El problema de afirmaciones como las de que "la pintura al óleo fue introducida en América por los colonizadores europeos, y hasta la Independencia estuvo casi exclusivamente al servicio de su ideología"[23] es el de su incoherencia lógica: ¿quiénes son estos colonizadores europeos?, ¿las élites criollas que financiaron buena parte de la pintura al óleo virreinal o solo los nacidos en Europa? Pero también, sobre todo, el que impiden entender sociedades cuya riqueza y complejidad no admiten su reducción a simplificadas oposiciones binarias de tipo colonial. La cultura del mundo virreinal americano es fruto de la complejidad y riqueza de sus sociedades y no de su supuesto carácter colonial, entre otros motivos porque como observó con agudeza Alejandro Malaspina a finales del siglo XVIII, ni la mayoría de los españoles europeos que iban a América regresaban a Europa, eran muchos más los emigrantes que los funcionarios imperiales; ni las costumbres y cultura de los españoles americanos podía reducirse a una copia de los de la metrópoli.

Entender la producción artística de los virreinatos americanos exige analizarla desde la perspectiva de una estructura imperial de Antiguo Régimen, con relaciones extremadamente complejas entre los territorios y grupos humanos que formaban parte de ella; también reconsiderar los propios conceptos de *centro* y *periferia* y, en sentido contrario, no analizar cada una de sus partes como sujetos autónomos sino como parte de una misma estructura política. Y esto sirve tanto para los territorios europeos como para los americanos. Igual de absurdo y, sobre todo, desde el punto de vista historiográfico, estéril, resulta estudiar los reinos europeos como una metrópoli, sin considerar su condición de parte de una monarquía compuesta, como los americanos como colonias, sin considerar lo mismo.

Unos objetivos para los que son tan inútiles las miradas coloniales, neocoloniales y poscoloniales como aquellas otras que, en sentido contrario, han querido hacer del Barroco la expresión de una especie de metafísica identidad mestiza. El Barroco americano no es la copia degradada, colonial, de modelos europeos, pero tampoco "un arte dominado por el hecho singular e impotente de que la nueva cultura americana se encontraba capturada entre el mundo indígena destruido y un nuevo universo, tanto europeo como americano".[24] Frase de una obvia belleza literaria, pero de una nula capacidad cognoscitiva, si es que esto último fue alguna vez su objetivo. Es mucho más que esto, la expresión de un modelo civilizatorio extendido a ambos lados del Atlántico, definido por una específica forma de ver y entender el mundo, de la economía a la política y de la cultura a la sociedad.

Un modelo civilizatorio en el que las ciudades americanas de la Monarquía no se limitaron a un papel de simples receptoras de modos y modas llegados del centro, sino que actuaron como centros no subalternos. E insisto que lo que habría que replantearse son los conceptos de *centro* y *periferia* en una estructura como la imperial hispánica, que, entre otras cosas, durante su primer siglo de existencia no tuvo una ciudad capital fija y en la que, durante los dos siglos siguientes, la hegemonía de la ciudad de Madrid en la estructura urbana de la Monarquía, al margen de la presencia de la Corte, nunca estuvo demasiado clara.

LAS EXPEDICIONES CIENTÍFICAS Y EL MODELO COLONIAL

Pero quizá donde mejor se muestra la complejidad de las relaciones entre los reinos americanos y europeos de la Monarquía, colonias y metrópoli, sea en las expediciones científicas del siglo XVIII, ejemplo paradigmático de las nuevas relaciones de dependencia colonial que se estaban estableciendo entre las potencias europeas y de la utilización del saber científico como elemento de subyugación imperial. Un proceso en el que, en principio, la nueva dinastía borbónica participó de lleno, según afirmación de Alexander von Humboldt en su *Ensayo político sobre el reino de Nueva España*, el esfuerzo llevado a cabo por la Monarquía Católica durante los reinados de Carlos III y Carlos IV en el campo de los estudios botánicos, la ciencia por excelencia de la Ilustración había sido superior al de cualquier otro Gobierno de la época. Un esfuerzo que incluyó, además de las expediciones, la fundación de nuevas instituciones académicas y la creación de revistas científicas que permitieron el intercambio y difusión de estos nuevos conocimientos.

La forma como se llevó a cabo ofrece, sin embargo, desde la perspectiva de las relaciones metrópoli/colonias, interesantes diferencias con respecto a las coetáneas inglesas y francesas, las otras dos grandes potencias europeas que en esos momentos estaban echando las bases de lo que serían sus imperios coloniales posteriores. A diferencia de éstas, la fundación de nuevas instituciones científicas (jardines botánicos, gabinetes de historia natural, colegios de minería, academias, observatorios astronómicos, sociedades económicas de amigos del país, etcétera) y el nacimiento de las que podríamos considerar las primeras revistas científicas o con contenidos científicos, no se dio solo en la capital de la Monarquía, Madrid, sino también en otras ciudades cabezas de reino, incluidas las cuatro capitales virreinales americanas, que en la segunda mitad del siglo XVIII contaron todas con publicaciones periódicas propias. Un fenómeno éste último relevante en la medida que refleja la existencia en todas ellas de comunidades ilustradas de sabios y eruditos interesados por el saber y progreso de las ciencias. No se ha insistido suficiente en que la impresionante acumulación de datos recopilados por Humboldt en su viaje a la América española solo fue posible gracias a la presencia de eruditos y sabios locales capaces de entender y responder a las preguntas que la nueva ciencia ilustrada se hacía y que sin ella las aportaciones del naturalista alemán habrían sido bastante más pobres e irrelevantes.

Tampoco las expediciones científicas se atuvieron estrictamente al paradigma de una relación colonial, con la metrópoli enviando sus luces sobre territorios salvajes y desconocidos. Hay en las expediciones científicas españolas una clara voluntad de continuidad con un proceso histórico, por ejemplo, en la expedición botánica a la Nueva España (1787-1803), entre cuyos objetivos se incluye el de "ilustrar y perfeccionar" la obra llevada a cabo por Francisco Hernández, bajo órdenes de Felipe II. El objeto de estudio no son territorios desconocidos y salvajes sino reinos civilizados, con periódicos e instituciones académicas, en los que no solo era posible trabajar, e incluso quedarse a vivir, que es lo que harán varios de estos expedicionarios, sino emparentar con sus habitantes a través del matrimonio, que es lo que otros varios también harán, incluidos algunos de los que siguieron su carrera en la Administración imperial, como Antonio de Ulloa, quien tras un largo periplo americano al servicio de la Monarquía regresaría a Madrid casado con la hija de una de las más encumbradas familias de la aristocracia limeña, Francisca Melchora Rosa Ramírez de Laredo y Encalada. Un asunto éste del matrimonio, lo mismo que el de quedarse a vivir en América, no precisamente menor.

Muestra hasta qué punto los reinos americanos y sus habitantes eran vistos como parte de la misma comunidad de civilización, con cuyos habitantes se podía emparentar o quedarse a vivir entre ellos.

No son lo que con un obvio anacronismo histórico denominaríamos expediciones de la metrópoli a sus colonias sino de la Monarquía a sus reinos. Empresas en las que se vieron involucradas los súbditos del rey católico de uno y otro lado del Atlántico y que no respondieron solo a intereses de la Administración imperial, aunque esta fuera su principal impulsora, sino también a intereses de las élites locales. Es el caso de manera muy destacada de la Real Expedición Botánica al Nuevo Reino de Granada, nacida no de la Administración real sino de José Celestino Mutis, quien ya en 1763 propone, desde Santa Fe de Bogotá, la organización de una expedición botánica. Es el origen de la aprobada veinte años más tarde por el rey, quien en realidad se limitó a sancionar, y dotar económicamente, la ya puesta en marcha por el arzobispo virrey Caballero y Góngora. Algo que quizá explique por qué, a diferencia de las demás grandes expediciones botánicas, la del Nuevo Reino nunca estuvo bajo el control directo del Catedrático del Real Jardín Botánico de Madrid, Casimiro Gómez Ortega, sino del propio Mutis. En el mismo sentido habría que interpretar que la única expedición botánica cuyos resultados llegaron a ser publicados durante la existencia de la Monarquía Católica, aunque de forma incompleta, la del Perú, lo fuese gracias a la financiación de instituciones locales de este virreinato, no de las de la Corona.

Un aspecto que introduce, también, claras diferencias con respecto a las coetáneas expediciones inglesas y francesas, protagonizadas de manera casi exclusiva por hombres de la metrópoli y desde la metrópoli. No ocurre así en el caso de las españolas, a las que quizá sería mejor denominar hispánicas, en las que el protagonismo de los españoles europeos establecidos en América y de los españoles americanos, criollos, fue importante y en muchos casos determinante. Y aquí un pequeño paréntesis para recordar que la distinción criollos/peninsulares es en gran parte una construcción historiográfica de las historias nacionales decimonónicas con el objetivo de poder narrar las guerras de la segunda década del siglo XIX como guerras de independencia contra los españoles y no como guerras civiles entre americanos, que es lo que realmente fueron. Un concepto, el de *criollo*, que sería necesario revisar en un doble sentido, en el de su denominación: parece mucho más apropiado el de "español americano", que por otro lado es el que de manera habitual utilizan los textos de la época; pero también, más importante, en el de su conceptualización, que tendría más que ver con la integración en la vida americana que con el lugar de nacimiento:

> No hay que fiarse demasiado del concepto tradicional de criollo que los caracteriza como españoles nacidos en América, concepto cuestionado varias veces, pero que se sigue utilizando. Más razonable parece la definición que caracteriza al criollo como persona cuyo centro de vida social y económica estaba en América.[25]

Ejemplo paradigmático de este último caso sería el del célebre botánico José Celestino Mutis, a quien, de acuerdo con la definición del historiador alemán, pocas dudas caben de que habría que calificar como criollo neogranadino, quizá mejor como español americano. América fue para él el centro de su vida social y económica, llegado a la Nueva Granada relativamente joven, veintinueve años, como médico del virrey Pedro Mexia de la Cerda, todo el resto de su vida discurrió en tierras americanas, desde 1760 hasta su muerte en 1808. Una condición de español americano que no impidió que, por Real Cédula del 1 de noviembre de 1783, cuando llevaba ya veintitrés años viviendo en la Nueva Granada, fuese nombrado director de la Real Expedición Botánica del Nuevo Reino de Granada.

Es decir, se eligió para director de una de las más ambiciosas expediciones botánicas del siglo XVIII a alguien cuya vida profesional se había desarrollado en la periferia de la Monarquía, e insisto en las dificultades de hablar de centro y periferia en una estructura como la imperial hispánica. No es una excepción, algo parecido ocurre con otros muchos miembros de su expedición, casi todos españoles americanos, caso de su subdirector, el presbítero de Bucaramanga Eloy Valenzuela, o del de la mayoría de los pintores, no solo casi todos originarios del Nuevo Reino, caso de Salvador Rizo, natural de Santa Cruz de Mompox, quien con el título de Mayordomo de la Expedición fue a todos los efectos el segundo de Mutis, sino formados la mayoría en la escuela de dibujo creada por Mutis para servicio de la expedición. Respuesta a su descontento con el estilo de los primeros pintores que le fueron asignados, formados en la Real Academia de Bellas Artes de San Fernando de Madrid, y que le permitió (son numerosas sus afirmaciones de orgullo al respecto) el desarrollo de un estilo propio, diferenciado del hegemónico en esos momentos en Europa.

Algo que plantea nuevamente el problema de qué sentido tiene hablar de centro y periferia en un mundo en el que las periferias tienen la capacidad de crear modelos capaces de desafiar a los construidos por el centro. Y el asunto de los pintores no es para nada menor si consideramos que eran ellos los responsables principales de plasmar en imágenes los resultados de las expediciones. En el caso concreto de esta expedición neogranadina, mientras que Mutis y sus colaboradores científicos redactaron en torno a no más de quinientas descripciones de plantas, los pintores de la expedición, un total de más de cuarenta artistas de los cuales treinta de ellos llegaron a trabajar juntos al mismo tiempo, realizaron casi seis mil setecientas ilustraciones botánicas en folio, a las que hay que añadir en torno a setecientas anatomías florales.

El protagonismo americano de la Real Expedición Botánica del Nuevo Reino de Granada tampoco es excepcional, para la unos pocos años posterior, pero igual de ambiciosa, Real Expedición Botánica a la Nueva España: se eligió como director a un español europeo, el médico Martín de Sessé, también con una larga experiencia americana, pero en su caso desde la perspectiva de un funcionario imperial, cuyas referencias profesionales y vitales eran el conjunto de la Monarquía y no ninguno de sus reinos, europeos o americanos, por lo que para nada encaja en la definición de criollo que sí sirve para Mutis. Algunos de sus principales colaboradores, sin embargo, fueron españoles americanos, nacidos o formados en América, de manera destacada José María Mociño, nacido en el Real de Temascaltepec y formado como botánico en la Cátedra de Botánica del Real Jardín Botánico de la ciudad de México, es decir, ni nacido ni formado en la "metrópoli" sino en la Nueva España, quien, por lo demás, no se limitó a la recopilación y descripción de ejemplares botánicos sino que acabaría siendo, después de su establecimiento en España donde llegaría a ser presidente de la Real Academia Médica Matritense –no solo los españoles europeos se establecían y tenían éxito en América sino también los españoles americanos en Europa–, el responsable de salvar los materiales de la expedición en los convulsos años de las guerras napoleónicas. Su papel en la Real Expedición Botánica a la Nueva España llegó a ser tan destacado que habitualmente se la conoce como la "de Sessé y Mociño". También, lo mismo que en el caso de la Nueva Granada, fueron españoles americanos los pintores encargados de los dibujos de las plantas, en este caso formados en la recién fundada Academia de Bellas Artes de San Carlos de la Nueva España. No solo se fundaban academias en la metrópoli sino también en las supuestas colonias, algo que ya también anteriormente había ocurrido con las universidades.

Incluso en la mucho más "política" expedición de Malaspina, de los tres naturalistas, uno era criollo, Antonio Pineda, natural de la ciudad de Guatemala; y entre los pintores, en este caso mucho menos especializados en el mundo de la botánica y diferentes en cada etapa de la expedición, tuvo un papel destacado Tomás de Suria, dibujante de la expedición durante su recorridos por la costa del Pacífico norteamericano, desde Acapulco hasta Alaska, un madrileño llegado a la Nueva España con diecisiete años, formado en la Academia de Bellas Artes de San Carlos de la ciudad de México, casado con una novohispana y que seguiría viviendo en México después de la Independencia.

Esta presencia de españoles americanos en las expediciones científicas no se limitó a lo que podríamos denominar trabajo de campo, en un nivel necesariamente local.

Tuvieron también un claro protagonismo en el análisis y difusión de estos conocimientos, como muestra su presencia en muchas de las revistas hijas también del proyecto ilustrado borbónico. Es el caso, por ejemplo, de la sin duda más importante de todas, *Anales de Historia Natural* (1799-1800), a partir de 1801 *Anales de Ciencias Naturales* (1801-1804), fundada en Madrid, bajo patrocinio real, con el objetivo de dar a conocer los nuevos avances científicos en campos como la botánica, la mineralogía, la geografía y la medicina y que contó entre sus colaboradores a Vicente Cervantes, lo mismo que Mutis nacido en Europa pero que desarrolló la mayor parte de su trabajo como botánico en la Nueva España, donde llegó como miembro de la Real Expedición Botánica (1787-1803) y donde permanecería hasta su muerte en 1829, después de haber sido fundador y director del Real Jardín Botánico de la ciudad de México y de la Cátedra de Botánica a él asociada; Francisco Antonio Zea, en su caso nacido en América, neogranadino, y que llegaría a ser director del Real Jardín Botánico de Madrid entre 1805 y 1812, antes de su regreso a lo que posteriormente sería Colombia; y, por supuesto, José Celestino Mutis, uno de los más reputados botánicos de la Ilustración hispánica.

El centro de las expediciones científicas hispánicas del XVIII fue Madrid, con instituciones como el Real Jardín Botánico o la Real Cátedra de Botánica, en las que se fijaron las grandes líneas por las que éstas debían de discurrir (sistemas de calificación de plantas, métodos para el traslado de nuevas especies, etcétera), pero también cada una de las grandes capitales virreinales, la ciudad de México, Bogotá o Lima, con espacios científicos que se convirtieron en base de operaciones de las expediciones promovidas por la Corona. Los reinos americanos como una nueva matriz de saberes científicos en la que se vieron involucrados la nueva ciencia ilustrada, la tradicional de la monarquía y el saber de las comunidades locales, criollas, indígenas y mestizas.

Unas expediciones en las que las élites locales asumieron como propia la tarea de aumentar los recursos del imperio a través de un mejor conocimiento y explotación de los recursos naturales, del conjunto del imperio y de cada una de sus respectivas patrias, que no naciones. No sin conflictos, pero que no son tanto, como se ha querido ver, de criollos contra peninsulares como de la nueva ciencia con los centros de saber tradicionales, por ejemplo, el que enfrentó a las autoridades de la Real y Pontificia Universidad de México y el Real Protomedicato con el director del Real Jardín Botánico de la Nueva España respecto al sistema de clasificación de Linneo, repetido posteriormente en el caso de Lima y que ya se había dado anteriormente en Madrid.

Y aquí se hace necesaria una pequeña precisión respecto al manoseado concepto de *patriotismo criollo*. No porque este no existiese, es obvio que existió, sino por los problemas que crea confundirlo con una especie de protonacionalismo, sin entender que en la Ilustración hispánica *patria* y *nación* son términos más antitéticos que sinónimos. En precisa definición del padre Feijoo, uno de los autores más leídos a uno y otro lado del Atlántico, desde luego infinitamente más que los ilustrados franceses, por la primera se entiende los que viven bajo las mismas leyes, sean éstas las de una ciudad, un reino, un virreinato o el conjunto de la Monarquía; por la segunda los que tienen el mismo origen y costumbres, las diferentes naciones indias, por ejemplo, pero también la nación de los españoles, en el sentido de los que tenían su origen en Europa. Sin entender, como consecuencia, que buscar la grandeza de la patria, fuese esta una ciudad, un reino, un virreinato o el conjunto de la Monarquía, no significaba poner en cuestión la fidelidad al rey, base y fundamento de una Monarquía formada por múltiples patrias y naciones. Tampoco la pertenencia a una nación cuyos límites iban mucho más allá de la patria, la nación de los españoles en el caso de los criollos, carente por otro lado de cualquier densidad política, la vida política pasaba por ser súbdito del rey católico y miembro de una patria, no de una nación.

Volviendo a las expediciones científicas, lo anterior significa que a las agendas de la Monarquía y sus grupos dirigentes hay que sumar las de las élites locales, coincidentes unas veces, pero no otras, en particular cuando lo que estaba en discusión era el estatus de unas regiones con respecto a otras. Las expediciones científicas como el proyecto colectivo de unas élites para las que su punto de referencia era todavía la Monarquía, pero ya a las puertas de la entronización de la nación como el nuevo sujeto político que todavía no era pero que casi inmediatamente sería y que exigía, como paso previo, imaginar los reinos americanos como colonias.

LA IMAGINACIÓN DE LA AMÉRICA ESPAÑOLA
COMO UNA SOCIEDAD COLONIAL

El término *colonia*, utilizado en su sentido actual, hizo irrupción en el vocabulario político hispánico en las décadas finales del siglo XVIII, cuando entre parte de las élites de la Monarquía, dentro del proyecto de modernización política borbónica, empezó a abrirse paso, como ya se dijo, la idea de convertir las posesiones americanas en colonias. Idea que, como ya también se dijo, fue rechazada de manera explícita por la Junta Central el 22 de enero de 1809 con su ya citada *Declaración* de "los vastos y preciosos dominios que España posee en las Indias no son propiamente colonias o factorías como las de otras Naciones, sino una parte esencial de la monarquía española".

Una afirmación más problemática de lo que en una primera aproximación puede parecer. Ponía implícitamente sobre la mesa la posibilidad de que sí lo fueran, algo que nadie parecía plantearse respecto a los reinos y señoríos europeos. Si nadie se preguntaba si eran colonias el reino de León o el señorío de Vizcaya por qué preguntárselo respecto al reino de Chile o el señorío de Tlaxcala. Es cierto que la real orden no afirmaba que se les concedía la condición de parte integrante de la Monarquía, sino que eran lo que en castellano supone un matiz importante. Pero había algo ofensivo en el hecho de que siquiera se plantease. Es lo de que dejan traslucir, a propósito del problema de la representación, el cuaderno de instrucciones del Cabildo de Santa Fe de Bogotá para el diputado de Nueva Granada para esta Junta Central:

> No, no es ya un punto cuestionable si las Américas deben
> tener parte en la representación nacional; y esta duda sería
> tan injuriosa para ellas, como lo reputarían las provincias de
> España aún las de menor condición, si se versase acerca de ellas.
> [...] Todas son partes constituyentes de un cuerpo político que
> recibe de ellas el vigor, la vida.[26]

Una condición, la de colonias, que, sin embargo, sería muy pronto reclamada por los líderes insurgentes, que encontraron en esta definición una potente arma de movilización política: "vosotros habéis sido colonos y vuestras provincias han sido colonias y factorías miserables", afirma por ejemplo un *Catecismo político cristiano* que comenzó a circular en Chile a mediados de 1810. Los territorios americanos no solo habrían sido colonias, sino que, retomando la versión de la leyenda negra reactivada por algunos ilustrados, particularmente Raynal y su *Historia de las dos Indias*, lo habrían sido del imperio más cruel y despótico de la historia, hijo, a diferencia del inglés o el francés, de la sed de oro, el fanatismo y la intolerancia religiosa. Obra de una nación que, en el momento en el que las demás naciones europeas habían tomado el camino del progreso y la Ilustración, había elegido el del dogmatismo y la falta de libertad que la habían llevado al callejón sin salida del atraso económico e intelectual.

La conocida definición de Simón Bolívar del Imperio español como un despotismo oriental, más opresivo que los de Turquía y Persia, que durante tres siglos había excluido a los americanos del poder político y económico. Afirmación que por cierto la trayectoria de la familia del Libertador desmiente de manera flagrante: establecidos en América a finales del siglo xvii acumularon riquezas y matrimonios ventajosos, no necesariamente en este orden, hasta convertirse en una de las familias más ricas y aristocráticas de la Capitanía General de Venezuela; tampoco parece que se alejaran demasiado del poder político (regidores, alcaldes, procuradores...), incluidos su padre, coronel de milicias, y su tío Esteban, ministro del Tribunal de la Contaduría, no en América sino en Madrid, el propio Simón Bolívar, ya subteniente de milicias cuando viaja a España, muy joven, viaje en el que a su paso por México se hospeda en casa del presidente de la Audiencia y es recibido en audiencia por el virrey. No parece que los Bolívar americanos hayan estado nunca muy alejados del poder político ni del económico, en todo caso bastante menos que sus familiares que permanecieron en el Señorío de Vizcaya.

Esta será en todo caso la versión que los relatos de nación liberales decimonónicos harán suya y que el marxismo y las teorías de la dependencia, primero, y los estudios poscoloniales y el indigenismo, después, convertirán en hegemónica. La historia de las distintas naciones del continente imaginada como un ciclo de nacimiento (época prehispánica), muerte (conquista) y resurrección (guerras de independencia), con los tres siglos virreinales como el tiempo oscuro en el que las naciones americanas habrían dejado de existir bajo el dominio de una de las naciones más crueles, atrasadas y despóticas: "España tenía por política la crueldad, por moral y religión el fanatismo, por industria su extorsión a las colonias, por sistema financiero los monopolios y el saqueo a las clases laboriosas, por programa el orgullo, la intolerancia y la holgazanería".[27]

Años de miseria y explotación en los que déspotas españoles explotaban a los indios, mancillaban "su lecho conyugal", marchitaban "la pureza virginal de sus hijas" y cuando caían agotados por el trabajo los asesinaban sin piedad, "su cabeza era separada de sus hombros con la misma facilidad con que un niño troncha por diversión las amapolas de un jardín".[28] La trilogía explotación económica-explotación sexual-violencia como centro del imaginario sobre lo que la Colonia había sido. Época nefasta que seguiría prolongando su negra sombra sobre el presente. El núcleo de una visión victimista de la historia que como pesada losa sigue gravitando sobre proyectos políticos en los que la venganza del pasado, una especie de justicia cósmica importa más que la construcción del futuro y los derechos de los individuos.

UNA CIVILIZACIÓN PROPIA, PERO ¿CUÁL?
¿Es América Latina parte de Occidente?[1]
Emilio Lamo de Espinosa

EL PORQUÉ DE LA PREGUNTA

Tras la Colonia llegaron las independencias, cuyos bicentenarios conmemoramos estos años. Y con ellas nació una pléyade de países nuevos que han formado lo que llamamos *América Latina*. Una etiqueta de uso común, en primer lugar, por los propios latinoamericanos, pero cuyo alcance es discutible. ¿Existe América Latina como existe Europa, o es una simple etiqueta que junta lo que debe separarse y separa lo que debe juntarse? Y, caso de que exista, ¿a qué universo cultural pertenece?

Pues a lo largo de los últimos años, y desde extremos opuestos del espectro político, se han avanzado tesis paradójicamente coincidentes señalando que América Latina pertenece a un universo cultural o civilizacional propio y distinto de lo que llamamos "Occidente". Efectivamente, tanto desde el fondo nativo e indígena latinoamericano (desde el "sur"), como desde el fondo del *middle-west* anglo-norteamericano (desde el "norte"), se ha avanzado la misma idea, sin que unos u otros se dieran cuenta de la sorprendente coincidencia.

Ciertamente, esta es la opinión de parte del nuevo indigenismo latinoamericano que rechaza todo lo occidental en nombre de la preservación de esencias e identidades nativas que habrían sido destruidas por la colonización, primero, y las repúblicas criollas después.[2] El Movimiento al Socialismo (MAS) de Evo Morales en Bolivia o la Confederación de Nacionalidades Indígenas en Ecuador y el Movimiento Etnocacerista del Perú y, más recientemente, el mismo nuevo presidente mexicano AMLO, más allá de denunciar la discriminación étnica de las "naciones originarias" (cuestión no exenta, por supuesto, de fundamento), han avanzado desde la afirmación de lo propio al rechazo de lo (supuestamente) ajeno. Y así, por citar un ejemplo, en el programa político del MAS, se afirmaba textualmente:

> Se han cumplido 500 años de la presencia europea y 176 de vida republicana. Durante estos 500 años hemos estado dominados por la cosmología de la cultura occidental. [...] Los conceptos de globalización y economía de mercado se enmarcan en la cosmología occidental, como el viejo concepto de progreso que se desprendía del paradigma científico de la modernidad. [...] El denominado siglo de las luces de occidente ha caducado y ya no es ninguna opción para la humanidad. [...] Nuestras raíces culturales, las culturas andina y amazónica han triunfado sobre los fundamentos de la cultura occidental.

O con más rotundidad aun: "El 12 de octubre [de 1492] fue una desgracia", afirmaba Evo Morales.

Pero hete aquí que, cuando el expresidente Trump se empecinaba en construir un muro en la frontera con México para impedir la entrada de emigrantes latinos, cuando perseveraba (por cierto con poco éxito) en expulsar a los que ya habitan en Estados Unidos, cuando insultaba a unos y otros llamándolos *bad hombres* o acusándolos de violadores o asesinos, todo ello con el objetivo de "hacer América grande de nuevo", practicaba sin saberlo un tipo de rechazo y estigmatización simétrica, no exenta de racismo, pero que, como veremos, tiene detrás una importante tradición intelectual. Y así, si el monumento a Colón de Caracas fue destruido en 2004 por chavistas furibundos, otro tanto ocurrió en el verano de 2017 con el monumento a Colón situado en la ciudad de Baltimore, en este caso ultrajado por ciudadanos "políticamente correctos" en nombre del "discurso contra el odio". Una actitud que se ha visto reforzada recientemente por el movimiento Black Lives Matter, apoyado por el revisionismo cultural de los jóvenes universitarios americanos, con estigmatizaciones, no ya de Colón –acusado de genocidio–, sino también de Junípero Serra, o incluso del mismo Cervantes, lo que no deja de ser paradójico si se tiene en cuenta que él mismo fue esclavizado algunos años de su vida.

De modo que, bien porque América Latina ni es ni ha sido nunca parte de Occidente (o no debía serlo), al que se rechaza, bien porque no ha llegado aún a serlo o es algo propio y distinto, América Latina y, por ende, lo "hispánico" (o "ibérico") no forma parte de la "cultura" o de la "civilización" de Occidente. Y si en el sur se estigmatiza al "hombre blanco" que habría venido a contaminar la pureza de la cultura autóctona, en el norte se estigmatiza al nativo latino porque viene a contaminar la pureza del "hombre blanco". El norte rechaza al sur en aras de su propia pureza y el sur rechaza al norte en aras de la suya. Y más allá de que ambos coinciden en trazar una frontera cultural insalvable, lo que les une es la estigmatización de lo "hispano", aunque por razones contradictorias: en un caso porque no es parte de Occidente, en el otro porque sí es parte del Occidente que se rechaza.

La pregunta es pues inevitable: ¿es América Latina, lo "latino" o lo "hispano" parte de Occidente? O, al contrario, ¿hay una civilización latina o hispánica propia que incorpora el elemento nativo? ¿Somos los latinos "hombres blancos"?

No se trata de opiniones tan exóticas como puede parecer a primera vista pues forman parte de un elenco de representaciones colectivas (como las hubiera denominado Émile Durkheim) bien asentado y aceptado en el universo intelectual occidental. El mejor y más actual modo de indagar en esas representaciones colectivas, frecuentemente más implícitas que explícitas, es acudir al más vasto depósito de la memoria colectiva de la humanidad: el conjunto de páginas web accesibles a través de cualquier buscador.

Y así, si usamos Google para buscar entradas referentes a la etiqueta de *civilización hispánica*, encontraremos cientos de entradas que, frecuentemente, remiten a cursos impartidos en las principales universidades de Estados Unidos con etiquetas como *cultura y civilización españolas*. Allí podremos descubrir que, al parecer, existe una "civilización" española o hispánica caracterizada por arquetipos humanos universalmente conocidos (como Don Quijote, Don Juan o Carmen, la cigarrera), corridas de toros, fiestas populares españolas (como la Semana Santa, San Fermín o moros y cristianos), música flamenca y guitarras, artesanía, peculiares costumbres políticas como "guerrilleros" o "pronunciamiento", o peculiaridades de tipo económico tales como "vuelva usted mañana" o "autarquía", o lo que los británicos llaman las "prácticas españolas", como la "siesta". No estoy inventando estereotipos, solo leo el programa de un típico curso 101 "Civilización y Cultura Españolas" de una universidad americana cualquiera.

De manera similar, si buscamos la etiqueta *civilización latinoamericana* encontraremos otros cientos de entradas destacando las peculiaridades de la cultura latinoamericana como algo diferente de Occidente, comenzando con la época precolombina y a través de los movimientos por la Independencia hasta nuestros días. Por supuesto, hay libros sobre la "civilización" de América Latina, tales como la bien conocida *History of Latin American Civilization*[3] o *Keen's Latin American Civilization: History & Society, 1492 to the Present*,[4] un libro clásico editado por primera vez en 1955 y reeditado muchas veces, y seguramente uno de los más (si no el más) ampliamente utilizado. Y cito estos dos, entre muchos otros que podría traer a colación, porque Keen y Hanke tuvieron un famoso debate sobre la naturaleza de la América Latina, aunque ninguno rechazó (ni siquiera discutió) lo acertado de la etiqueta *civilización* para aludir a esa región.

Sin embargo, si buscamos entradas para el concepto *civilización americana*, encontraremos referencias a la cultura inca, maya o azteca, es decir, a las culturas precolombinas, pero no a la actual civilización de ese continente.

En resumen, lo que la web nos indica es que hay una "civilización hispánica" y una similar "civilización latinoamericana", pero no hay (aunque sí había) una "civilización americana". Sin duda porque ésta, es decir, la "civilización" actual de América (es decir, de Estados Unidos, la cultura norteamericana), es simplemente cultura occidental, y no admite singularidad. Dicho de otro modo, al parecer en el norte del hemisferio se vive en el marco occidental de modo que carece de sentido hablar de una *civilización (norte)americana*, pero al sur del río Grande la cosa cambia, y pasamos al espacio de una distinta *civilización latinoamericana* evidentemente vinculada a otra *hispánica*.

¿Por qué esta falta de simetría? ¿Tiene sentido? Es justamente lo que pretendo discutir en estas páginas y, más en concreto, lo siguiente:

¿podemos hablar de una civilización peculiar hispana como algo diferente de la civilización occidental? Pregunta que remite a otra con larga historia: ¿es España parte de Europa, parte de Occidente? Y, de manera similar, ¿es América Latina parte de Occidente? Dicho de otro modo, ¿quiénes son "nosotros" cuando hablamos de la civilización occidental? Preguntas todas ellas muy interrelacionadas y que malamente ocultan otra más profunda: ¿a quién le interesa y por qué esa expulsión de lo hispano del espacio cultural de Occidente? *¿Qui prodest?*

QUÉ SON LAS CIVILIZACIONES

Arjomand y Tiryakian en *Rethinking Civilizational Analysis*[5] han identificado tres oleadas de interés sociológico por las civilizaciones. La primera es la de los hermanos Weber (Max y Alfred), y la de Durkheim y su sobrino Mauss. A destacar el trabajo de Durkheim y Mauss de 1913, "Notas sobre la noción de civilización", en el que articulan la idea de que ciertos fenómenos sociales tienen un "coeficiente de expansión e internacionalización" que da lugar a civilizaciones y "complejos civilizacionales",[6] una idea próxima a la de Max Weber y sus fenómenos "histórico-universales". La segunda generación sería la de Sorokin, Braudel, Norbert Elias y Benjamin Nelson, aparte ciertos trabajos del joven Robert K. Merton. La tercera y última estaría representada por Eisenstadt, Huntington y el propio Tiryakian.

A lo largo de esta evolución encontramos una sutil línea argumental, ya adelantada: el triunfo de las culturas (siempre en plural), sobre la civilización (siempre en singular), el triunfo de la *Kultur* sobre la *Zivilisation*, por usar los términos clásicos del debate. En la primera generación parece claro que hay una sola civilización (occidental, por supuesto) pero muchas culturas. Pero ya en la tercera la civilización es, como escribe Huntington, *culture write large*, la "civilización" pasa a ser entendida simplemente como 'familia cultural', desprovista pues de su sentido normativo. Ya no tenemos muchas culturas pero una sola civilización, pues esta desaparece detrás del concepto de *cultura*. Es el triunfo de la visión historicista de la diversidad, el triunfo del multiculturalismo sobre la asimilación. Tal es el significado del término en los conocidos libros del finado politólogo de Harvard, Samuel Huntington: "Es el agrupamiento cultural humano más elevado y el grado más amplio de identidad cultural que tienen las personas, si dejamos aparte lo que distingue a los seres humanos de otras especies".[7]

Como no quiero adentrarme ahora con los distintos matices y debates sobre el significado de estas dos complejas palabras, *cultura* y *civilización*,[8] utilizaré la primera en su sentido antropológico habitual, el que le dio Edward B. Taylor en su clásico *Primitive Culture* (1871), es decir, como 'ese complejo que incluye el conocimiento, las creencias, el arte, la moral, el derecho, las costumbres y cualquier otra capacidad y habito adquirido por el hombre como miembro de una sociedad'. Y consideraré la segunda, la *civilización*, como el agrupamiento de las diversas culturas en grandes familias, una operacionalización del concepto que es hoy más útil que la que le dio Alfred Weber. Y ello porque normalmente disponemos de al menos dos marcadores o identificadores claros de las "familias culturales" (o "civilizaciones" en el sentido laxo de Huntington): por un lado, las grandes religiones, que siempre incluyen una visión del mundo (una *Weltanschauung*) y, por tanto, una ontología particular; y por otro, familias lingüísticas, vinculadas normalmente a un determinado tipo de escritura. Religión y escritura se erigen así en los principales demarcadores y marcadores de las civilizaciones entendidas como familias culturales. Lo que permite pasar de la abstracción a la concreción, es decir, permite operacionalizar el concepto y hacerlo manejable e incluso medible, como veremos.

Y en todo caso, la conclusión inicial es que algunos, singularmente americanos, del norte, sobre todo, pero algunos también del sur, argumentan que España y / o América Latina son una "familia cultural" diferente de la occidental y, por lo tanto, de la de América del Norte. Y de ahí la pregunta: ¿América Latina pertenece a otra familia cultural distinta de la familia occidental?

EL PROBLEMA DE ESPAÑA

Pero permítanme comenzar diciendo unas palabras sobre España antes de regresar de nuevo a América Latina pues, evidentemente, lo que estamos discutiendo es la naturaleza de la *hispanidad* o de la *latinidad*, algo que afecta a ambos lados del Atlántico. Pues como ha señalado Carlos Malamud, la imagen de España aquí se proyecta sobre la imagen de España en América, pero también viceversa, la imagen de América nos envuelve y nos constituye.[9] Casi podemos construir un cuadro de relaciones en el que la aceptación o el rechazo de España por parte de los españoles (¿somos o no europeos?) tiene su contrapartida en la aceptación o el rechazo de América Latina por parte de los latinoamericanos (¿somo o no hispanos y, por ende, occidentales?), y ambas percepciones se pueden entrecruzar.

Así, la pregunta sobre la naturaleza de la civilización americana está muy ligada a la cuestión de la identidad europea de España y lo *hispano*, un debate muy antiguo que tiene al menos dos versiones. Por una parte, la visión ilustrada y dieciochesca de España como un país que no ha contribuido en absoluto a la civilización occidental, siendo más bien una rémora anclada en un pasado pre ilustrado y pre racionalista. Una idea que, paradójicamente, será más tarde reforzada por la otra gran visión de España, la visión romántica y decimonónica, pues para Dumas o Gautier, como para Bizet y muchos otros (como Washington Irving y hasta el mismo Hemingway), Europa empieza en los Pirineos, *Spain is different*, y es un país oriental o al menos "orientalizante", más que occidental.[10]

Lo relevante es que estas dos grandes visiones o imágenes de España, la ilustrada y la romántica, y por razones más bien contradictorias, están de acuerdo en que España no es Europa y no es Occidente, o al menos no lo es del todo. Ya sea porque es mucho menos, pues todavía no habría llegado a ser un país moderno y "civilizado", en la visión romántica. O porque es mucho más, es, por decirlo así, la "reserva espiritual de Occidente" como, por ejemplo, le gustaba decir al general Franco.

Por supuesto, el problema es que esta singular percepción de España como una "excepción" europea también fue aceptada por nosotros, por los españoles. Y no solo por la gente normal, sino también por los historiadores pensadores y filósofos, incluidos Unamuno y Ortega y Gasset. El historiador Vicens Vives lo expresó claramente cuando habló de la "incapacidad de España para seguir el curso de la civilización occidental en sus aspectos económicos, políticos y culturales (capitalismo, liberalismo, nacionalismo)".[11] España como una sociedad desviada en Europa. Excepcionalismo.

Voy a recordar ahora una atinada observación de Xavier Zubiri, cuando señalaba que "no es cierto que los griegos sean nuestros clásicos; es que, en cierto modo, los griegos somos nosotros".[12] Aludía con ello a que la cultura griega vive en nosotros y no es algo pasado sino actual; en cierto modo somos griegos. Creo que es una idea muy inteligente. Y si vale para los griegos, ¿qué decir de los romanos? Sabemos que Roma desapareció, y sin duda esto es lo sucedido en términos políticos. Pero recordemos algunos datos simples. Nosotros, los españoles, hablamos latín, latín vulgar; nuestro derecho sigue siendo, en esencia, el derecho romano; nuestra religión es la religión oficial del Imperio romano; nuestras familias siguen las costumbres romanas, nuestra agricultura es romana, y cuando yo era joven el arado y la báscula romanas todavía se usaban por los labradores españoles; nuestra arquitectura y nuestro urbanismo son romanos. El territorio de España no fue una colonia romana sino parte de la propia Roma, a la que dio varios emperadores y pensadores. Nuestro nombre es un nombre romano, Hispania. En resumen, como dice Zubiri, Roma, los latinos, no son nuestros clásicos pues, en más de un sentido, somos romanos y latinos, por lo que la cultura española se puede entender como una versión actualizada, moderna (o, si se prefiere, tardía) de la cultura grecolatina. España (como Portugal o como Italia), son como si Roma estuviera todavía viva en el siglo XXI.

Por supuesto, ahora nos gusta jugar con la idea romántica, adelantada por Américo Castro en su magna obra *La realidad histórica de España*,[13] de las tres culturas españolas: cristiana, musulmana y judía. Es una idea posmoderna y multicultural, y nos gusta reflejarnos sobre ella. El eslogan "cruce de caminos" para caracterizar a España (o a cualquiera de sus regiones) lo hemos oído cansinamente repetido una y otra vez. Es políticamente correcto, una "alianza de civilizaciones". Y en cierta medida es cierto. Pero solo en escasa medida. Ni nuestra lengua, ni nuestra religión, ni nuestro derecho, ni nuestras instituciones, son musulmanas o judías.

Esta pertenencia de España a Occidente se percibe claramente si comparamos las dos fronteras que geográfica e históricamente han constituido a Europa, a la gran familia cultural occidental: la frontera oriental (los Balcanes) y la del sur (el Mediterráneo). Pues bien, la frontera oriental ha sido (y sigue siendo) un continuo que se mueve gradualmente y sin ruptura alguna desde Roma y el cristianismo occidental al cristianismo oriental, bizantino (la Iglesia ortodoxa; misma religión, pero otra escritura); desde ella a un islam occidentalizado, es decir, Turquía (otra religión, pero misma escritura); y finalmente a otra civilización con otra religión y otro alfabeto y escritura: el islam. Al oriente de Europa no hay pues frontera alguna sino un gradiente, un mosaico o *patchwork*, que se extiende por los Balcanes y el Cáucaso, mezclando religiones, etnias, lenguas y escrituras, espacio secular de conflictos y guerras. Que continúan en el siglo XXI. Sin embargo, la frontera sur del Mediterráneo se traza de manera abrupta, sin lugar a dudas, en Gibraltar y el mar. Detrás del cual hay, ahora sí, otra religión, otra lengua, otra escritura, otra cultura. El Mediterráneo no es una *mare nostrum* ni un espacio unificado, como fue en otros tiempos, sino una de las grandes fronteras de la humanidad. Si España hubiera sido (o siguiera siendo) el espacio de las "tres culturas" sería hoy algo parecido a lo que era la antigua Yugoslavia o los Balcanes o el Cáucaso. Que no lo sea es mérito (o demérito, pues de todo hay), en todo caso efecto, consecuencia, de los Reyes Católicos y del proceso de unificación étnica y cultural de la península ibérica que ellos impulsaron.

Desde entonces el espacio ibérico (y el español) es parte de la civilización romano-cristiana, que es el germen de Occidente. En resumen, es simplemente una tontería hablar de una "civilización española". Fue necesaria una transición política muy exitosa y realizada contra toda expectativa, y una acelerada modernización económica, social y cultural, es decir, una clara y nítida europeización y "normalización" de España,[14] para entender algo obvio: que España siempre fue Europa, por supuesto, y que lo sorprendente no es la respuesta, sino la pregunta misma y que incluso no pocos españoles la aceptáramos como una pregunta digna de interés.

Pensé que era necesario recordar estos datos obvios antes de saltar de nuevo al otro lado del Atlántico. Porque, de una manera similar a como ocurrió en España, la idea de que América Latina es un caso anormal y desviado dentro de Occidente se ha avanzado en muchas ocasiones, con frecuencia por los propios latinoamericanos, bien para poner de relieve su identidad frente a la de España en el momento de la independencia de las repúblicas, y hoy, de nuevo, para enfatizar su identidad contra el hermano mayor del norte, contra el neoliberalismo, el Consenso de Washington, o quien sabe qué.

UN CONTRASTE INTELECTUAL: SAMUEL HUNTINGTON Y ARNOLD TOYNBEE

Veamos dos ejemplos tomados de dos de los más grandes analistas de las civilizaciones. Y el primer ejemplo es, por supuesto, de Samuel Huntington, el caso más claro de la idea que quiero discutir.

Como es bien sabido, en 1993, Huntington comenzó un gran debate entre los teóricos de las relaciones internacionales con la publicación en *Foreign Affairs* de un artículo extremadamente influyente, traducido y citado, titulado "El choque de civilizaciones". Frente a la tesis de la convergencia civilizacional posguerra fría, elaborado por Fukuyama en su discutida obra *El fin de la Historia*,[15] Huntington argumentaba a favor de la divergencia y el conflicto, tesis que más tarde amplió en un libro de larga difusión, titulado *El choque de civilizaciones y la reconfiguración del orden mundial*.[16]

En él exponía que, si bien durante la Guerra Fría el conflicto más probable era entre el mundo occidental libre y el bloque comunista –un conflicto interno a la civilización occidental–, ahora era más probable entre las civilizaciones más importantes del mundo y estábamos condenados a una guerra de civilizaciones. La tesis era sugerente, y la posterior eclosión del fundamentalismo islámico le dio una gran credibilidad.

No voy a discutir si estamos o no ante una supuesta "guerra de civilizaciones". No lo creo. He tratado de argumentar lo contrario en varios textos[17] y el propio Huntington así lo demostraba (pues, al final, solo había dos civilizaciones conflictivas: Occidente y el islam). Lo que me interesa ahora de ese libro es lo que en él se daba por supuesto: su relación o lista de civilizaciones. Pues, efectivamente, Huntington identificaba expresamente ocho civilizaciones, a saber: occidental, islámica, sínica, hindú, ortodoxa, budista, japonesa y, finalmente, latinoamericana, además de una posible novena, la africana. Para él, era pues evidente que América Latina no forma parte de la civilización occidental.

¿Qué es entonces Occidente para Huntington? Occidente estaría formado por Europa occidental (en particular la Unión Europea) y América del Norte, pero incluiría también otros países derivados de esa Europa tales como Australia y Nueva Zelanda e incluso las islas del Pacífico, Timor Oriental, Surinam, la Guayana Francesa y (sorpresa) Filipinas norte y centro (¿tal vez porque fueron una colonia de Estados Unidos?). Rusia queda fuera, al igual (al parecer, según su clasificación) que los Balcanes y el Cáucaso.

¿Y qué unifica culturalmente, civilizacionalmente, esos países? ¿Cuáles son las características de la civilización occidental? Huntington menciona las siguientes: el legado de los clásicos, la pluralidad de lenguas, la separación entre autoridad espiritual y temporal, el Estado de derecho, el pluralismo social, el individualismo, la representación política y, sobre todo, el cristianismo occidental, es decir, el catolicismo y el protestantismo.

Por el contrario, la civilización latinoamericana, aunque muy vinculada con Occidente, *incorpora elementos de viejas civilizaciones indígenas*, y es un híbrido entre el mundo occidental y la población nativa, y tiene una cultura populista y autoritaria que Europa tuvo también, pero en un grado menor, y que América del Norte nunca tuvo. Los países latinoamericanos son, así, *torn countries*, países desgarrados, divididos, de modo que el hemisferio oscilaría entre dos extremos: México, Centroamérica y los países andinos, donde la población nativa es más fuerte, y Argentina o Chile donde es escasa.

Es evidente que, si alguien dice que vamos hacia un choque de civilizaciones, y añade después que tú perteneces a otra civilización, tenemos un problema. Y desde luego, tenemos un problema, que Huntington posteriormente ampliaría.

En aquel libro Huntington ya adelantaba que, "en esta nueva era, el reto singular y más importante a la identidad tradicional de América [es decir, de Estados Unidos] viene de la inmensa y constante inmigración de América Latina, especialmente de México". Tema que desarrollará posteriormente en *Foreign Policy*, en un trabajo con el título "The Hispanic Challenge", ampliado de nuevo en su libro póstumo *Who Are We? The Challenges to America's National Identity*.[18] Textos en los que sostiene que los hispanos o latinos de Estados Unidos son "la mayor amenaza potencial a la integridad cultural, y posiblemente política, de los Estados Unidos", de modo que se hace necesaria "la reconquista demográfica de las áreas que los americanos tomaron de México por la fuerza en los años 1830 y 1840". Y donde se afirma, por ejemplo, que son actitudes típicamente hispánicas "la falta de ambición" (la "cultura del mañana") y la "aceptación de la pobreza como una virtud necesaria para entrar en el Cielo". Con ello Huntington se adentraba claramente en la xenofobia, y así ha sido señalado casi universalmente por la crítica académica, pues hay que decir que el libro, a pesar del gran prestigio de su autor, recibió una muy negativa recepción.

En todo caso, el problema no es ya el choque de países por causas culturales pues ahora el conflicto de civilizaciones se activa, pero dentro de un país: Estados Unidos.

Se trata de un punto de vista bastante peculiar. No solo porque es asombroso que una persona inteligente pueda olvidar que el corporativismo y el populismo (por ejemplo, fascismo o comunismo) fueron invenciones europeas, no de América Latina. Tampoco que el legado de los clásicos, la pluralidad de lenguas, la separación entre autoridad espiritual y temporal, el Estado de derecho, el pluralismo social, el individualismo, la representación política y, sobre todo, el cristianismo occidental, son rasgos que se ajustan perfectamente a América Latina. Tampoco, por último, que la hibridación o el mestizaje no es nada exclusivo de América Latina. Montesquieu, en sus *Réflexions sur la monarchie universelle*,[19] ya escribió que "*l'Europe n'est plus q'une nation composée de plusieurs*", Europa como "nación de naciones", una buena descripción de la actual Unión Europea. Y recientemente Giovanni Sartori, por ejemplo, dice que Estados Unidos es una *nation made of nations*,[20] las verdaderas naciones unidas (pues la ONU es, más bien, unos Estados unidos) ¿Acaso la presencia africana o la diversidad cultural y migratoria es menor en Estados Unidos que en América Latina? La única diferencia notable es el mestizaje, pero ¿es eso un demérito de América Latina o, al contrario, algo de lo que debe presumir?

Por ello me interesa ahora traer a colación un ejemplo contrario: el gran historiador británico Arnold Toynbee, en gran medida el mentor de Huntington. Pues cuando elaboró la lista de las veintiún civilizaciones en su monumental *Estudio de la Historia*, terminado en 1961, nunca identificó algo parecido a una civilización española o latinoamericana. Por el contrario, hablaba de España y Portugal como las "fronteras móviles" de la cristiandad, como una marca o frontera en expansión. Y la deuda que el mundo occidental tiene con la gente de la península ibérica nunca ha sido tan admirablemente expresada como por el gran historiador inglés. Trataré de traducir su magnífica prosa:

> Estos pioneros ibéricos, la vanguardia portuguesa alrededor de África hasta Goa, Malaca y Macao, y la vanguardia castellana a través del Atlántico a México y cruzando todo el Pacífico hasta Manila... realizaron un servicio sin parangón para la cristiandad occidental. Ampliaron el horizonte, y, potencialmente, por ende, el espacio de la sociedad que representaban, hasta que llegó a abarcar todas las tierras habitables y todos los mares navegables del mundo. Es debido, en primer lugar, a esta energía ibérica que la cristiandad occidental ha crecido, como el grano de mostaza en la parábola, hasta convertirse en 'la Gran Sociedad', un árbol en cuyas ramas a todas las naciones de la Tierra han venido y se han alojado.[21]

Para Toynbee la "Civilización Occidental" abarca todas las naciones que han existido en Europa occidental desde la caída del Imperio romano. Sin embargo, España y Portugal fueron las semillas de la expansión de Occidente sobre el mundo. Y, como tales, eran tierra de frontera, la frontera de la civilización occidental, que saltó desde la península ibérica a América. Por supuesto, ni una sola palabra se dice de una civilización específica de América Latina. Y Toynbee acuña una etiqueta, la de *pioneros ibéricos*, cargada de sentido y, por supuesto, contrapuesta a la de los otros *pioneers*, los del Mayflower, que habían llegado a la costa de Estados Unidos en 1620. Etiqueta, por cierto, que ya había sido utilizada por un singular personaje, periodista y aventurero americano, Charles Fletcher Lummis, quien en 1893 –retengamos la fecha–, publicó un libro titulado *The Spanish Pioneers*, un gran canto a la labor colonizadora de España, la nación pionera (*The Pioneer Nation*), en América (ignoro si Toynbee leyó a Lummis, aunque es poco probable pues el libro tuvo, y aun tiene, muy poco eco.)[22]

Puede que me equivoque, pero creo que la opinión de Huntington es una visión de América muy idiosincrática de Estados Unidos, compartida por muchos ciudadanos de ese país, y vinculada a la tesis de la frontera que, como sabemos, es probablemente "el" mito constitutivo de la identidad americana. Así que paso ahora a Turner y a otras fronteras.

LA VISIÓN NORTEAMERICANA; TURNER Y LA FRONTERA

Porque tenemos más fronteras o marcas. Una, la identificada por Toynbee, el trabajo de los "pioneros ibéricos", que se mueve desde el sur de la península ibérica a América, traspasándoles de este a oeste. La otra, por supuesto, es la frontera de Turner, la tarea de otros pioneros en movimiento desde el Reino Unido e Irlanda a América del Norte.

Como es sabido, Frederick Jackson Turner (1861-1932), profesor de Historia en la Universidad de Wisconsin-Madison, anunció por primera vez su tesis en un artículo titulado "The Significance of the Frontier in American History", paradójicamente entregado a la Asociación Histórica Americana en 1893 en la World's Columbian Exposition de Chicago. Y digo paradójicamente porque la tesis iba a ser el más completo rechazo del papel de Colón y de España, y se editó el mismo año en que Lummis hizo el mayor canto a la tarea de España en América del Norte. Como resalta Alfredo Jiménez en su trabajo "La Historia como fabricación del pasado: La frontera del Oeste o American West":

> El joven Turner vino a decir que las circunstancias peculiares de la frontera americana, tales como la abundancia de tierra libre o desocupada [*free land, empty land*], las oportunidades que se abrían a los colonos, y el peligro común que representaban los indios dieron forma al carácter y a las instituciones americanas. La experiencia de la frontera –decía Turner– tuvo un efecto de consolidación y nacionalización de la joven América. La frontera, en suma, extendió la civilización y promovió la democracia.[23]

Lo que me interesa es la idea de Turner de la frontera. Pues allí escribió:

> La frontera estadounidense se diferencia claramente de la frontera europea –una línea de frontera fortificada que atraviesa densas poblaciones. Lo más significativo de la frontera americana es que se encuentra a la orilla de acá de la tierra libre [*at the hither edge of free land*].

Y antes había propuesto su idea principal: la frontera es *the outer edge of the wave, the meeting point between savagery and civilization* ['el borde exterior de la ola, el punto de encuentro entre el salvajismo y la civilización']. Así pues: a la orilla de acá de la tierra libre y en el punto de encuentro entre el salvajismo y la civilización ¿Es eso cierto? Por supuesto que no.

Por supuesto, España ni se menciona en el ensayo de Turner. Pero esto es peculiar porque una gran parte de la tierra americana (algunos dicen incluso que tres cuartas partes) ya había sido explorada por España, incluida Alaska. Y en el suroeste, en California y, por supuesto, en Texas y todo el Southwest y la Florida, muchas ciudades se habían construido. Lo que estaba al otro lado de la frontera era, a veces, tierra libre, pero a veces, a menudo, las tierras de otros países. España primero, México después.

La tesis de la frontera olvidaba (podemos decir, ocultaba) el papel de España en América del Norte, y la sustituyó por el avance estadounidense sobre tierra mostrenca, entendido a su vez como el avance de la civilización sobre la barbarie. Curiosamente la misma tesis de Kipling en *The White Man's Burden* publicada seis años después, en 1899 que llevaba el subtítulo –rara vez mencionado– "Estados Unidos y las islas Filipinas", y que era, de hecho, una reacción a la guerra hispanoamericana de 1898. Justamente el punto de partida de la expansión imperial norteamericana en el Atlántico (Cuba, Puerto Rico) y en el Pacífico (Filipinas) y de su transformación en una República Imperial (la expresión es de Raymond Aron).

Por supuesto, sabemos que esto fue parcialmente cierto. Las grandes masas de tierra americana no habían sido completamente colonizadas. Pero la idea de que el otro lado de la frontera, es decir, de hecho, América Latina, no era, y no podía ser, parte de nosotros, parte de Occidente, sino tierra salvaje, fue aceptada. Como escribe Alfredo Jiménez: "En conclusión, los historiadores norteamericanos han escrito la historia de la frontera como si al otro lado no hubiera nadie".[24]

Evidentemente, la historiografía posterior ha revisado profundamente las tesis míticas de Turner.[25] Primero fue Herbert Eugene Bolton (1870-1953) en *The Spanish Borderlands: A Chronicle of Old Florida and the Southwest*.[26] Más recientemente, David J. Weber (1940-2010) en *The Spanish Frontier in North America*.[27]

Pero este mito, como todos los mitos y creencias, tuvo consecuencias. Venía a abonar y dotar de esteticismo romántico la vieja idea del *destino manifiesto* acuñada por John L. O'Sullivan, en 1845: era el destino manifiesto de Estados Unidos expandirse por el continente que la Providencia le había asignado, reforzando así la Doctrina Monroe de 1823: "América para los americanos" (idea que regresa una y otra vez). Y sobre este cañamazo, el futuro presidente Theodore Roosevelt creyó que el fin de la frontera interna representaba el inicio de una nueva etapa en la vida norteamericana y Estados Unidos debería expandirse fuera. Por esta razón, muchos ven en la tesis de Turner el impulso de Estados Unidos hacia el imperialismo, e incluso la legitimación intelectual de la guerra de Cuba y Filipinas. Roosevelt era, al parecer, un creyente en la tesis de Turner. Y no fueron pocos los americanos que vieron en esa guerra –una de las pocas que pueden mencionarse entre democracias–, no la conquista de España por Estados Unidos sino, al contrario, el triunfo en ese país de la mentalidad imperial y colonialista de la vieja España, "la conquista de Estados Unidos por España", como escribió el gran sociólogo de Yale William Graham Sumner.[28]

¿QUÉ ES AMÉRICA LATINA?

No es pues de sorprender que, siglo y medio después de Turner, Estados Unidos, con Huntington y Trump, regrese a la tesis de la frontera sobre el salvajismo exterior, una vez más epitomizado en el muro que debe separarlo de los *bad hombres* del sur latino. Y ahora podemos volver a nuestra pregunta principal: ¿se puede hablar de América Latina como parte de Occidente?

Como ha demostrado Mónica Quijada en contra de una interpretación usual que atribuye la invención de la etiqueta *América Latina* a Michel Chevalier en el marco de la invasión de México por Napoleón III, lo cierto es que fue una invención autóctona por intelectuales y escritores dominicanos, colombianos y chilenos,[29] que empezaron a utilizar esta denominación ya en la década de los cincuenta del siglo XIX y se generalizó en las siguientes. La nueva genealogía del término implica también un cambio esencial de sentido político. No se trata ya de poner la latinidad bajo el patrocinio de Francia, cuya invasión había sido universalmente rechazada en Latinoamérica, sino de generar un vínculo de unidad frente al expansionismo norteamericano, manifestado en la invasión de Nicaragua primero, sobre el istmo de Panamá después y, sobre todo, de México, e incluso de la guerra hispanoamericana de 1898 juzgada negativamente. Como lo prueba la primera mención expresa del término, primero por el chileno Francisco Bilbao y, meses después, en un poema del colombiano Torres Caicedo de 1856 titulado "Las dos Américas" en el que menciona

La raza de la América latina
al frente tiene la raza anglosajona.

De modo que es la conciencia de diferencia y de rechazo frente al agresivo vecino del norte lo que va a dotar de sentido a un término que al tiempo diferencia y unifica la América hispana primero, e ibérica después (al incorporar Brasil al conjunto). Y así, los dos países, las dos grandes repúblicas, Francia y Estados Unidos, que sirvieron de inspiración para la emancipación, acabaron siendo rechazadas por su imperialismo, redescubriendo una raíz que había sido olvidada e incluso estigmatizada. Pues el término *latino* apunta directamente a lo que España y Portugal hicieron en este hemisferio: romanizarlo e incorporarlo a la cultura occidental. Lo diré con sencillez: España y Portugal hicieron en América Latina lo mismo que Roma había hecho con nosotros mil quinientos años antes: romanizarnos, latinizarnos.

Cuando España llegó a América, extensísimos territorios (casi toda la América del Norte y toda la cuenca del Amazonas) estaban poblados por una miríada de grupos aislados de cazadores recolectores que conocían a sus vecinos y poco más. Los españoles chocaron con dos civilizaciones importantes, aunque ya en claro declinar, como lo prueba la facilidad de la misma "conquista". América, propiamente, no existía y se ignoraba a sí misma, como la propia España se ignoraba antes de ser unificada y etiquetada por Roma. La diversidad lingüística que todavía sobrevive en América Latina –más de mil lenguas vivas–, de la que hablaré inmediatamente, da una idea aproximada del *patchwork* de pueblos que debía ser la América precolombina.

Y se da la circunstancia de que los mismos elementos culturales que unificaron a España y Portugal fueron los que, más adelante, unificaron América Latina: dos lenguas romances, el castellano o el portugués; una religión romana, el cristianismo; el derecho romano; la arquitectura mediterránea; las ciudades (siguiendo el modelo del *castrum* romano); la red de caminos (siguiendo el modelo de las calzadas romanas); incluso la agricultura.

Es en este contexto que el trabajo ya citado de Mónica Quijada recoge otro de un latinoamericanista francés y comenta:

> Según Gruzinski, la 'Latinidad' se encuentra en el corazón
> del proyecto imperial y colonizador de la corona de Castilla,

fundado en una unidad política y cultural simbolizada por el imperio, por la lengua de Roma y por la religión asentada en Roma. Por añadidura, los europeos apelaron a los modelos de la Antigüedad Clásica para describir el Nuevo Mundo, asentar su historia por escrito y reorganizar las lenguas y los saberes indígenas a partir de esquemas renacentistas y enciclopédicos. [...] De tal forma, la Latinidad era la clave para alcanzar la universalidad. Pero no solo los europeos apelaron a la Latinidad. En el siglo XVI, los nobles indígenas que enviaban cartas al Rey de España para solicitar el reconocimiento de sus privilegios heredados no solían utilizar la lengua de Castilla sino el latín. Y los artistas indígenas que decoraban los templos erigidos para la adoración del Dios cristiano solían introducir en sus pinturas imágenes que combinaban símbolos de la Antigüedad Clásica con otros extraídos de sus propias tradiciones prehispánicas. [...] De manera equivalente, los artistas indios utilizaron la mitología clásica como una suerte de pantalla que les permitía filtrar su propia y antigua mitología; en tanto que algunos mestizos —como el Inca Garcilaso en el Perú o Diego Valadés en México— encontraban en la tradición latina el método y el armazón para defender y propagandizar el mundo prehispánico.

En cierta manera —afirma Gruzinski— la latinidad actuó como un gigantesco "lecho de Procusto" retórico y conceptual.[30]

Por lo tanto, ¿es América Latina "latina", "hispánica" o "ibérica"? Es decir, ¿debemos llamarla Iberoamérica o América Latina? Todo al tiempo. Es latina justamente porque ese fue el papel histórico de España y Portugal: incorporar América Central y del Sur (y un buen trecho de América del Norte) para la cultura grecorromana. Pero los "pioneros ibéricos" fueron porteadores más que creadores, transmisores, no inventores. Las etiquetas *latino* o *hispano*, frecuentemente discutidas en Estados Unidos, apuntan ambas en la misma y correcta dirección, y casi me atrevo a decir que la confusión es un claro acierto: lo hispano (o lo luso) no es sustancialmente distinto de lo latino.

Por supuesto, el proceso civilizador no estuvo exento de dolor, con frecuencia fue terrible para las poblaciones nativas y, aparte del efecto demoledor de las pandemias, se impuso (también) a sangre y fuego. Como ocurrió en la península ibérica con la romanización, por cierto. Y por supuesto, hay y hubo mezcla, mestizaje e hibridación, como ocurrió también en la península ibérica, dando lugar a lo hispanorromano. Muchos expertos consideran que la característica de la colonización española (y, aún más quizá, de la portuguesa), fue el mestizaje. Pero incluso el mestizaje (y el otorgamiento de ciudadanía) es herencia romana. Sin duda alguna, y basta comparar la integración y la supervivencia de poblaciones nativas al norte o al sur del río Grande, por no mencionar la de la población africana, para constatarlo.

AMÉRICA LATINA UNIDA, PERO SEPARADA

Pero es la común pertenencia a la "familia cultural de occidente" lo que le otorga a Latinoamérica una unidad que en absoluto existía antes. Es más, le otorga un nivel y grado de unidad muy superior a la que se puede encontrar en otros continentes como Asia, África, e incluso la misma Europa, regiones que exhiben una diversidad interna que no encontramos en América Latina (ni siquiera en América como un todo).

Efectivamente, América Latina no es una unidad política ni económica, pues su integración es escasa y los reiterados intentos de fusión han tenido poco éxito. Pero sí es una unidad cultural indiscutible. Una idea que aparece ya en el mismo inicio de los proyectos unificadores de América Latina, la *Carta de Jamaica* de Bolívar (1815):

> Es una idea grandiosa pretender formar de todo el mundo nuevo una sola nación con un solo vínculo que ligue sus partes entre sí y con el todo. Ya que tiene un origen, una lengua, unas costumbres y una religión, debería por consiguiente tener un solo Gobierno que confederase los diferentes Estados que hayan de formarse.

Para añadir inmediatamente:

> mas no es posible, porque climas remotos, situaciones diversas, intereses opuestos, caracteres desemejantes, dividen a la América.[31]

Y así es. Sabemos que está dividida por culturas, climas e intereses, que dieron lugar a fuertes nacionalismos, causa y consecuencia de guerras, ya pasadas, pero no olvidadas. Nacionalismos que son actualizados para avivar el populismo y canalizar hacia afuera el factor indígena en xenofobias de derecha o de izquierda. Ello ha dado lugar a una alta desconfianza recíproca entre los países, que dificulta y, hasta el momento, ha impedido su articulación. Solo Brasil podría ejercer un liderazgo regional por su tamaño, pero la desconfianza es grande. Comparando con la Unión Europea, ni Brasil puede jugar el papel de Alemania, ni México o Argentina son Francia.

Tampoco la unión económica es relevante. A pesar de los distintos (excesivos) acuerdos de integración, los flujos comerciales interregionales en el conjunto de Sudamérica son los más bajos del mundo y se sitúan en el diecisiete por ciento, mientras en la Unión Europea superan el sesenta y en el Sudeste asiático llegan al cincuenta.

América Latina no es pues una unidad ni política ni económica. Sin embargo, sí lo es, y en grado sumo, una unidad cultural.

Señalaba antes que una civilización propia se identifica sobre todo por dos marcadores: religión y lengua. Un tercero es más difícil de articular: la etnicidad, aunque hoy es posible cuantificarlo también y disponemos de índices agregados de fraccionamiento social. Pues bien, para que haya una civilización latinoamericana necesitaríamos encontrar que esas variables unifican el espacio latinoamericano y, al tiempo, le diferencian de otros espacios. ¿Ocurre tal cosa?

No hay duda sobre el posible fraccionamiento religioso. La unidad religiosa de América Latina, producto de la colonización, es marcada, así como su falta de diferenciación con el resto de Occidente. El cristianismo es la religión dominante, al igual que lo es en Europa y en Estados Unidos.

Otro tanto ocurre con las lenguas. De hecho, es el continente más normalizado después de Europa: las mil lenguas que sobreviven son habladas por solo 47 millones de personas con un promedio de hablantes por lengua muy bajo, de solo 47.464 personas por lengua, lo que hace temer seriamente por su desaparición (algo que debería evitarse, por cierto). Para comparar, la media de hablantes por lengua en Asia es de un millón y medio y en África de más de trescientos mil. Solo la región del Pacífico, con similar número de lenguas (unas mil) tiene un menor número de hablantes por lengua, unos cuatro mil (diez veces menos).

Continentes y lenguas

Continente	Lenguas vivas		Numero de hablantes		
	Número	%	Número	%	Media
África	2.092	30,3	675.887.158	11,8	323.082
América	1.002	14,5	47.559.381	0,8	47.464
Asia	2.269	32,8	3.489.897.147	61,0	1.538.077
Europa	239	3,5	1.504.393.183	26,3	6.294.532
Pacífico	1.310	19,0	6.124.341	0,1	4.675
TOTAL	6.912	100	5.723.861.210	100	828.105

Fuente: Gordon, 2005.

Alberto Alesina, de la Universidad de Harvard, y colaboradores, han estudiado los índices de fraccionamiento etnolingüístico de diversas regiones del mundo, entre ellas América Latina. El índice mide la probabilidad de que dos personas de un mismo país, extraídas al azar, pertenezcan a grupos lingüísticos o étnicos distintos. Pues bien, para la diversidad lingüística, esa probabilidad es del dieciocho por ciento en América Latina, la más baja del mundo (la más alta, del África subsahariana, es del sesenta y uno por ciento, y la de Europa Occidental del veintiséis por ciento).[32]

No ocurre lo mismo con el fraccionamiento étnico, que es bastante marcado, del cuarenta por ciento según Alesina. Pero es poco relevante en términos demográficos. Efectivamente, el Banco Mundial estima que hay no menos de cuatrocientos grupos étnicos que representan poco más del diez por ciento de la población de la región (entre cuarenta y cincuenta millones de personas), el noventa por ciento de ellos concentrado en cinco países. Mucho más importante es la población negra y mestiza (que es lo que eleva el índice de Alesina), que alcanza nada menos que ciento cincuenta millones de personas, un treinta por ciento de la población total (pero un cincuenta por ciento en Brasil). Una población que perdió por completo sus referencias culturales en el largo y terrible calvario de la esclavitud, pero que ha enriquecido a su vez la diversidad cultural de la región. Y en todo caso, puesto que el mestizaje ha sido la peculiaridad de la colonización ibérica, cada vez resulta más difícil encontrar grupos étnicos puros (¿alguno lo es?).

Finalmente, no puedo dejar de señalar la sorprendente unidad de América Latina en una dimensión más difícil de capturar empíricamente, pero para la que, por fortuna, disponemos de excelentes instrumentos de medida. Me refiero al tema de los valores, las preferencias y las actitudes, medidos por la World Values Survey.

Es cierto, por supuesto, que junto a la vigencia de los principios generales de convivencia de raíz occidental, perviven en la región grupos de las culturas originarias, más las comunidades afroamericanas, y unos y otros (unos más que otros) cultivan valores, tradiciones y formas de organización social propias. El grueso de esas comunidades se insertó en la sociedad a través del mestizaje, que constituye uno de los logros más singulares de la sociedad latinoamericana y de su proceso de colonización. En igual sentido, las mayorías abrazaron las religiones cristianas y lenguas ibéricas. Cuando esos grupos organizados aspiraron al poder político, lo hicieron pacíficamente, amparados en las instituciones, ideas y valores democráticos occidentales. Enriquecen enormemente las culturas latinoamericanas (y occidentales) con sus expresiones culturales y con sus lenguas. Es más, cuando el mundo occidental se despertó a la urgente necesidad de preservar el medio ambiente en el planeta, pudieron recordar al mundo sus valores tradicionales de respeto por la naturaleza y la tierra en que vivimos. El mestizaje es siempre un toma y daca, aunque sea asimétrico, y el respeto por la diversidad cultural es una forma superior de universalismo.[33] De modo que debemos ser humildes y aprender y escuchar lo que pueden enseñarnos. Los valores de la sociedad occidental, valores universalistas, permiten convivir y respetar sus formas de vida y sus tradiciones, a la vez que abren las puertas a su participación democrática en la organización política y en su desarrollo económico.

De modo que hay, sí, una fuerte fragmentación étnica (nativa e importada), en buena medida absorbida por una fuertísima unidad religiosa, lingüística y cultural. América Latina es precisamente eso: América latinizada. Una vez más, los romanos no son nuestros clásicos y unos y otros somos romanos del siglo XXI. Mario Vargas Llosa lo expresó hace pocos años con precisión y claridad: "La conquista fue horrible, por supuesto, y debe ser criticada al mismo tiempo que situada en su momento histórico". Y añadía:

> [América Latina es] un continente que gracias a la llegada de
> los españoles, pasó a formar parte de la cultura occidental,
> es decir, a ser heredera de Grecia, Roma, el Renacimiento,
> el Siglo de Oro y, en resumidas cuentas, de sus mejores
> tradiciones: los derechos humanos y la cultura de la libertad.
> [...] Qué terrible hubiera sido que todavía siguiéramos
> divididos e incomunicados por miles de dialectos como lo
> estábamos antes de que las carabelas de Colón divisaran
> Guanhani.[34]

¿Y HOY? DE CÓMO AMÉRICA LATINA DEBE ASUMIR SU RESPONSABILIDAD HISTÓRICA EN EL MARCO DE LA CIVILIZACIÓN OCCIDENTAL

Pero antes de terminar debo agregar algunos comentarios finales. Un comentario acerca de Estados Unidos y América Latina, el otro comentario sobre todos nosotros. Porque *se non e vero, e ben trovato*.

Tal vez Turner tenía razón en su tiempo. Tal vez nos enfrentamos a un choque de civilizaciones como decía Huntington. En cualquier caso, la frontera actual entre los hispanos y la América anglosajona no se ha movido hacia el oeste sino hacia el norte del río Grande. Es evidente que Estados Unidos se está latinoamericanizando, convirtiéndose en otra América latinizada. Algunos, como el expresidente Trump, parecen temerlo. En más de un sentido, el cambio es cierto, y cualquiera puede percibirlo en el escenario social de muchas ciudades estadounidenses desde Nueva York a Los Ángeles y a Miami. Pero al tiempo es cierto también que América Latina se está norteamericanizando, y que la frontera de Estados Unidos se mueve hacia el sur, singularmente en el Caribe. América Latina se orienta cada vez más hacia el gran vecino del norte, pero también cada vez más al Pacífico (a China, eso es la Alianza del Pacífico), y cada vez menos a Europa. Otro tanto hace Estados Unidos con su *pivot to Asia* iniciado por Hillary Clinton y Barack Obama. Y puesto que América toda, norte o sur, se vuelca hacia el Pacífico, la tendencia a olvidar Europa se verá reforzada en todo el continente.

Una dinámica repetida también en esta parte del Atlántico pues la Unión Europea también, y tras la última ampliación, está cada vez más orientada al este y menos interesada en el oeste y en América Latina, con las excepciones de España y Portugal. El eje atlántico, que ha constituido la columna vertebral de Occidente y del mundo durante al menos tres siglos, pierde vigor, y Trump y el Brexit son al tiempo efecto y causa de esta tendencia.

Pero el castellano, es ahora la primera lengua extranjera en las escuelas y universidades de Estados Unidos. Y aunque Estados Unidos es todavía lo que siempre ha sido, un cementerio de las lenguas, tal vez (aunque solo tal vez) el idioma español podría ser una excepción. Hay tantos latinos en Estados Unidos como españoles en España. De hecho, Estados Unidos es ya el tercer o cuarto país hispano en el mundo después de México, Colombia y España (puede que ya por delante de España). Y la capacidad de compra, el poder económico de la minoría latina es hoy similar al de España, si no superior.

Así pues, si nos fijamos en lo que está ocurriendo desde lo que Max Weber habría llamado una "perspectiva histórico-universal", desde una perspectiva global en el tiempo y el espacio, lo que acaece en

América no es tanto una multiculturalidad más acentuada, aunque ésta sea muy vocal y las políticas identitarias y de "cancelación" la hagan muy visible. Pues por debajo de esta narrativa (y negando sus supuestos) encontramos un inmenso *melting-pot* de raíz latina que cubre todo el continente en el que las tendencias a la divergencia cultural son superadas por los actuales medios de comunicación y su potente capacidad homogeneizadora. América Latina ha absorbido la globalización en todas sus dimensiones, manteniendo e incluso reforzando su singularidad cultural. Un *melting-pot*, un mestizaje, que se extiende más allá, al norte y al sur del río Grande mezclando ahora las dos grandes culturas americanas: la hispana y la anglo. Dos ramas de la civilización occidental que surgen de los dos primeros imperios marítimos del mundo, que exportan sus lenguas por medio mundo (el español y el inglés), ramas que lucharon en Europa, fueron separadas por la frontera de Turner en América, y ahora se están fusionando, saltando sobre sus fronteras históricas. Pues hay algo nuevo, angloespañol, emergiendo en América, norte y sur. ¿Cómo negar que eso es Occidente?

Mi última observación se refiere a "los demás", los europeos, los españoles. El mundo está cambiando muy rápido. La civilización occidental alcanzó su orto antes de la Segunda Guerra Mundial cuando más del ochenta por ciento de la tierra y otro tanto de personas se encontraban bajo la soberanía de países occidentales. Pero Europa se desangró (se suicidó) en dos guerras civiles, dos guerras mundiales, y la descolonización primero, y la globalización y el crecimiento económico más adelante, ponen fin a ese período, la "Era de Europa", la era de la expansión de Occidente que se inició en el siglo xv con los "pioneros ibéricos". Durante siglos, tres o cuatro al menos, la historia del mundo se ha escrito en Europa, en El Escorial o Lisboa, en Londres, París o Berlín; eso ya ha acabado. En pocos años la vieja Europa será aproximadamente el seis por ciento de la población mundial, algo similar a Estados Unidos, y América Latina será (ya es) otro seis o siete por ciento. El viejo Occidente será pues poco más del veinte por ciento de la población mundial. Mientras tanto, África será otro veinte por ciento y Asia nada menos que un sesenta por ciento. China ya es la segunda potencia económica en paridad de poder adquisitivo y pronto será la primera. Muchos otros grandes países están surgiendo. Algunos son democráticos (como la India). Otros no lo son. Algunos son potencias nucleares, otros quieren serlo. La globalización está emergiendo con una agenda de problemas mundiales (desde el terrorismo y las armas de destrucción masiva al cambio climático, la delincuencia, la emigración y muchos otros como las actuales pandemias) que no sabemos cómo manejar. El sistema de las Naciones Unidas es obsoleto, a pesar de que es todo lo que tenemos. El mundo se parece cada vez más a la Europa de finales del siglo XIX, la Europa westfaliana (Kissinger): una colección de grandes países soberanos en inestables equilibrios de poder luchando entre sí para encontrar su propio espacio vital y el control de los recursos que permitan su crecimiento económico.

Es por eso por lo que necesitamos un *caucus* de los países democráticos sólidos que comparten historia, lenguas, religiones, valores y creencias, una alianza de las democracias. El núcleo duro de esta alianza es, sin duda, la alianza transatlántica entre Estados Unidos y Europa, una alianza hoy debilitada e incluso declarada "obsoleta" por el expresidente del país que la lideró.[35] Pero para nuestros propósitos, América Latina es también el otro vector de las relaciones transatlánticas, pues el Atlántico sur existe.

América Latina es hoy un hemisferio con una alta unidad cultural, que representa a una de las lenguas internacionales más importantes con una fuerte penetración en internet y en Estados Unidos. Y es el siete u ocho por ciento del PIB mundial, más que Japón, con algunas de las primeras economías del mundo. Latinoamérica ha cambiado muy profundamente en estos últimos veinticinco años. La democracia se ha consolidado, la renta per cápita se ha duplicado, los índices de desarrollo humano han mejorado sin excepción, la pobreza ha caído y la desigualdad —en clara contraposición a lo que ha ocurrido en el resto del mundo— se ha reducido. La clase media latinoamericana incluye ya a dos tercios de la población. Aunque persisten profundas desigualdades, elevados niveles de crimen y corrupción, la región tiene una oportunidad de repetir en los próximos veinte años los resultados de las últimas dos décadas, si es capaz de gestionar eficientemente la pandemia del COVID-19 (lo que no está ocurriendo cuando escribo estas líneas).

Nos guste o no, el mundo es global. Las finanzas, el comercio, la ciencia, la información, hasta las revueltas, son globales. Las dos grandes potencias, Estados Unidos y China, controlan la globalización con un pulso entre ellas. Para poder gestionar los efectos adversos de la globalización hace falta tamaño. En América Latina (como en Europa) hay dos tipos de Estados: los que son pequeños y los que aún no saben que son pequeños. Necesitamos ganar tamaño y fuerza política, económica y militar. Y América Latina es Occidente. Comparte religión, lengua, derecho, valores y creencias.

Pero América Latina parece hoy ensimismada en sus problemas y no acaba de asumir responsabilidades globales. No es nada nuevo, pues si leemos cualquier historia del mundo del siglo XX comprobaremos que América Latina no está. Los estudios del Real Instituto Elcano sobre la presencia exterior de los países y las regiones muestran reiteradamente que la presencia actual de América Latina en el mundo es muy escasa, solo superior (y no en mucho) a la del África subsahariana, y por debajo del mundo árabe-islámico. Sin embargo, tiene una potente presencia en el G20 (Brasil, Argentina y México, además de España) pendiente de activarse, al igual que en la ONU. Latinoamérica debe reclamarse como lo que es, una parte esencial de la civilización occidental. Esto es bueno para España y Portugal, por supuesto, pero es, sobre todo, esencial para la misma América. El Occidente camina sobre tres patas (la vieja Europa y las dos Américas), no dos, y estoy seguro de que Turner diría hoy que la historia contemporánea nos ha colocado a todos en el mismo lado de la frontera.

... Y SU REPRESENTACIÓN.
¿UNA RENACIDA LEYENDA NEGRA?

BÁRBAROS, ¿QUÉ BÁRBAROS?

El mundo hispánico y el canon de la modernidad

Luis Francisco Martínez Montes

> Si aquellas sociedades no eran justas
> tampoco eran bárbaras.
>
> OCTAVIO PAZ

L a cita que encabeza este capítulo, referida a los virreinatos americanos integrados en la Monarquía Hispánica, aparece en un ensayo escrito por el poeta y premio Nobel mexicano Octavio Paz a principios de la década de los ochenta del siglo pasado. Su título es *Tiempo nublado* y fue publicado en 1983 en España por la editorial Seix Barral. Leerlo, con apenas quince años, me abrió los ojos al mundo. Sus enseñanzas me ayudaron a interpretarlo cuando, tiempo más tarde, me lancé a recorrer algunas de sus múltiples veredas académicas y diplomáticas. Muchas de las reflexiones y advertencias que contienen sus páginas, teniendo en cuenta el momento en que fueron escritas, fueron premonitorias y podrían haber sido concebidas en nuestros días. En ellas se iluminaban fenómenos por entonces apenas esbozados y que hoy nos resultan familiares: el ensimismamiento estadounidense y la desorientación de su política exterior; la revuelta de los particularismos nacionales y religiosos, que el bardo denominó "la rebelión de las excepciones"; el desmoronamiento del imperio totalitario soviético y el retorno de realidades históricas, como Rusia, que había intentado en vano suprimir o absorber; el despertar de civilizaciones que parecían petrificadas, desde Turquía o Irán hasta China y la India; o la oscilación entre la pulsión hedonista y la tentación del puritanismo, hoy diríamos del imperio de lo políticamente correcto y de la cultura de la cancelación, característica de las democracias occidentales.

He de reconocer, sin embargo, que hubo un capítulo del ensayo que no terminó de convencerme y sobre el que seguí dando vueltas largo tiempo. Se trataba del titulado "América Latina y la democracia". En él, al intentar explicar las fallas de los sistemas políticos latinoamericanos y la distancia material entre la América hispana y Estados Unidos, el autor mexicano abandonó su proverbial lucidez crítica y en su lugar recurrió al socorrido argumento de atribuirlas a la tradición y herencia españolas, definidas categóricamente como "antimodernas". Aunque Paz reconocía que las sociedades que España contribuyó a crear en América fueron hasta el siglo XVIII más inclusivas y prósperas que su contraparte angloamericana, consideraba que aquellas estaban lastradas por un pecado de origen. En esencia, concluía, la diferencia fundamental entre México y Estados Unidos radicaría en que ambos son versiones distintas y casi opuestas de la misma civilización occidental: "Los Estados Unidos son hijos de la Reforma y de la Ilustración. Nacieron bajo el signo de la crítica y la autocrítica".[1] Por el contrario, al no sumergirse en ambas corrientes y, en su lugar, adherirse al neotomismo y a la Contrarreforma, "España y sus posesiones se cerraron al mundo moderno".[2]

Recuerdo que, al intentar descifrar esta última frase, me pregunté a qué "mundo moderno" aludía Paz. Como el autor no se extendía en ello, supuse que se refería a la acepción más objetiva y, por ello, reconocida, es decir, a un período que se abre, *grosso modo*, a mediados del siglo XV y se cierra, por opinión común de los historiadores, a finales del siglo XVIII. Es la época cuando, cierto, desde una perspectiva eurocéntrica, pero no por ello menos real y, sobre todo, efectiva, se intensifican cuatro tendencias que transformarán el curso de la historia universal y hoy forman parte del campo semántico de la modernidad: la aparición de redes de comunicación globales por las que transitan, de forma regular, personas, ideas y bienes de toda índole; la corroboración, gracias al encuentro o colisión de mundos que habían permanecido separados o apenas en contacto, de que existe una unidad intrínseca al género humano, con las correspondientes consecuencias en el orden jurídico y, potencialmente, político; la apropiación sistemática de la naturaleza mediante el método científico-técnico y la transformación del conocimiento así adquirido en poder y beneficio y, no menos importante, el sometimiento de la acción política, y del sistema de valores que la sustenta, al ejercicio de la crítica.

En mi juvenil ingenuidad, pensaba ya entonces, al leer *Tiempo nublado*, que si un país había contribuido en no menor medida a inaugurar
la Edad Moderna así definida, y en modo alguno se había cerrado a su
curso, era el que organizó y dio seguimiento a las expediciones que arri-
baron a América y circunvalaron por vez primera la Tierra; el que creó y
mantuvo durante dos siglos y medio las primeras flotas permanentes que
atravesaron el Atlántico y, con los galeones de Manila, el Pacífico, unien-
do Asia, América y Europa y dando origen así a la moderna globalización; el que con Bartolomé de las Casas, Antonio de Montesinos, Francisco de Vitoria, Martín de Azpilcueta o Diego de Covarrubias alumbró
la primera proclamación moderna de la universalidad de los derechos
humanos, el moderno Derecho Internacional y algunas de las primeras
reflexiones sobre el funcionamiento de una economía de mercado abierta a los flujos internacionales; el que, con Francisco Hernández, Jaime
Juan o Juan de Herrera, lanzó las primeras expediciones científicas
transatlánticas y con Alonso de Santa Cruz, Juan de Ovando y Juan
López de Velasco se dedicó a cartografiar, encuestar y censar los "nuevos mundos" para mejor administrarlos; el que, junto con Portugal
y su Casa da India, y mucho antes que la Royal Society inglesa o las
academias francesas, creó las primeras instituciones modernas, como
la Casa de Contratación de Sevilla, orientadas a la acumulación, interpretación y explotación del conocimiento adquirido en prácticamente
todos los rincones del globo; el que, por vez primera en Occidente
desde el Imperio romano y con mucho más alcance que éste, erigió estructuras políticas y administrativas capaces de gobernar la vertiginosa diversidad de territorios y pueblos que llegaron a extenderse desde
la Patagonia hasta la frontera con Alaska y desde Europa hasta Asia,
rigiendo urbes tan cosmopolitas como la ciudad de México, Sevilla,
Bruselas, Amberes, Milán, Nápoles o Manila; el primero que llevó la
imprenta a sus posesiones ultramarinas y constituyó decenas de universidades de corte europeo en América y en Asia (la Universidad de
Santo Tomás, en la capital filipina, data de 1611); el primero, en suma,
donde, en una muestra ejemplar de autocrítica –ese rasgo de la modernidad tan alabado, con razón, por Octavio Paz–, el poder convocó
en 1550 un debate, el de Valladolid, con el fin de dilucidar si existían

justos títulos para lanzar una empresa imperial y, ante la duda, levantó un edificio jurídico, imperfecto, como toda empresa humana, pero sin precedentes a semejante escala, para la protección de los pueblos amerindios incorporados a la Monarquía.

La evidencia acumulada en el anterior párrafo, sin embargo, demostró ser insuficiente. Como tuve ocasión de comprobar con más años y lecturas, las lapidarias opiniones de Octavio Paz sobre la ausencia de modernidad en España y su correlato en los virreinatos y, posteriormente, en las repúblicas independientes surgidas de las emancipaciones no eran excepcionales. Tampoco eran originales. Entroncaban con una asentada escuela de pensamiento que, en la antigua metrópoli, tuvo su más elocuente expresión en la obra de Ortega y Gasset, en particular en su ensayo *España invertebrada*, publicado en 1921. En el mismo, y en otros escritos de la época, el filósofo madrileño ya aludía a una supuesta enfermedad congénita de nuestro país como la causa que le habría impedido formar parte plenamente de los grandes hitos que, desde el siglo XVI, han marcado el devenir de Occidente, incluyendo el Renacimiento y la Ilustración. En su forma más extrema, la constitución "patológica" de España diagnosticada hace un siglo por Ortega y Gasset se transforma, en un autor contemporáneo como José Luis Villacañas, en toda una condena con reminiscencias teológicas. Para este filósofo, España habría sustentado, o padecido, un aparato imperial incapaz de generar una comunidad nacional con conciencia de ser la elegida por Dios y, por ello, careció de un proyecto innovador orientado hacia el futuro. Este defecto de origen explicaría que el Imperio español, en lugar de ser una fuerza con potencia suficiente para abrir un "horizonte temporal de largo alcance",[3] lo que hizo fue clausurarlo y limitarse a esperar el fin de los tiempos. En realidad, aunque sin citarlo expresamente, lo que hace Villacañas es recuperar, para aplicarlo a la Monarquía Hispánica, el concepto teológico-político de *katechon*, tan caro a Carl Schmitt, quien en el *Nomos de la Tierra* y en su ensayo *Tierra y mar* lo tomó de las epístolas paulinas para aludir a una fuerza que retiene el curso de la historia. Claro que, en sus cartas, san Pablo se habría referido al *katechon* como la potencia que retarda la llegada del fin de los tiempos, mientras que Villacañas, aquí más comedido, se limita a considerar que España habría desempeñado ese papel de freno en relación con el advenimiento de la modernidad, cuyos orígenes identifica, como hiciera Paz, con la Reforma protestante. Sea como fuere, al margen de las diferencias de filiación intelectual o ideológica, el principal hilo conductor que, a lo largo de casi un siglo, une las reflexiones de Ortega y Gasset, de Octavio Paz y, en nuestros días, de autores como José Luis Villacañas, es la común consideración de España como un sujeto colectivo que, al menos desde la temprana Edad Moderna hasta fechas más o menos recientes, ha permanecido en gran medida ajeno o ha sido contrario a las fuerzas emancipadoras e innovadoras de la historia europea y, por ello, ha terminado lastrando el desarrollo de sus antiguos territorios ultramarinos, amén del suyo propio.

Los juicios de valor antes citados sobre las supuestas carencias intrínsecas y la ausencia de una auténtica modernidad en nuestro devenir histórico son a menudo atribuidos a la acrítica aceptación entre parte de nuestra intelectualidad, a ambos lados del Atlántico, de la llamada "leyenda negra" y, en particular, de las opiniones de los ilustrados franceses del siglo XVIII, al estilo del artículo sobre España publicado en 1782 por Masson de Morvilliers en la *Enciclopedia metódica*. Algo de cierto hay en esta atribución, pero ello no lo es todo. Tales (pre)juicios deberían más bien ser considerados como la variante autóctona o castiza de una interpretación de la Edad Moderna generada desde el siglo XVII en el mundo protestante noratlántico y, en particular, angloamericano. Denominaremos a esta interpretación, convertida desde entonces en canónica, como la versión *whig* de la modernidad occidental. En las siguientes líneas trazaremos brevemente su genealogía; examinaremos las premisas sobre las que ha sido edificada; mostraremos el lugar excéntrico que en la misma ocupan España y el más amplio mundo hispánico; asistiremos a su progresivo debilitamiento y, finalmente, esbozaremos una visión complementaria de la modernidad desde la experiencia hispánica, más acorde con su compleja realidad histórica y con el sentido, o sentidos, de los tiempos que corren.

Como es sabido, *whig*, que en gaélico significa 'cuatrero', es el nombre atribuido desde finales del siglo XVII en Inglaterra a la facción política liberal en contraposición a la *tory*, o conservadora. Los *whig* eran en origen virulentamente anticatólicos, críticos con la jerarquía anglicana, aunque tolerantes con las otras denominaciones protestantes, y partidarios de ampliar los poderes del Parlamento en detrimento de la monarquía. Sobre todo, eran favorables a que el trono inglés pasara de Jaime II, a quien acusaban de "papista", a su hija María y a su marido, el neerlandés Guillermo de Orange, ambos protestantes de pura cepa. El triunfo de la llamada Gloriosa Revolución en 1689 supuso la consecución de los objetivos de la facción *whig* y facilitó su hegemonía durante buena parte del siglo XVIII, hasta que ya en el siglo XIX vino a fundirse en el Partido Liberal. Quizá menos conocido entre nosotros es que, al margen de sus connotaciones partidistas, propias del parlamentarismo británico, el término *whig* terminó por designar a una corriente historiográfica cuyos autores, al modo de Thomas Babington Macaulay en su clásica *Historia de Inglaterra*, propugnan que la humanidad, o al menos una parte privilegiada de ella, sigue un curso ascendente hacia una cada vez mayor libertad y prosperidad en cuya vanguardia, por una suerte de plan providencial, se encuentran los pueblos protestantes, sobre todo, aunque no únicamente, los de habla inglesa. Por el contrario, en la arquetípica narrativa *whig*, España y el resto del mundo hispánico se habrían apartado de esa senda de progreso desde los mismos inicios de la Edad Moderna, a la que nunca se habrían llegado a incorporar plenamente.

Así expuesto, el canon *whig* de la modernidad no deja de ser una construcción teórica derivada, pese a sus pretensiones de objetividad científica, de conceptos teológicos apenas secularizados, de los que nunca se ha desprendido completamente. Es más, lejos de ser una mera metáfora explicativa de un cambio de época, al modo de las diseccionadas por Hans Blumenberg en su ensayo *La legitimación de la Edad Moderna*, desde sus orígenes se convirtió en una ideología al servicio de los designios geopolíticos de potencias europeas emergentes, cuyo triunfo pasaba por la derrota o, al menos, por la fragmentación de la principal constelación de poder que se oponía a su ascenso, es decir:

la Monarquía Hispánica. Solo en este sentido concreto, enmarcado en un enfrentamiento temporal entre Estados en formación y expansión, y entre sus respectivos aparatos de propaganda institucional generadores de leyendas negras o doradas, puede afirmarse que, en efecto, España y sus posesiones ejercieron durante un tiempo un papel de *katechon*. Lo hicieron, eso sí, no como fuerza retardadora de la modernidad, en singular y con mayúscula, sino en oposición a una versión particular y contingente de la misma, que ha pretendido, y casi conseguido, erigirse en la única posible... hasta que ha dejado de serlo.

Encontramos una temprana manifestación del canon *whig* de la modernidad, y de su puesta al servicio de proyectos de dominación emanados desde el mundo protestante noratlántico, en la obra de un conocido tratadista neerlandés del siglo XVII: Hugo Grocio. En las historias convencionales que narran el desarrollo de las ciencias jurídicas, su nombre es a menudo asociado al nacimiento de un derecho internacional plenamente moderno, desprovisto de consideraciones teológicas o de referencias al derecho natural, lo que le diferenciaría de los autores neoescolásticos y, por tanto, premodernos, de la Escuela de Salamanca, como Vitoria o Suárez. Nada podría estar más alejado de la realidad. Baste recordar su obra titulada *De Iure Praedae*, escrita en torno a 1604 en el contexto de la prolongada guerra entre las Provincias Unidas y la Monarquía Hispánica, para comprobar la falacia del "principio de secularidad" sobre el que en buena medida se sostiene la pretendida superioridad de la interpretación *whig* de la Edad Moderna. Recordemos el caso, porque es paradigmático. En la obra mencionada, Grocio intenta justificar el apresamiento en 1603 de una carraca portuguesa, la Santa Catarina, por un navío privado perteneciente a la Compañía Holandesa de las Indias Orientales (conocida como VOC por su acrónimo en neerlandés) en aguas del Índico. Sucedía que Portugal y sus posesiones ultramarinas estaban en esa época integrados en la Monarquía Hispánica y el capitán de la VOC consideró que estaba legitimado para apresar el barco luso, hacerse con sus ricas mercancías y venderlas en las Provincias Unidas como botín legal obtenido en una guerra justa contra España. El problema que se presentaba es que, al así hacerlo, había roto todos los principios sobre los que se basaba el *Ius ad Bellum* respetado por las naciones europeas: las Provincias Unidas no eran todavía un sujeto soberano reconocido internacionalmente; el barco mercante neerlandés carecía de patente de corso que hubiera permitido legalizar la toma de un navío privado enemigo como botín de guerra; la captura había tenido lugar fuera del teatro de hostilidades en Europa y, sobre todo, no cabía recurrir a la legítima defensa puesto que la carraca portuguesa fue sorprendida en una emboscada por los neerlandeses sin mediar provocación alguna. La forma que Grocio encontró para circunvalar todos estos argumentos "medievales" en contra de las acciones de la VOC fue recurrir al derecho de los habitantes de las Provincias Unidas a navegar libremente por alta mar y comerciar en todos los lugares de la tierra, un derecho universal y oponible *erga omnes*, pero negado por la Monarquía Hispánica a sus todavía súbditos neerlandeses, declarados en rebeldía ante su soberano. Ahora bien, y aquí es donde Grocio asoma inocentemente la vieja pata medieval bajo los ropajes pretendidamente modernos de su razonamiento, resulta que, a su entender, de entre todas las naciones, eran precisamente los virtuosos neerlandeses el pueblo elegido para garantizar dichos derechos pues, a diferencia de los protervos ibéricos, cuya avaricia y crueldad les llevaban a acumular riqueza para diseminar el terror por el globo, los bienes adquiridos o capturados por aquellos eran empleados para desplegar la voluntad divina sobre la tierra. A partir de estas premisas, Grocio concluía que, al oponerse al plan que la providencia tenía reservado para las Provincias Unidas, los españoles y portugueses se situaban fuera de la comunidad de los elegidos y, por tanto, podían ser considerados pueblos bárbaros o salvajes, contra quienes era legítimo librar la guerra en todo tiempo y lugar. En otras palabras, contra las naciones ibéricas, designadas como enemigas de Dios y de la humanidad, era lícito llevar a cabo una *guerra total*, un concepto normalmente asociado con las dos guerras mundiales del siglo xx, pero ya prefigurado en la obra de Hugo Grocio y en las tempranas acciones bélicas de sus compatriotas.

Habrá quien piense que los argumentos empleados por Grocio en *De Iure Praedae* eran excepcionales y estaban motivados por las circunstancias en las que fueron elaborados, propias del enfrentamiento entre las Provincias Unidas y España. No fue así, sino que pasaron a formar parte de un socorrido repertorio cada vez que las principales naciones noratlánticas de estirpe protestante se enfrentaron a España y, posteriormente, a otras potencias opuestas a su hegemonía, sea cual fuere su confesión o ideología. Así, las mismas justificaciones grocianas, aunque en tonos más exaltados propios del personaje, fueron ofrecidas por Oliver Cromwell medio siglo más tarde ante el Parlamento inglés en su discurso de 17 de septiembre de 1656. Cuando el vencedor de la cruel guerra civil que había dividido Inglaterra quiso unir a las facciones enemigas bajo una causa común, no encontró otra mejor que reiniciar la guerra contra España y, con el conocido como *Western Design*, intentar conquistar sus posesiones en el Caribe y en América Central. Y, ¿cómo exhortó a sus compatriotas? Exactamente con los mismos argumentos empleados por Hugo Grocio, pero adaptados a la nueva audiencia: los ingleses son el pueblo elegido por Dios para llevar a cabo su plan providencial; los españoles, designados, literalmente, como "cabeza del Anticristo", son los enemigos de Dios y del orden natural. Por tanto, se sigue que los españoles son los enemigos "naturales" y "providenciales" de Inglaterra y, por extensión, de las demás naciones protestantes, y con ellos nunca se podrá alcanzar la paz. Todo un ejemplo, para algunos, de pensamiento moderno. Por cierto, las palabras de Oliver Cromwell terminaron inspirando el celebérrimo discurso que, más de tres siglos más tarde, el 8 de marzo de 1983, Ronald Reagan pronunció ante la Asociación Nacional Evangélica en Orlando y en el que designó a la Unión Soviética como el "imperio del mal". Así nos lo recuerda Walter Russell Mead en su libro *Dios y oro: Gran Bretaña, América y los orígenes del Mundo Moderno*, publicado en 2007 y endosado por el Council of Foreign Relations, todavía –junto con el Chatham House británico– el *think tank* de referencia en política exterior del *establishment* angloamericano. En dicho ensayo, en la mejor tradición *whig*, Russell Mead afirma sin ambages que el orden mundial liberal, ahora irónicamente cuestionado por un expresidente estadounidense, es el resultado de los triunfos de Gran Bretaña y, luego, de Estados Unidos sobre sus múltiples enemigos históricos, comenzando por la España inquisitorial, pasando por la

Francia absolutista, la Alemania militarista y nazi y, por último, sobre la Unión Soviética, todas ellas fuerzas contrarias al progreso y a la libertad encarnados, desde los inicios de la Edad Moderna, en el mundo anglosajón.

Lejos de desaparecer o debilitarse con el paso del tiempo, al modo de otras corrientes historiográficas e ideológicas sustentadas en la teología e inclinadas hacia la teleología –tan eficazmente develadas por Karl Popper en su *Miseria del historicismo*–, la cosmovisión *whig* ha continuado teniendo numerosos seguidores entre los intelectuales noratlánticos y sus epígonos en otras áreas culturales bajo su influencia. En buena medida, la controvertida hipótesis anunciada por Francis Fukuyama en un artículo de la revista *Foreign Affairs*, aparecido en 1989 y, más tarde, en un libro publicado en 1992, titulado *El fin de la Historia y el último hombre*, cuyo presupuesto era el triunfo del orden liberal angloamericano sobre cualquier otro contendiente ideológico, representó la culminación de la interpretación *whig* de la historia universal. Cuando una década más tarde, en 2004, Samuel Huntington advirtió a sus compatriotas estadounidenses, en su ensayo *¿Quiénes somos?*, acerca de los riesgos de la inmigración hispana, que consideraba anclada en una mentalidad y costumbres premodernas, los ecos de la historiografía *whig* seguían siendo audibles, aunque ahora en un tono defensivo. No en vano, en el contexto más pesimista derivado de los atentados de 2001, Huntington, quien en su *Choque de civilizaciones* ya había considerado a América Latina como una civilización aparte y distinta de la occidental, atribuyó al llamado "credo anglo-protestante" la base de la identidad estadounidense y la clave de su supremacía, amenazadas ambas por un rampante proceso de hispanización. Finalmente, junto a Francis Fukuyama y Samuel Huntington, el trío de intelectuales angloamericanos más conocidos entre los todavía adeptos a este tipo de generalizaciones vino a ser completado por el popular historiador Niall Ferguson quien, en su libro *Civilización. Occidente y el resto*, publicado en 2011, se propuso adaptar al lenguaje contemporáneo el clásico *Civilización* de Kenneth Clark, un documental de la BBC emitido a finales de los años sesenta y convertido posteriormente en libro de gran éxito. En lugar de centrarse en el dominio del arte como hiciera su ilustre predecesor, Ferguson afirma en su ensayo que la hegemonía de Occidente sobre el resto del mundo durante los últimos cinco siglos se ha debido a seis "aplicaciones asesinas", perfeccionadas, ¿cómo podría ser de otra forma?, en la órbita anglo-protestante: la competencia; la ciencia; el Estado de derecho y el respeto a la propiedad privada; los avances de la medicina; la sociedad de consumo y la ética del trabajo. Por supuesto, al hablar de la propiedad privada y de la ética del trabajo como fundamentos de la prosperidad occidental, no se olvida de afirmar que el retraso de América Latina respecto de Estados Unidos es debido a las diferencias entre el modelo de colonización española, autoritario, extractivo y precapitalista, y el británico, ornado este último con todos los atributos de la providencial modernidad protestante: individualismo, liberalismo, tolerancia religiosa, igualdad social y proclividad al libre comercio y a la industria. Claro que, habría que preguntarle a Ferguson, ¿dónde encajaban economías eminentemente agrícolas y esclavistas, además de estrictamente jerárquicas y desiguales como las de Virginia, Maryland, Georgia, las Carolinas o las islas del Caribe anglófono, en tan mirífico cuadro? O, ya puestos, ¿por qué, todavía hoy, la mayoría de las antiguas colonias británicas en Asia y África tienen niveles de renta per cápita inferiores a la mayoría de los países de América Latina?: en 2019, según el Banco Mundial, un país como México tenía una renta de 9.863 dólares estadounidenses per cápita, por no hablar de los 14.897 de Chile, mientras que la India, Pakistán, Nigeria, Ghana o Kenia, antiguas joyas de la Corona británica, se mantenían con menos de dos mil quinientos. Dejando al lado tan nimios detalles, obviados por la mayoría de los autores *whig* y por sus seguidores entre la intelectualidad hispánica, es de justicia recordar que, siempre atento a las modas en el mercado de las ideas y proclive a adaptarse al viento de los tiempos, Ferguson reconocía en su obra que el predominio occidental por él así glosado está en trance de evaporarse debido a que el "resto del mundo" es ya capaz de "descargarse" las mencionadas aplicaciones y ponerlas al servicio de sus propios proyectos endógenos y no ya meramente miméticos. Un proceso, por cierto, previsto en la década de los cincuenta del pasado siglo por Luis Díez del Corral en *El rapto de Europa*, si bien con un tono filosófico y literario mucho más elevado que el empleado por el divulgador británico.

Los presagios de Ferguson –y, antes, de Díez del Corral– se han convertido, en efecto, en realidad. De hecho, se han quedado cortos. Tras imitar, raptar o descargarse los elementos constitutivos de la modernidad, el "resto del mundo" no se habría contentado con ello. Liderado por las potencias no hace mucho emergentes y ya emergidas, se ha lanzado a acotar el alcance de la dominación occidental en sus respectivos relatos nacionales, optando por encarecer sus propias tradiciones intelectuales, políticas y económicas como vías igualmente legítimas y, lo más importante, eficaces, para igualar, e incluso superar, el nivel de Europa y Estados Unidos en múltiples ámbitos donde estos habían alcanzado la preeminencia. Quien haya seguido durante las últimas décadas los debates historiográficos, y su instrumentalización por el poder, en países como China, Turquía, India o Irán, aquellas civilizaciones que en su *Tiempo nublado* Octavio Paz ya atisbara despertando de un sueño pétreo, habrá advertido que en ellos el canon *whig* de la modernidad occidental hace tiempo que dejó de ser el alfa y omega de la historia. Para hacerse una idea de por dónde van los tiros, basta con leer las obras de algunos autores adscritos a esta ya asentada corriente revisionista, como Pankaj Mishra y su ensayo *Bland Fanatics*, aparecido en 2020, o Parag Khanna, con el libro titulado *The Future is Asian*, de 2019; por no mencionar el ya clásico *ReOrient*, publicado en 1998 por André Gunder Frank, uno de los padres de la teoría de la dependencia, quien propuso reducir el periodo de hegemonía occidental a un efímero paréntesis en el transcurso de una historia universal dominada por Asia. Kishore Mahbubani, un influyente diplomático singapurense autor de *Has the West Lost it?*, traducible, en un fácil juego de palabras, como *¿Ha perdido Occidente la cabeza?*, resume esta tendencia, cada vez más extendida en medios intelectuales y entre las opiniones públicas, afirmando que el mundo atraviesa un "tsunami de desoccidentalización". Algunas de sus más recientes y visibles muestras, según Mahbubani, han sido la decisión del presidente Recep Tayyip Erdogan de convertir Hagia Sophia en una mezquita como parte de su proyecto de reislamización y reotomanización de Turquía, y la política de "hinduidad", o *hindutva*, seguida por el presidente Narendra Modi en la India. Recordemos, por si se hubiera olvidado, que Turquía y la India fueron durante mucho tiempo considerados como dos puntas de lanza de Occidente en el vasto espacio que va del Oriente Medio al Extremo Oriente. Obviamente, al menos por ahora, sus líderes han decidido seguir un camino diferente, que Octavio Paz no hubiera dudado en denominar como "revuelta", en el sentido de un retorno a los orígenes o, al menos, a un período previo a la irrupción de las políticas de modernización europeizante en aquellas sociedades.

Además del curso propio que está emprendiendo buena parte de la humanidad antaño bajo su más o menos efímera hegemonía, la propia deriva de Occidente en lo que va del milenio está contribuyendo a minar la confianza residual que quedaba en su superioridad, ya dañada tras un siglo XX en el que nuestro ámbito de civilización mostró su peor faz en demasiadas ocasiones. Ahora bien, a diferencia de lo sucedido en las crisis del pasado siglo, de las que salió por lo general reforzado, en nuestros días está sucediendo lo contrario, con un agravante añadido. Sobre el trasfondo del ascenso global de China y la reafirmación de otras potencias regionales, cierto es que las consecuencias de la Guerra contra el Terror, de la Gran Recesión y de la Gran Reclusión afectan negativamente a la credibilidad del Occidente en su conjunto, pero sobre todo están socavando el prestigio, y la autoconfianza, del mundo anglosajón, hasta ahora en su vanguardia. Lo llamativo, además, es que, lejos de servir como revulsivo de la demostrada capacidad y vocación de liderazgo de ese eje anglo-americano, las fallidas respuestas a las grandes crisis del siglo XXI han llevado a sus dirigentes y a parte de sus poblaciones a elegir estrategias de repliegue −el *Brexit* o el *America First*− que agudizan su relativo declive a la par que ensanchan las fracturas del mundo occidental, conduciendo a un gradual desacoplamiento, ya veremos si reversible, de la llamada angloesfera y sin que por el momento una Unión Europea aún lejos de alcanzar su plena autonomía estratégica esté en disposición de convertirse en su nuevo núcleo vertebrador.

En todo caso, del mismo modo que la revuelta externa contra Occidente conduce en el escenario global a la aparición de cambiantes constelaciones de poder acompañadas por sus respectivas narraciones de autoafirmación, su fragmentación interior está dando lugar a un fenómeno similar en el seno de nuestras sociedades. En ellas también asistimos a un proceso de reparto de papeles y de sustitución de relatos legitimadores característico –como señalara Hans Blumenberg en el ensayo ya mencionado– de los umbrales que anuncian un cambio de época. Una muestra en modo alguno anecdótica de la erosión a la que está siendo sometido desde dentro el canon *whig* de la modernidad, hasta hace poco dominante en, y desde, su epicentro angloamericano, es el asalto llevado a cabo por ciertos movimientos reivindicativos contra algunos de sus símbolos en nombre de una visión más plural y menos complaciente con el pasado, y con el presente, de Occidente. Así ha sucedido durante los episodios de iconoclasia en Estados Unidos, donde las protestas del movimiento Black Lives Matter contra la violencia policial culminaron con el derribo de estatuas que representaban no solo a personajes asociados con la trata de esclavos o la discriminación de la población negra, sino a otras figuras consideradas centrales en el credo angloprotestante ensalzado por Samuel Huntington como cimiento de aquella república norteamericana. La ironía, que el propio Huntington muy probablemente no hubiera sido capaz de apreciar, es que por el camino han caído también estatuas y símbolos del pasado hispánico considerados por el controvertido politólogo como excéntricos a esa misma tradición anglo-protestante, e incluso a la occidental, pero que los iconoclastas, poco dados a los matices, asocian igualmente a siglos de dominación blanca y europea sobre las poblaciones desfavorecidas, particularmente las amerindias y afroamericanas.

En este punto, conviene evitar equívocos al diagnosticar, sobre todo desde España, lo que está ocurriendo en Estados Unidos y, con distinto alcance, en otros lugares. En lo que nos concierne, no estamos, salvo excepciones, ante episodios hispanófobos *per se*, sino ante el intento de reescribir la historia general de Occidente, y la particular de alguno de sus países más destacados, desde comunidades y grupos de interés que, aun habitando en su seno, han sido relegados a sus márgenes. Y ello vale, asimismo, para el caso de aquellos países hispanohablantes en los que, desde hace ya varias décadas, está teniendo lugar una revalorización, también en el orden político, de sus componentes indígenas, afrodescendientes y mestizos. Sin duda, en estos procesos se pueden producir excesos, pero ello no ha de impedirnos reconocer que, desplegados en su justa medida, deberían contribuir a corregir situaciones de profunda injusticia enquistadas desde hace siglos y no necesariamente degenerar en atávicos deseos de revancha o limitarse a ejercicios de revisionismo histórico; pero este es otro debate.

Sea como fuere, resulta indudable que la doble crisis de legitimación de Occidente, externa e interna está provocando desplazamientos de tierra tanto geopolíticos, como en el orden de las ideas y las representaciones. En este umbral de cambio de época, la pérdida de centralidad del canon *whig* como relato vertebrador del devenir histórico de Occidente, irradiado desde su vertiente noratlántica, ofrece interesantes posibilidades para que el mundo hispánico ocupe el lugar que merece en el cauce principal de una Edad Moderna de la que había sido arbitrariamente preterido y que todavía no ha desplegado toda su potencialidad. Pero, para aprovecharlas, primero habría de realizarse una doble operación intelectual.

La primera consiste en reevaluar y realzar la contribución hispánica, en toda su rica complejidad, al curso de una modernidad que, como vemos, está dejando de ser descrita, analizada y valorada desde una única perspectiva dominante. No se trata de demostrar, como si hiciera falta alguna, que figuras individuales tan dispares como Juan Luis Vives, Andrés Laguna, Benito Arias Montano, Juan de la Cosa, Hernán Cortés (basten leer sus *Cartas de Relación*), Velázquez, Cervantes, Lope de Vega, Quevedo o Baltasar Gracián fueron plenamente modernas y no meras reliquias medievales carentes de *élan* y horizonte vital por el mero hecho de ser españolas o bien, *horresco referens*, por no haber caído debidamente rendidas ante los encantos espirituales de Lutero o Calvino. Se trata, ante todo, de explicar que la experiencia histórica hispánica entre finales del siglo xv y finales del siglo xviii constituye, con todas sus luces y sombras, una senda plenamente transitable de la modernidad, mucho más panorámica, o, si se quiere, ecuménica, que la versión *whig* estrictamente intraeuropea, de cuyo selecto proyecto de salvación escatológica y de progreso material quedaron excluidas, *ab initio*, las poblaciones colonizadas por el norte protestante e incluso el Occidente que no pasó por la Reforma. Esta es la empresa iniciada, entre otros, por Serge Gruzinski en su deslumbrante ensayo *Las cuatro partes del mundo. Historia de una mundialización*, publicado en su original francés en 2004 y en traducción española en 2010. En sus páginas nos encontramos con una modernidad cosmopolita y mestiza cuyos protagonistas no son monjes agustinos provincianos que en sus escritos y soflamas clamaban contra el intercambio entre su vieja Europa y los nuevos mundos –al estilo de Lutero en su *Sermón sobre el Comercio y la Usura* de 1524–, o humanistas que jamás salieron de los confines de las academias y universidades europeas, sino el *homo globalis* engendrado por el maridaje entre las "cuatro partes del mundo" entonces conocido. Un maridaje hecho posible, como recuerda Gruzinski, gracias a la formidable extroversión de la Monarquía Hispánica. Pues, lejos de ser un bloque monolítico y ensimismado –o "tibetanizado", por emplear la desafortunada expresión orteguiana–, aquella formidable construcción política era en realidad un sofisticado y riquísimo tapiz cuyas tramas y urdimbres conectaban Manila con Sevilla, Lima con Nápoles, Amberes con Madrid o México con Japón, y por cuyo campo y cenefa transitaban con regular asiduidad una miríada de personajes de todo origen y condición que, al deambular por el mundo mientras lo transformaban, y eran por él transformados, se convirtieron en agentes primordiales de la Edad Moderna.

La segunda operación intelectual, estrechamente relacionada con la anterior, proyectada "hacia fuera", tiene que ver con el propio modo de entender y explicar el mundo hispánico "desde dentro". Nuestra historia compartida ha sido narrada demasiado a menudo desde un punto de vista eurocéntrico o, si se quiere, hispano-español. El explorador, el conquistador, el misionero, el virrey o el administrador, enviados desde la península han sido, para bien o para mal, sus personajes centrales. Ello les ha convertido, precisa y paradójicamente, en el blanco predilecto de los ataques desde el canon noratlántico, en el que a menudo han sido connotados con un haz de valores negativos que han terminado oscureciendo y reduciendo a una caricatura hollywoodense su intrínseca, y muy moderna, complejidad. También, como hemos comprobado durante el episodio de iconoclasia en Estados Unidos, les ha transformado en objeto de la ira desencadenada por parte de movimientos nativistas e identitarios que han asumido acríticamente los peores tópicos vertidos sobre ellos. De nuevo, la forma aquí propuesta de enfrentarse a semejantes simplificaciones no pasa necesariamente por la apología o el desmesurado encomio de aquellos personajes, sino por la ampliación de nuestro foco de visión, es decir, por el encarecimiento de figuras propias de la experiencia histórica hispánica que no encajan en aquellos estereotipos, sino que ora los contradicen, ora los complementan y enriquecen. Hablamos de personajes que son todavía en buena medida desconocidos o no suficientemente apreciados, a pesar de representar valores ensalzados por los propios movimientos y activistas en pro de la igualdad y el respeto de la diversidad, incluyendo el reconocimiento de las aportaciones de los pueblos indígenas y de las poblaciones mestizas al caudal de la civilización en general y de la occidental en particular. Un ejemplo señero en este sentido es la figura de Gómez Suárez de Figueroa, más conocido como Inca Garcilaso de la Vega, quien, de haber desarrollado su proyecto vital, algo ciertamente inconcebible, en anglo-América, en la Norteamérica francófona, o en las Antillas neerlandesas, hoy sería reconocido como el prototipo del hombre verdadera y conscientemente moderno surgido del encuentro entre Europa y América. Toda su vida y su obra consistieron en la creación, y constante recreación, de una identidad compuesta y en el enaltecimiento de la nueva realidad americana −el prólogo de su *Historia General del Perú*, publicada en 1617, está dedicado a los *indios, mestizos y criollos*−, llegando a considerar que, a partir de ella, en un juego de espejos, era posible interpretar la tradición clásica europea. Así lo demostró en su primera obra, aparecida en Madrid en 1590: la traducción de los *Diálogos del Amor* del neoplatónico León Hebreo. En su dedicatoria al rey Felipe II, el autor ya se presentó como Inca Garcilaso de la Vega, toda una declaración de intenciones, pues con su *nom de plume* mostraba con orgullo la fuente doble de su personalidad literaria y su libro como el primer fruto de las letras americanas nacidas del mestizaje. No era mera vanagloria. Fue la suya, en efecto, la primera obra escrita y publicada en Europa por un americano y constituyó un acontecimiento transcendental en la historia de América y de Occidente, pues el ciclo de la Conquista, iniciado con el compás, con la cruz y con la espada, se cerraba con un libro en el que, por vez primera, el Nuevo Mundo emprendía la exégesis del Viejo.

Por mucho que no lo supiera reconocer un autor tan preclaro como Octavio Paz, en vano intentaremos encontrar en la anglo-América reformada, e incluso en la ilustrada, el tipo humano representativo de la temprana modernidad hispánica y, en un más amplio sentido, occidental encarnado en el Inca Garcilaso. Para comprender su originalidad, intentemos encontrar un mestizo de indio algonquino y colono inglés educado en Jamestown a principios del siglo XVII, conocedor, además de sus lenguas materna y paterna, del latín y el italiano, capaz de traducir a un autor neoplatónico judío al inglés isabelino y de escribir una historia de América del Norte que respetara, conciliándolos, el punto de vista amerindio y el de los europeos. No lo conseguiremos. Sencillamente, no existe un equivalente del Inca Garcilaso en toda la historia de la anglo-América colonial. Como tampoco existieron allí los equivalentes de Martín de la Cruz y Juan Badiano, médicos indígenas que realizaron en náhuatl y en latín el primer herbario médico fruto del cruce de saberes europeos y americanos, el llamado *Códice De la Cruz-Badiano*, que data de 1553. O un memorialista como Domingo Chimalpahin, quien en sus *Relaciones* y en su *Diario*, escritos en náhuatl a principios del siglo XVII, dio cuenta de noticias que acaecían en cualquier rincón del orbe, y ello sin salir de la periferia de la ciudad de México. O pintores como Juan Correa, autor mulato donde se cruzan todas las corrientes del Barroco novohispano, y Miguel Cabrera, también educado en una familia mulata y capaz de representar en el siglo XVIII la diversidad racial y el mestizaje aceptados en la América hispana, al contrario de lo sucedido en la América anglosajona; o como Diego Quispe y Basilio Santa Cruz Puma Callao, artistas indígenas de la escuela de Cuzco; o músicos como Juan Pérez Bocanegra, español tan inmerso en la lengua y la cultura quechua que en aquella lengua compuso la primera pieza de música polifónica creada en las Américas, el *Hanacpachap cussicuinin*.

Con todas estas figuras se debería poder ampliar el tradicional canon hispánico y a ellas habrían de sumarse muchos otros nombres, como Francisco Hernández o Bernardino de Sahagún, protagonistas, respectivamente, de la primera expedición médico-botánica europea en las Américas y del nacimiento de la moderna antropología comparada, pues ambos reconocieron fehacientemente la contribución esencial que a sus obras realizaron sabios y colaboradores autóctonos. Son todos ellos ejemplos de cómo, desde el inicio de la presencia española en América, el componente indígena y mestizo formó parte constitutiva de la emergente identidad hispánica global y, por ende, de la modernidad occidental en prácticamente todos los ámbitos, incluyendo los artísticos e intelectuales, aunque ello no haya sido hasta ahora suficientemente reconocido. Y no porque todo lo dicho anteriormente constituya una novedad. A este respecto, convendría recuperar –y honrar como se merece– la obra del hispanista húngaro Pál Kelemen, quien en un ensayo escrito en 1937 y titulado *Vanishing Art of the Americas*, afirmó lo siguiente tras dedicar parte de su vida a documentar y recuperar el legado virreinal:

> debe tenerse en cuenta que una vida literaria, humanista
> y científica de primer orden existió en las colonias
> hispanoamericanas. Se trataba de un continente vivo y
> pensante, familiarizado con la producción intelectual europea,
> pero no dependiente provincianamente de ella. Cuanto más
> atrás nos movemos en la historia colonial, más encontramos
> que aquellos trescientos años produjeron pensadores
> originales, académicos, poetas y músicos, artistas y escultores.[4]

Así es: cuanto más se estudia sin prejuicios la cultura de los virreinatos, más evidente resulta la veracidad y actualidad de tal aseveración. En esto sí acertó Octavio Paz, excelente conocedor de la vidas y obras de sor Juana Inés de la Cruz y de Carlos de Sigüenza y Góngora, las dos grandes luminarias del período novohispano: desde luego, aquellas sociedades no fueron bárbaras. Todo lo contrario, con todas sus fallas, que fueron muchas, contuvieron el germen, aun por fructificar plenamente, de una modernidad plural y abierta a las cuatro partes del mundo. Esta es una noble tarea para nuestro tiempo y a ella pretende contribuir la doble operación intelectual aquí propuesta: de apertura del canon de la modernidad a la experiencia histórica hispánica y de ampliación del canon de la hispanidad a figuras y obras, sobre todo híbridas y mestizas, hasta ahora mayoritariamente ignoradas o descuidadas. Con ello contribuiríamos a la mejor autocomprensión del mundo hispánico, a la necesaria renovación del ámbito de civilización occidental al que pertenece y a la plena inserción de este, liberado de cualquier pretensión hegemónica, en una globalización auténticamente cosmopolita.

MIRADA, ¿DE QUIÉN?

El dogal al cuello. La "mirada" anglosajona sobre el mundo hispano
José María Ortega Sánchez

Para José Manuel de Torres,
por gratitud.
Para Nayeli y Carlos Higinio,
con amor.

TARADOS DE AMBOS HEMISFERIOS[1]

*B*olívar: *American Liberator* (2013) de Marie Arana es una pésima biografía, y no solo por sus disparatadas afirmaciones sobre la Monarquía Católica,[2] de las causas de su implosión y del desarrollo de las guerras civiles de independencia, también por estar plagada de errores (y horrores). Valga como ejemplo este párrafo:

> En la medianoche del 1 de abril de 1767, todos los sacerdotes jesuitas fueron expulsados de la América española. Cinco mil clérigos, la mayoría nacidos en América, se dirigieron a las costas [...]. El rey Carlos IV dejó muy claro que no consideraba la enseñanza recomendable para los americanos: sería mejor para España, y sus súbditos serían más dóciles, si se mantenía a las colonias en la ignorancia.[3]

En realidad, se expulsó a los jesuitas, no solo a los sacerdotes jesuitas, y así lo establece la Pragmática Sanción: "Regulares de la Compañía, así Sacerdotes, como Coadjutores ó Legos que hayan hecho la primera profesión, y á los Novicios que quisieren seguirles", equivoca fecha y cantidad pues la medianoche del 31 de marzo al 1 de abril fueron expulsados los jesuitas de Madrid, y la del 2 al 3 los del resto de lo que hoy es España, pero de Nueva Granada lo fueron a partir de julio; y de América y Filipinas solo salieron alrededor de dos mil seiscientas personas; llama "colonias" a los virreinatos, aunque la realidad de la América española queda lejos de los Estados coloniales decimonónicos, y más aún de lo que Arana imagina; confunde a Carlos IV con su padre, y ofrece una descabellada explicación de las razones de Carlos III. Son aún discutidas, pero desde luego no lo hizo para "mantener las colonias en la ignorancia", sino probablemente por las mismas razones por las que el criollo Bernardino de Cárdenas, franciscano y obispo de Asunción, encabezó una "revolución" que además de proclamarle "Gobernador, Capitán y Justicia Mayor" expulsó a los jesuitas de sus dominios (1649): intentar ser un Estado dentro del Estado. De hecho, uno de los textos que justificó la expulsión fue la *Colección general de documentos tocantes a la persecución que los regulares de la Compañía suscitaron contra el ilustrísimo y reverendísimo señor fray D. Bernardino de Cárdenas* (1768).

De donde fueron expulsados y expoliados los jesuitas por tales razones –en concreto "agitar" a los esclavos negros– fue de la colonia francesa de Saint Domingue (1763).[4] Arana podría haber ojeado la variada normativa dictada por la Monarquía desde el siglo XVI para fomentar la educación de los súbditos americanos –y no solo de los españoles, como Bolívar–, fomento que alcanzó su cenit con Carlos III, que potenció la creación de escuelas de primeras letras (Real Cédula, 14 de agosto de 1768) su secularización y la profesionalización del profesorado (Real Provisión, 11 de julio de 1771), prestando especial atención a la educación de las niñas (Real Cédula, 11 de mayo de 1783). Una educación popular, pública y gratuita. Política que tuvo eco en toda la Monarquía, América incluida, y hasta sus últimos confines. Así, tras fundarse Reynosa (1749, hoy en Tamaulipas) en el recién pacificado territorio de Nuevo Santander (1747-1772) se ordenó la fundación de escuelas (1782 y 1786).[5] Uno de los mejores ejemplos de las ideas ilustradas en educación, y en especial de su vinculación con el desarrollo económico, fue el proyecto de "escuelas patrióticas" que llegó a Nueva Granada con la fundada por el canónigo Francisco Antonio Uzcátegui en Ejido (1788), población lindera de Mérida, donde un año antes, Carlos III dictó la cédula que dio origen a la segunda universidad de la hoy Venezuela, y el mismo año, en la primera, llegó a la cátedra de Filosofía el caraqueño Baltasar de los Reyes Marrero, introductor de la enseñanza de la física moderna.[5]

En conclusión, Arana replica la estupidez de una América española como conjunto de colonias habitadas por gentes mantenidas deliberadamente en la ignorancia, mito levantado por los enemigos de la Monarquía, avivado por los líderes independentistas durante las guerras civiles de independencia, y consolidado por la historiografía decimonónica de las nuevas repúblicas. Y hasta hoy.

Los párrafos de la misma página son de similar calidad, y destaca el que afirma que "[España] controlaba la totalidad del suministro mundial de cacao y lo redirigía a puntos de todo el planeta desde las bodegas de Cádiz" y "lo mismo había hecho" con, entre otros, el algodón, la lana, patatas y tomates. En realidad, cuando nace Bolívar (1783) el cacao era la base de la economía de las colonias británicas caribeñas y holandesas; de hecho, en Trinidad se creó una de las tres variedades clásicas (*ca.* 1756). En cuanto al algodón y la lana, a finales del XVIII Inglaterra dominaba el mercado textil, importando lana (peninsular, no americana) de España y algodón de la India. Donde, por cierto, ya cultivaban tomate[6] y comenzaba la patata, que, tras difundirse libremente por Europa, iniciaron su conquista del mundo. Por no hablar de las complicaciones inherentes a transportar desde América tomates sin cámaras frigoríficas.

Y si Arana, en una página, logra tal machada, es fácil suponer de lo que es capaz en las seiscientas del libro. Arana asevera que la Corona "reprimió ferozmente el espíritu empresarial americano" y prohibió a los americanos plantar tabaco, olivos, viñedos, hacer bebidas alcohólicas, tener tiendas en las calles, minas, imprentas, crear fábricas (salvo ingenios de azúcar) y cualquier manufactura, el comercio en América (p. 27) y en general prosperar,[7] afirma que todo el dinero recaudado por impuestos "se enviaba de vuelta a España"(p. 27), atestigua que la Constitución (1812) no permitía votar a los americanos (p. 84),[8] acusa a Colón de propagar la sífilis en América (p. 10) afirma que "casi todos" los mestizos eran ilegítimos (p. 28), confunde el Consejo de Indias con la Casa de Contratación (p. 19), llama a Fernando "El Católico" Ferdinand I (p. 589) y afirma que, tras rebelarse contra el rey, Mateo Pumacahua tomó La Paz (p. 173),[9] cambia a los oficiales realistas Yáñez y Morales, respectivamente, nombre y profesión –de pulpero a carnicero– (p. 153), convierte al abate Juan Pablo Viscardo en sacerdote (p. 19)[10] y la lista podría seguir *ad nauseam*.

La meta de *Bolívar: American Liberator* es justificar el *Liberator* del título, y por ello necesita imaginar una América española invariable durante tres siglos y uniforme de Chile a California, singularmente tiránica, corrupta, ineficaz y racista. Otorga especial importancia a lo último, escandalizada porque "a decir verdad, los españoles no eran europeos 'puros'" (p. 13). Quizá en un próximo libro nos informe dónde moran los "pura raza" europeos. Según Arana, "España se esforzó para mantener las razas separadas y alentar los prejuicios" (p. 106) en contra de los deseos de los americanos, "prohibió la mezcla racial" (p. 28), impuso una "estricta división de razas (y) puso en marcha un implacable sistema de dominio racial" (p. 12); auxiliado por la Iglesia, que "registraba meticulosamente la raza (de los niños)" (p. 12). Los criollos, carecían "incluso [de] las libertades más básicas" (p. 27), y para los indios y los negros la vida "era igualmente cruel" pues, entre otras sevicias, "los indígenas y mestizos solo podían trabajar en oficios serviles, los esclavos negros en el campo o como criados" (p. 27). Esta grotesca deformación de la historia responde a cada uno de los tópicos que Pilar Gonzalbo Aizpuru y Solange Alberro deshacen en *La sociedad novohispana: estereotipos y realidades*[11] enfrentando la realidad de una sociedad abierta y flexible, que Gonzalbo apellida de calidades[12] y en la que Alberro recuerda el papel de la élite nahua; y sus conclusiones pueden extenderse al resto de Hispanoamérica.[13]

Lamentablemente, Arana se quedó en la frecuente mala interpretación de las pinturas de castas, aunque a través de ellas podría haber llegado al guanajuatense Juan Gil Patricio Morlete Ruiz (1713-1772), hijo legítimo de padre español y madre india, y apadrinados por dos mulatos,[14] y a la historia de la formación de la Real Academia de San Carlos de Nueva España, que nos da pinceladas del funcionamiento de la sociedad virreinal. Morlete alcanzó la élite y desde allí, junto a otros maestros pintores la mayoría mestizos o mulatos, firmó una solicitud al virrey (1753) para garantizarse "barreras de entrada" so excusa de dignificar su arte, como restringirlo a españoles. Ellos eran por así tenidos porque la calidad de español trascendía el color de la piel. No era una petición nueva. En 1688 los pintores propusieron unas ordenanzas que incluían el veto a los no españoles, y el virrey conde de Paredes las aprobó en todo menos en tal punto. El decreto (1783) de Carlos III –el de la ignorancia–, que fundó la Real Academia, cumplió su anhelo de elevar el arte de la pintura, pero sus estatutos abrieron la puerta a todos. Al poco, los criollos se quejaron del trato preferencial que la Academia daba a los profesores gachupines.[15]

Mejor aún, si hubiera investigado algo antes de incluir el cobre entre las mercancías de las que España "controlaba la totalidad del mercado mundial", hubiera dado con otro buen ejemplo de la compleja sociedad de la América española, y en especial de la base pactista de la vieja Monarquía, que permitía a sus comunidades negociar entre ellas y con el rey. Durante la Monarquía Católica la principal zona productora de cobre fue el Báltico, controlado por Suecia. Para intentar ser autosuficiente la Monarquía intervino (1599) y terminó "nacionalizando" (1670) las minas cubanas de Santiago del Prado, esclavos incluidos. Al amparo de la aparición de una talla de la Virgen de la Caridad (hoy Virgen del Cobre)[16] los "esclavos del rey"[17] lograron ser reconocidos como pueblo (con su cabildo *ca.* 1677) y litigaron ante el Consejo de Indias por su libertad (1784-1800). En Cuba murió Francisco Menéndez, acogido a las reales cédulas que daban libertad a los negros fugitivos de las colonias enemigas,[18] quien se convirtió en vasallo y soldado en la Florida española, donde, por cierto, el primer matrimonio cristiano fue el de una negra y un blanco, ambos españoles (1565).[19] Esta política española alentó el miedo de los colonos anglosajones, como demostró el *Negro Plot* de Nueva York (1741). Menéndez llegó a jefe miliciano (1726) y ya liberto (1738) líder de Gracia Real de santa Teresa de Mosé y corsario español (1740) aunque no tan exitoso como el mulato Miguel Enríquez (†1743) que llegó a enseñorearse de Puerto Rico. Les suponemos no enterados de la ley que, según Arana, "prohibía a los negros el servicio en el Ejército español" (p. 186). No fueron los únicos. En realidad, los batallones de negros y mulatos fueron su médula, donde hallaron vía privilegiada de movilidad social.

Libros de historia ahistóricos hay muchos, y los publican todo tipo de editoriales, por lo que no tiene caso preguntarnos por qué Simon & Schuster lo editó, máxime porque Arana fue mandamás de la editorial. Tampoco es singular que personas encumbradas escriban textos ahistóricos presentados como historia: el monero Rius, que Elena Poniatowska intituló "uno de los grandes educadores de México del siglo xx" no hizo otra cosa. Menos aún que textos que falsean la historia tengan éxito, basta recordar *Las venas abiertas de América Latina* (1971) de Eduardo Galeano. Lo singular del *Bolívar* de Arana fue su gestación y recepción. Quizá la carrera personal y profesional de su autora explica ambas, pero no del todo.

Cuando publicó el libro (2013) Arana estaba en la cima del mercado editorial estadounidense, y había sido elegida por *Washingtonian* como una de las personas más influyentes de la capital (2008). Entre otros, durante una década fue editora en jefe de la sección de crítica literaria de *The Washington Post*, había formado parte de la junta directiva del National Book Critics Circle y la National Association of Hispanic Journalists, del jurado del Pulitzer y del National Book Award, dirigido eventos literarios para el America Arts Festival del Kennedy Center, escrito en medios como *Civilization* y *Smithsonian Magazine*, e iniciado una aplaudida carrera literaria. Según Arana, toda su obra trata de explicar a los angloparlantes qué significa ser latinoamericana, y en 2009 había llegado a la conclusión de que tal respuesta pasaba por Bolívar. Para ayudarla, la Biblioteca del Congreso la nombró ese año Distinguished Visiting Scholar del John W. Kluge Center, lo que le permitió, entre otros, contar con el apoyo de personal investigador de la que de hecho es la biblioteca nacional. En cierta manera, su texto fue una "obra de encargo" del Estado.

La recepción del libro fue apoteósica. Figuras señeras de la "rama" biográfica alabaron el libro.[20] Evan Thomas —uno de los periodistas más influyentes— la calificó de "biógrafa perfecta" y "sabia historiadora", Gordon S. Wood —galardonado con el Pulitzer de Historia (1993) y la National Humanities Medal (2010)–, consideró que era una "magnífica obra profundamente investigada", y el también galardonado con el Pulitzer de Historia, Joseph J. Ellis, la calificó de "logro monumental". La "biografía" fue aplaudida por Paul Berman en *The New York Times* –admirable–, recomendada por *The New Yorker* y galardonada con el Los Angeles Times Book Price a la mejor biografía (2014). Su campaña de publicidad fue variada: presentación en la librería Politics and Prose, charla en TED Global 2014, aplausos en el Banco Interamericano de Desarrollo, celebración en el John W. Kluge Center con Carolyn Brown recordando el apoyo de la Biblioteca del Congreso y apoteosis en el National Book Festival, donde su esposo proclamó a los presentes que estaban ante "la autora del mejor libro de este año". Arana está casada con Jonathan Yardley, premio Pulitzer de Crítica (1981) y padre del también premio Pulitzer Jim Yardley.

La edición británica salió al tiempo. El experto en Latinoamérica Paulo Drinot la reseñó en la página web de historia de la BBC: "excelente, concluyente, producto de una profunda investigación", aunque por causas obvias el libro no obtuvo tanta atención como en Estados Unidos, y la elogiosa crítica de Giles Tremlett en *The Guardian* advertía que "los especialistas han encontrado errores y sesgo antiespañol". La demoledora reseña *A Rebel Against Nature* de Felipe Fernández-Armesto en *The Wall Street Journal* (5 de abril de 2013) fue una rareza.

La Biblioteca del Congreso quedó satisfecha por el resultado de lo que Arana llama "investigación".[21] Fue nombrada Senior Consultant del bibliotecario del Congreso (2012) y fichó por *The New York Times* (2013). En conclusión, un texto de nulo valor histórico y plagado de errores, que según Fernández-Armesto "[recoge] los tópicos de la Leyenda Negra de la crueldad, la tiranía, el racismo y la mala gestión de los españoles", la convirtió en experta sobre el mundo hispano de la biblioteca nacional estadounidense, que dio sanción de erudición a sus majaderías. Arana siguió trabajando bajo patrocinio público, y fue nombrada John W. Kluge Chair en culturas y países del sur (2015). La nota de la Biblioteca (23 de octubre de 2015)[22] afirmaba que su protegida investigará "las tres obsesiones que han mantenido a los latinoamericanos bajo control los últimos mil años", la primera, según Arana, la del oro "que devoró a España en su despiadada conquista, donde impuso un cruel sistema de esclavitud y explotación colonial, que provocó la revolución [de Bolívar]". Escribir que hace mil años moraban latinoamericanos recuerda las afirmaciones de Andrés Manuel López Obrador, cuando aseguró que México se fundó hace diez mil años. El texto prometía, y no defraudó.

En 2019 apareció *Silver, Sword and Stone*,[23] continuación de *Bolívar* pues, a través esta vez de varios personajes, continúa analizando los efectos de la Monarquía Católica y descubre que los problemas de los países hispanoamericanos, de la corrupción a la violencia, son –principalmente– su herencia.

Como *Bolívar*, está plagado de errores y horrores. Así en la página que dedica a la España de los treintas (p. 252) afirma que "La Garriga está situada en el corazón de la resistencia catalana y vasca" (¿?), convierte la Revolución de Octubre en una "huelga de mineros" reprimida salvajemente, y hace a Francisco Franco jefe del Ejército al iniciarse la guerra (en realidad, el jefe del Estado Mayor Central era José Sánchez Ocaña y Beltrán) y organizador del golpe (fue Emilio Mola). Con similar erudición describe el inicio de la guerra civil de independencia mexicana (p. 324): *father* Hidalgo, precursor de la teología de la liberación, lideró una revolución campesina y guadalupana. El papa dictó una *fiery encyclical* condenándolo y lanzó un ejército encomendado a la Virgen de los Remedios. Sin entrar en su ignorancia sobre las razones de Hidalgo, la posición de la Iglesia y la estupidez de la "guerra entre vírgenes",[24] en 1810 el papa y Fernando VII eran prisioneros de Napoleón y Arana se refiere a una encíclica de 1816.[25]

Y como *Bolívar*, su idea central es absurda. Según Arana, la Reconquista forjó un país de tarados, repudiados en Europa por su violencia y fanatismo. Tras realizar "una brutal y fanática purga" (p. 42) expulsando a judíos y moros (según Arana en 1492 habitaban el califato omeya, desaparecido siete siglos antes) continuaron en América, para escándalo de los intelectuales europeos, que "comenzaron a plantear argumentos morales contra el genocidio, la esclavitud de poblaciones enteras, el duro trabajo bajo pena de muerte, y la explotación sin límites" (p. 147). El Ejército español y la Iglesia católica impusieron una abominable dominación, basada en "un estricto autoritarismo y una corrupción sofocante" (p. 148). Podríamos decir que la Monarquía fue un imperio generador de fanáticos sangrientos. Y racistas, pues el objetivo de la Monarquía "siempre fue la limpieza de sangre o pureza racial. Ese término pureza de sangre con toda su arrogancia, trae a la mente la expresión contemporánea limpieza étnica, que, en verdad, significa genocidio" (p. 141). Los tarados ibéricos traumatizaron tres siglos a los americanos y el daño fue atravesando generaciones hasta hoy, forjando hispanoamericanos que llevan la violencia en la sangre: "Bred in the bone" (p. 145). El título del epílogo lo resume: "It's just our nature" (p. 351), y para justificar tal aserto recurre a la "herencia epigenética transgeneracional".

La epigenética es conocida por estudiar si las víctimas del Holocausto transmiten su trauma a sus descendientes. Al usarla y calificar a la monarquía de racista y genocida, obsesionada por la "racial purity" (p. 141) comete la indecencia de asemejar la América española a los campos y la vieja Monarquía al Estado alemán nacionalsocialista. Aunque en realidad son las ideas de Arana sobre la Monarquía Católica y la genética las cercanas al nazismo; de hecho, Adolf Hitler podría haberlas evacuado.[26]

Silver tuvo menos parabienes que *Bolívar*. Probablemente la epigenética espantó a más de un ilustre de la corrupción de los favores mutuos. Carrie Gibson en *The Guardian* (24 de agosto de 2019) señaló que "la idea de que la violencia está en la sangre de los latinoamericanos" justificaba discursos de odio. Cuando Moisés Naím le preguntó sobre ello en su programa (noviembre de 2019) Arana argumentó que los latinoamericanos también tienen cosas buenas, como la familia. Resumiendo, violentos y familiares, como los Corleone. Pero primaron las aclamaciones de la "intelectualidad" anglosajona. Julia Álvarez –National Medal of Arts (2013)– la calificó de "lectura obligatoria para cualquiera que quiera conocer este hemisferio", Candice Millard –BIO Award 2017– aseguró que "nunca había leído un libro de tan asombrosa amplitud e intrincada profundidad", el premio Pulitzer (2009) Jon Meacham lo declaró "digno de leerse". Fue recomendado por el novelista mexicano

Álvaro Enrigue en las páginas de *The New York Times* y por la estrella de la NPR Tom Gjelten en *The Washington Post*: "muy bien documentado [...] magnífico libro". El periodista Jorge Ramos, a quien *Bolívar* le pareció "extraordinaria",[27] lo recomendó.[28] Arana presentó el libro en ferias como el Wisconsin Book Festival y en la sección de libros de la PBS, y fue seleccionado para competir por la Carnegie Medal for Excellence en no ficción. La American Academy of Arts and Letters la premió –por "exceptional accomplishment in any genre"– y John Greenya en su laudatoria de *The Washington Times* elevó a la autora a "public intellectual". La Biblioteca del Congreso volvió a quedar satisfecha y Arana ascendió a Literary Director.

¿Por qué estos textos pudieron obtener tales ditirambos?, ¿cómo es posible que Walter Isaacson, que dirigió *Time*, CNN y el Aspen Institute, afirmase que *Bolívar* "está investigado como *a master work of history*"?, ¿y que John Hemming, galardonado como experto en historia precolombina con la President's Medal de la British Academy, comparase la "visión" de Arana en *Silver* con la de "un cóndor que se eleva sobre los Andes"?, ¿por qué los medios más prestigiosos, públicos y privados, han aplaudido estos libros?, ¿por qué fueron patrocinados por la Biblioteca del Congreso?

Al margen de que la voluntad de agradar al matrimonio Yardley-Arana y a sus cuates de la Biblioteca llevase a alguno a la corrupción de opinar sin leer el libro o mentir al público, o que la pereza hiciera que copiasen opiniones ajenas, y sin descartar la estupidez de algunos de los que opinaron (todo lo anterior nos llevaría a una reflexión sobre la "intelectualidad" que rige los campus anglosajones, ahogados por la cultura de la cancelación) e incluso esperando que alguna lisonja sea sarcasmo, la respuesta es más desalentadora: *Bolívar* y *Silver* fueron elogiados porque responden a la forma de "mirar" lo español –e hispano– mayoritaria en el mundo –académico y no académico– anglosajón. Es decir, su texto reafirma el prejuicio antiespañol –e hispanófobo–[29] y esta es la razón de su acogida.

Y el prejuicio nubla la sesera.

UNA FORMA DE "MIRAR"

Para esta "mirada" el *ethos* español es ominoso, marcado por la violencia, el fanatismo y el racismo. Y ello por existir un "pecado original", que suele vincularse a la Reconquista y a la destrucción del último resto del "paraíso andalusí", la prohibición del judaísmo y el "genocidio" americano. Tras ahogar a los pueblos ibéricos, la Monarquía Católica lo expandió sometiendo a otros pueblos y creando el mundo hispano. Tras su implosión, el *ethos* se refugió en el Estado nación España y dejó "contaminados" al resto de los Estados nación hispanos. Por tanto, los problemas del mundo hispano derivarían de tal *ethos*, y su solución pasaría por eliminarlo, "desespañolizando" España y "deshispanizando" el resto.

Esta forma de "mirar" suele acompañarse del desprecio a las manifestaciones de ese *ethos*, es decir, a las señas de identidad del mundo hispano, y en particular del catolicismo (hoy) cultural, y en ocasiones, con la idea de que quienes participamos de ese *ethos* estamos "contaminados" por él. Tiene un origen europeo, pero la preponderancia anglosajona la hizo universal.

El chileno Francisco Bilbao, en *Evangelio americano* (1864), resumió tal "mirada" al afirmar que "La España, el español, ha abdicado el pensamiento, su soberanía primitiva en manos de la Iglesia y monarquía", y así entregado, generó "su terrible historia y decadencia", que nada ha aportado al avance de la civilización, y que se refleja incluso en su cráneo: "la raza española es inferior en inteligencia a las razas europeas [...] la forma de su frente revela más bien la fortaleza de la tenacidad que la habitación de la inteligencia";[30] por ello era labor de las nuevas repúblicas "desespañolizarse", transitar de Hispanoamérica a Latinoamérica, o a otra cosa, porque la expresión, que apadrinó en París (en su discurso *Iniciativa de la América*, 1856) dejó de usarla cuando su francofilia se topó con la expedición napoleónica a México (1862) jaleada por el padre del concepto, Michel Chevalier en *Lettres sur l'Amérique du Nord* (1836) y *Des intérêts matériels en France* (1837).

Antes y después de descubrir el colonialismo galo, Bilbao fue muy popular, especialmente en Argentina, donde murió, y sus ideas reflejaron la hispanofobia existente. Su origen está en la propaganda antiespañola coetánea a la formación de la Monarquía Católica, que pasó a ser parte de los relatos de nación decimonónicos, especialmente de Estados Unidos y Reino Unido, por ser fronteras entre el mundo hispano y el anglosajón. Tuvieron que explicar y explicarse su preponderancia y la postergación de su rival, y para ello recurrieron a las ideologías "de moda" en el momento, y en especial, el nacionalismo, el racismo y el Segundo Gran Despertar. Estados Unidos se imaginó como contraparte en positivo de México, e Inglaterra convirtió la época isabelina en gloria identitaria. La caída de la Monarquía Católica fue interpretada como resultado inevitable (y justo) del *ethos* español, derivado de sus pecados contra la raza (en Iberia con moros y judíos, y en América, con amerindios y africanos) y Dios (pues nuestro catolicismo estaría más cercano al paganismo que al cristianismo): inferior por mestizo y católico.

Para esta "mirada", el *ethos* español tiene tres manifestaciones básicas: el mundo hispano como bárbaro respecto a Occidente: España sería un país occidental por poco, y el resto de los Estados nación del mundo hispano, casi occidentales, y por tanto, todos en los márgenes de Occidente y fuera de los forjadores de su civilización; España y la Monarquía Católica en el "lado incorrecto de la historia"; y España cárcel de pueblos. Tres recientes productos culturales anglosajones demuestran su vigencia: las series *Blood and Gold: The Making of Spain* (2015) producida por la BBC y *Civilizations* (2018) por la BBC y PBS, y el libro *Violencia* (2019) de Jason Webster.

Simon Sebag Montefiore es uno los historiadores británicos más influyentes, esposo y hermano de exitosos escritores, y primero en la claque de la edición británica de *Bolívar*: "emocionante, fidedigna y esclarecedora, por fin una biografía [de Bolívar] ágil y rigurosa". Reseña a la altura de *Blood and Gold*. Sus tres capítulos no explican la historia española, solo adornan su peculiar interpretación. A saber, la destrucción de al-Ándalus alumbró un Estado corrupto y una nación fanática, racista y violenta, pastoreada por reyes e inquisidores, deriva interrumpida por la II República y retomada por el franquismo, hasta que Juan Carlos I fundó la democracia. Por ello, América desaparece, dedica el triple de tiempo a la autopsia de Carlos II (incidiendo en su testículo negro) que a los Borbones del siglo XVIII hasta Carlos IV, y la Guerra Civil y el Valle de los Caídos (con siniestra ambientación) copan el último episodio. Los errores –en 1931 exilia a Alfonso XII– y disparates –al parecer no hubo fuentes públicas en las barriadas hasta la República–, alternan con reflexiones como la que cierra la Reconquista: "sus elegantes mezquitas fueron sustituidas por ostentosas y recargadas iglesias llenas de Cristos ensangrentados".[31]

El espectador recibe dos mensajes: Inglaterra siempre ha estado del lado correcto de la historia, por eso Sebag Montefiore convierte a Felipe II y a Franco en protagonistas estelares, y hace de la Invencible y la entrevista de Hendaya entre Hitler y Franco, hitos de sus mandatos; Sebag Montefiore sugiere que el segundo fue cuasi reencarnación del primero, lo que sumado al cameo del historiador José Álvarez Junco afirmando que la pérdida de Cuba hizo que los españoles dejaran de considerarse "una raza superior", hermana a Felipe II con Hitler, y a Isabel I con Churchill; y en segundo lugar, que el *Blood* del título es merecido, ¿acaso no existieron la Inquisición y la Guerra Civil? Podría pensarse que pretender que la intolerancia religiosa singulariza a la Monarquía Católica,[32] y la Guerra Civil[33] al Estado nación España, es una estupidez que singulariza a Sebag Montefiore. Pues no.

Violencia (2019) desarrolla el *blood* con igual calidad y menos gracia que Sebag Montefiore. La violencia sería la base del *ethos* español, e impregna todas sus manifestaciones empezando por el Estado nación, por lo que los *Spaniards* debemos elegir entre vivir en democracia o tener una nación española unida, pues solo puede mantenerse por la represión y periódicas guerras civiles. El mayor responsable de nuestra sangre caliente es la Inquisición, que edificó un Estado "paranoico y aislado"[34] y tras matar hasta 1829,[35] resucitó en la Guerra Civil durante "casi hasta hoy". El libro fue aplaudido entre otros por Gerard DeGroot que aseveró en *The Times* (12 de octubre de 2019) que: "la historia demuestra que los españoles tienden a la anarquía violenta, [es] un pueblo que no puede controlar su Matamoros interno". El mediático profesor de Historia en la más prestigiada universidad escocesa es, como Webster, estadounidense residente en Albión.

Dos meses después de su reseña, su país cerró el año con más *mass shootings* que días.

Lógicamente, nuestra "violencia" obliga a que Guerra Civil y dictadura estén a la altura, aunque igualar el franquismo al bolchevismo o al nazismo es una estupidez.[36] Tras la muerte de Franco fue común esperar que nos matásemos, *ergo* la Transición fue intitulada de milagro. *Violencia* se publicó a rebufo del golpe de Estado[37] del independentismo catalán (2017), cuyos propagandistas vociferaban que España tiranizaba a los catalanes, con notable éxito incluso en la Unión Europea.[38] Su éxito mostró que muchos siguen sintiendo nuestra *hybris* y algunos esperando la guerra civil. Y también la persistencia de la leyenda negra de la Inquisición, convertida en hecho metafísico ante el que cualquier consideración histórica palidece. *The Times* dedicó un editorial (1 de febrero de 2019) al juicio a los golpistas: "*The Times* view on the trial of the Catalan 12: Spanish Inquisition".

Civilizations (2018) actualiza *Civilization* de la BBC (1969) y, de hecho, es la "visión oficial" de las televisoras públicas británica y estadounidense sobre la historia mundial. La de Kenneth Clark "pasó" del mundo hispano, pues consideró que, salvo en el arte, nada había hecho para el avance de Occidente. Quizá porque se centra en el arte, la capitaneada por tres de las luminarias más mediáticas de los campus anglosajones Mary Beard, Simon Schama y David Olusoga, nos dedica especial atención en el capítulo "Encounters".[39] Aunque viendo el resultado, mejor que nos hubieran dejado como *Los expulsados de la civilización*.[40] El capítulo explica que una de las consecuencias del encuentro entre españoles y mexicas fue generar una religión mixta hispano-azteca pues "el ritual cristiano absorbió las creencias indígenas, el día azteca de los muertos se fusionó con el Día de Todos los Santos, una celebración en la que los mexicanos se comunican con sus seres queridos muertos [...] que claramente evocan su herencia azteca", que originó el arte Barroco español, ya que "hay una extraña similitud entre la religión azteca y la del Barroco español, porque ambas tratan de la muerte y la sangre". El mejor ejemplo es el cuadro *El Expolio* de la catedral de Toledo (1577-1579) que el cretense hizo por miedo a la Iglesia, porque vivía "en una ciudad (atrapada) en las garras de la Inquisición, que torturaba y quemaba vivos a los llamados herejes", y el rojo de la túnica es "un extraño eco de los sacrificios humanos [...] aztecas".

En realidad, el Día de Muertos es el católico de Todos los Santos modificado por la aztecomanía del Estado revolucionario,[41] que cerca estuvo de sustituir a los Reyes Magos y a san Nicolás por Quetzalcóatl (1930). En cuanto a El Greco, fue un pintor manierista con tanto miedo a la Iglesia que llevó a juicio al cabildo catedralicio porque consideró insuficiente el pago por *El Expolio*. Y ganó. Obtuvo una buena suma, y mantuvo el cuadro destinado a la sacristía tal como lo pintó. Túnica carmín incluida, pues es ese el color de la reliquia de la Sagrada Túnica que conservaba la catedral, regalo (1248) de san Luis, rey de Francia. Y azteca *avant la lettre*. Son poco más de diez minutos, pero de claro mensaje: México es un "país azteca", el catolicismo y el Barroco hispanos no son ni verdadero cristianismo ni verdadero Barroco. México está fuera de Occidente, y España en la puerta. Bárbaros *gore*.

Civilizations obtuvo el aplauso general. El premio Pulitzer (2011) Sebastian Smee, en *The Washington Post*, la calificó de "obligatoria" y eligió este como su mejor capítulo.[42] Las escasas críticas negativas, se centraron en su comparación con la serie original, y alguna criticó su tono antioccidental. Nadie sugirió que fuera hispanofóbica. Y probablemente, la mayoría no sabría definir tal cosa.

Todas las obras reseñadas son históricamente deficientes, pero se aplaudió su "comprensión" de nuestro *ethos*. Esto es muy importante. Alemania, como Estado nación (1870) tiene hitos vergonzantes, como el genocidio herero y namaqua en Namibia (1904), preludio del exterminio de otros *untermensch* que culminó en el Holocausto, o las dos guerras mundiales y la civil yugoslava resultado –al menos en parte– de su política. En 1996 Daniel Goldhagen publicó *Hitler's Willing Executioners*, en el que afirma que el Holocausto fue consecuencia de una "ideología alemana" rastreable hasta Lutero, y por ello las políticas de exterminio nazis tuvieron gran aceptación. El libro no defiende que el nazismo fuera consecuencia inevitable. Tampoco que el *ethos* alemán es violento, que Alemania deba elegir entre unidad y democracia o que los alemanes estén "epigenéticamente" tarados. Pero fue mayoritariamente vilipendiado porque, al margen de la calidad del libro, se le acusó de germanofobia. En el fondo, alarmó que promoviera una forma de "mirar" al mundo germánico que concluyera que su *ethos* es ominoso, convirtiendo en derivación lógica el Holocausto, "milagrosa" su democracia y recetando "desgermanizar".

Otro ejemplo es el citado capítulo de *Civilizations*, que termina narrando el encuentro entre británicos e indios. Los lóbregos minutos hispanos se animan al presentar la Compañía Británica de las Indias Orientales. Frases como "pusieron en contacto a personas que no habían tenido contacto" o "Gran Bretaña inició un romance con la cultura india, y no solo con sus recursos", romantizan el colonialismo. En realidad, la dependencia primero de la Compañía y después del Estado británico (1858) fue letal. India pasó de potencia industrial –líder en textiles manufacturados– a granero mundial mientras sus hambrunas aumentaban intensidad y frecuencia, rematando con los alrededor de tres millones de muertos de 1943. Tras la independencia (1947) desaparecieron. Desde luego, esta edulcorada versión del colonialismo británico no es unánime en el mundo anglosajón. El libro de Niall Ferguson, *Empire: How Britain Made the Modern World* (2002) convertido en serie por Channel 4, no ahorra hechos horripilantes, pero la conclusión es que el Imperio fue positivo para la humanidad. Es verdad que tampoco esta conclusión es unánime, pero sí lo es no considerar el *ethos* británico ominoso y promover la "desanglificación".

Esta "mirada" sobre el mundo hispano es ventajosa para el mundo anglosajón. Y para otros países occidentales. Por dos vías fundamentales, en primer lugar convierte al Estado nación España en un "monstruo" con quien compararse y colgar los pecados propios. Y si hay uno occidental, es el colonialismo. El "monstruo" ha facilitado que los dos Estados herederos de los dos principales imperios coloniales mantengan la Organisation internationale de la Francophonie y la Commonwealth of Nations. E incluso las abrieron a otros Estados que no fueron sus colonias, por sus "valores" positivos. De hecho, parte central de la política latinoamericana francesa es promover la *Françafrique* como cura al "colonialismo español". Charles Chirac, que cuando fue alcalde se negó a que París participase en la conmemoración del V Centenario porque sería celebrar "hordas que fueron a América para destrozarla", obsequiaba a todo líder hispanoamericano que visitaba El Elíseo un discurso sobre la brutalidad de la Conquista, y las heridas del colonialismo.[43] A Francia experiencia no le falta, pues enfrentó dos de las guerras de descolonización más sucias –Vietnam y Argelia– poco después de que Haití terminase de pagarles el precio por la suya (1947).[44]

Resulta paradójico, no solo por la realidad histórica de la Monarquía Católica sino porque el colonialismo es *fabriqué en France*, resultado de sumar una doctrina económica magistralmente explicada en *La Enciclopedia*[45] con el racismo iniciado con la desacralización del ser humano por los ilustrados galos y adoquinada por Arthur de Gobineau. La primera convertía en colonias Hispanoamérica y la segunda, en inferiores a todos los hispanos. Idea que Onésime Reclus, inventor del concepto *francophonie* –primera vez impreso en *France, Algérie et colonies* (1880)– aprobaría, pues tras dividir a los humanos por idiomas, decidió que la nación francesa creó la lengua superior, *ergo* solo los francófonos pueden alcanzar el máximo nivel civilizatorio.[46]

En segundo lugar, esta "mirada", al orillar o sacar al mundo hispano de Occidente, nos intitula "bárbaros" y nos atribuye una ética propia, que permite tratarnos de modo diferente al resto de Occidente y –al menos– dudar que las soluciones occidentales sean aptas para nuestro "exótico" mundo. Democracia incluida. Imaginarios que perviven y que, en definitiva, a los *Spaniards* nos quieren habitantes del *Francoland*[47] de Antonio Muñoz Molina, y a los hispanoamericanos en los límites *Del buen salvaje al buen revolucionario* (1976) de Carlos Rangel.[48]

El mejor ejemplo es la expansión estadounidense. A pesar de deber a la Monarquía Católica su independencia, tras estafarla[49] inició un acoso que tendría su máximo exponente en la guerra contra México (1846). Para justificarla se forjó un imaginario basado en problema, causa y solución: (1) escritores como Mary Austin Holley popularizaron la idea de un México inferior, moral e intelectualmente, y amenazante para Estados Unidos (2) porque, para algunos como el senador Henry Stuart Foote, los españoles y el catolicismo habían "contaminado" la superior raza azteca;[50] (3) la solución para Melinda Rankin, la primera misionera protestante en México, era revertir el proceso "protestantizando" el país, por ello entendió la guerra providencial para expandir el "cristianismo norteamericano".

Este imaginario que permitía violentar, despreciar y tutelar a México impregnó la sociedad y se hizo especialmente visible tras la Revolución. Del mismo modo que los viajeros románticos en la España decimonónica, la intelectualidad gringa enamorada de Frida y Diego imaginó y quiso un país exótico, convirtiendo México en la "Atlántida morena".[51] Imaginarios longevos. Basten como ejemplo uno de los clásicos británicos sobre España, *The Presence of Spain* (1964) de Jan Morris, que podría ser el libreto de la serie de Sebag Montefiore, y la incisiva crítica a los antropólogos del exótico México de Judith Friedlander *Being Indian in Hueyapan* (1975). Y como la estupidez es interoceánica, hay españoles esperando exotismo en México y viceversa.

Dos regalos a México –que el Estado de los revolucionarios aceptó encantado– lo expresan a la perfección: el embajador estadounidense Dwight Morrow pagó principescamente a Diego Rivera por decorar el palacio de Cortés (pintado en 1930) y Philip Guston, invitado por David Siqueiros, pintarrajeó el palacio en Michoacán de la esposa de Iturbide y emperatriz del Imperio mexicano (1935). El primero dibujó las "hordas" referidas por Chirac, el segundo denunció el Klan y el nazismo, igualándolos a la Inquisición y al catolicismo. ¿Podrían haber hecho un embajador o un pintor mexicano lo mismo en Estados Unidos? Habrían sido linchados.

Bolívar y *Silver* siguen esta estela. Comparten una cita de Adams (pp. 175 y 191, respectivamente) que califica a los hispanoamericanos de fanáticos y estúpidos, y, por tanto, incapaces de gobernarse. En ambos, Arana muestra una notable catolicofobia[52] y en *Silver* recomienda "protestantizar" Latinoamérica. Quizá así logra sacar el "buen salvaje" a través del "buen revolucionario". Agradece a Galeano haberla inspirado. En realidad, *Silver* es un pastiche de *Las venas*. La principal diferencia es que Arana, como la intelectualidad gringa decimonónica, considera a los amerindios dados a la violencia, y el uruguayo más "moderno", poetizó el paraíso prehispánico.

El año que publicó *Bolívar* acompañó a Galeano en su gira por Estados Unidos, auspiciada por la Lannan Foundation y la Universidad de Wisconsin-Madison (UW), que le premió con The Havens Wright Center for Social Justice Award por *"Lifetime Contribution to Critical Scholarship"*. Nada extraño, pues *Las venas* es un clásico en los departamentos de *Latin American Studies*. La *conversation* Arana-Galeano en el Lensic Theater de Santa Fe fue el acto principal. Regaló a los presentes un sermón de ripios y autoayuda, pero se le notó cansado. Lejos de la energía que poco después desplegó en Caracas, donde le entregó la presea "Simón Rodríguez" Nicolás Maduro, "este (compañero) exagerado, que a cada vez que habla de mí me dice cosas tan amorosas".[53] Cuatro años después la UW premió a Tariq Ali, reconocido apologeta del gorilato venezolano, mientras "el hijo de Chávez" ahogaba en sangre su rebelión de estudiantes. Pocos de los universitarios de la UW querrían ser gobernados por Maduro, menos vivir en Venezuela, todos declararían amar a los *latinxs* y buena parte opinarían que ámbitos civilizatorios diferentes necesitan soluciones diferentes. Hay amores que matan.

LA "MIRADA" ASUMIDA

En 2017 John Leguizamo inició el espectáculo teatral *Latin History for Morons*, convertido en película de Netflix (2018). Aunque inspirado por una treintena de libros, *Bolívar* incluido, el principal es *Las venas*, que Leguizamo consagró en Twitter como la "Biblia de todo padre latino" (23 de enero de 2018). Lo hizo con una foto de la edición estadounidense, cuya editorial consideró buena idea poner una frase de Chávez en la portada recomendando el libro. Quizá, para que los universitarios de la UW descubran que es más divertido hacer la revolución en casa que jalear la foránea. El aplauso de *Smithsonian Magazine* (diciembre de 2018) destacó su carácter *hilarious*, y lo tiene, como cuando Leguizamo hace de rey español y canta "robar, violar, saquear". Este colombiano criado en Queens se asume victimario de todo, y atribuye su apellido vasco a su "colonizador". Probablemente esta "comedia" sea la lección de historia más influyente dentro y fuera de Estados Unidos. Es un éxito de público y crítica porque coincide con la visión mayoritaria sobre nuestra historia hispana. Cabe preguntarse por qué esta "mirada" arraigó también entre los "expulsados de la civilización", y la realidad es que es tan útil para ciertos grupos dentro del mundo hispano, como letal para el bien común.

En Hispanoamérica, las élites republicanas necesitaron legitimarse y para ello echaron mano del nacionalismo y de la "mirada", que se convirtieron en las ideologías clave de la vieja América española.

El nacionalismo no era necesario para ahormar la pluralidad de su "trocito" en nación, pero sí para convertir las guerras civiles en guerras de liberación nacional. En México, por ejemplo, el triunfo del relato de nación "liberal" (en realidad, nacionalista) creó una intemporal, de rostro azteca, que estuvo tres siglos esclavizada y resucitó con la Independencia,[54] y culminando un proceso iniciado durante la Monarquía y el efímero Estado nación español de ambos hemisferios, homogeneizó a todos los habitantes bajo el título de ciudadanos, anulando pactos hasta liquidar la personalidad jurídica de los antiguos pueblos de indios (Constitución de 1857).[55]

No obstante, existe un problema obvio, y es la tendencia de las naciones emplumadas a hablar a españoles americanos –como Bolívar– mientras que los últimos reductos realistas –Chiloé o Pasto– fueron indios o mestizos. Arana, en *Bolívar*, nos ofrece soluciones. La primera, que los realistas americanos eran imbéciles (p. 153). Idea en línea con la, en principio, paradójica asociación de las élites republicanas con los glorificados "indios muertos" y el desprecio a los "vivos". La segunda es "indianizarlos", por lo que hace a Juan Bautista Arismendi "half indian" (p. 185) y a la mamá peninsular (de Paredes de Nava) de José de San Martín *creole* (p. 272) o quizá guaraní siguiendo el argentino Hugo Chumbita (p. 575), que inició esta solución haciendo mestizos a los ventrílocuos de la nación albiceleste. Solución que explica el aspecto del Bolívar bolivariano de Hugo Chávez.

El retrato ejemplifica el caudillismo. Hispanoamérica protagonizó el mayor ciclo de formación de naciones, que no surgieron por decantación, pudiendo reclamar padres variados en un tiempo habitualmente lejano, sino a borbotones, ligadas a caudillos a los que habló la nación. Sus escritos y hechos fueron transformados en "coranes" y "hadices" para el actuar político, surgiendo la necesidad del gobernante de ampararse en ellos. El caso extremo es *El divino Bolívar* (2003) venezolano retratado por Elías Pino Iturrieta, al que Chávez desenterró para enterrarle mulato y bolivariano y la oposición exhibe "tradicional" y demócrata, olvidando que, como recuerda Carlos Leáñez, "[solo] cuando Bolívar descanse en la paz que nunca nos dio, podrá advenir la república de ciudadanos libres e iguales que necesitamos".[56] En México es más complicado, incluso existió un comité para elegir a los padres patrios (1822) y el ganador, que algunos quieren afrancesado y morenista, sigue siendo un párroco levantado, entre otros, "por la inmunidad del clero". Pero más allá de los Moisés originales, es desastroso aceptar que alguien pueda encarnar la nación o cualquier ente similar. Abre paso al "mahdi", y a Bolívar le sucede Chávez, y a San Martín, Perón.

En cuanto a la "mirada", permitió a las élites republicanas inflamar y después justificar las guerras. La devastación fue terrible, Venezuela perdió la tercera parte de su población.[57] La implosión de la Monarquía provocó "la caída de la primera economía global y el ascenso del capitalismo industrial concentrado en Gran Bretaña",[58] que perjudicó especialmente a México. El Perú sufrió una caída acumulada del ingreso per cápita del 71,24%.[59] Las élites comerciales dejaron paso a élites armadas, que tuvieron que imponerse y endeudar al Estado. Criminalizar a la Monarquía Católica, achacándole todo tipo de males presentes, fue un magnífico bálsamo. Las élites, de las que los Arana son buen ejemplo,[60] podían justificar sus desatinos, y el resto, absolverlas y justificarlas, por un determinismo paralizante generador de un nefasto complejo de inferioridad, frente a esas élites y otros pueblos. Y todos, errar sobre causas y soluciones.

Y sigue utilizándose. Hoy los preferidos son subdesarrollo y racismo. En cuanto al primero, hay que mirar más cerca. Por ejemplo, según el magno estudio de Bruno Seminario (2016), Perú al final del Virreinato tenía un ingreso per cápita mayor o igual al de Iberia y poco inferior a Reino Unido, tras la Independencia logró tener un crecimiento acumulado del ingreso per cápita superior al promedio de los países europeos, hasta sufrir su mayor catástrofe económica tras la guerra con Chile, y en 1930-1940 tenía un ingreso similar al de Italia. Así pues, el diferencial actual es producto de los últimos cincuenta años, no "herencia colonial". Y lo mismo para el resto de Hispanoamérica. Aun así, sigue siendo una idea popular, y mayoritaria en los campus estadounidenses.[61]

En cuanto al racismo, Domingo F. Sarmiento, cuya voluntad de "desespañolizar" Argentina le llevó a inventar una ortografía (1843), achacaba a la Monarquía justo lo contrario, lastrar Hispanoamérica favoreciendo el mestizaje. También favoreció el abolicionismo. La Monarquía prohibió la esclavitud indígena (1542) y un siglo después lanzó una cruzada abolicionista, apenas recordada, a pesar de ser hito fundamental en la historia de los derechos humanos.[62] En cuanto a la esclavitud negra, la ideología hispana hizo que fuera diferente a la de las colonias anglosajonas, facilitó su incorporación a la sociedad y su mezcla. Por ello, en México el abolicionismo se convirtió en seña de identidad.[63] México fue faro de libertad para los negros estadounidenses, como demuestra la biografía del nacido esclavo William Ellis (Guillermo E. Eliseo) que, convertido en millonario "mexicano", logró que el Senado porfiriano aprobase (1889) un plan para traer colonos negros a una "tierra bendecida por Dios y la libertad". Pocas décadas después el Estado de los revolucionarios vetó la inmigración de "razas indeseables", negros incluidos. Así pues, verlo como "herencia" es igualmente discutible, aunque es central para la política "descolonizadora" de la "Cuarta Transformación", e impide hablar del tolerado antigachupinismo. Y es que ni en la "genética" es original Arana, pues la idea de que la mezcla con la "raza española" genera vicios protagoniza en México uno de los cómics más leídos –*500 años fregados pero cristianos* (1992) de Rius–, permite a su presidente vincular corrupción con españoles, y a uno de los diputados del legislativo de su estado natal, Charly Valentino León, afirmar que los problemas mexicanos se deben "a que fuimos conquistados por la peor de las razas" (marzo de 2019) y urgir la expulsión de españoles porque "[vinieron] a chuparnos toda la sangre" (noviembre) sin condena de Morena. Por cierto, Charly y AMLO son nietos de españoles.

Pero achacar problemas presentes a la Monarquía Católica no es lo peor. Asumir la "mirada" supone tres procesos: 1) asumir que el *ethos* español es ominoso, y por tanto, una conflictiva relación con el Estado nación España –que ha de reflejarlo–, lo español y los españoles; 2) demonizar la historia española, y en especial a la Monarquía Católica, lo que genera un conflicto con el propio pasado; y 3) la lógica necesidad de "desespañolizar" la nación, "copiando" a otras asumidas como superiores, o el regreso a un pasado imaginado desde el presente ("descolonización"). Justo lo contrario de lo que realizó Estados Unidos. Ello generó élites que, al asumir la "mirada", se consideraron destinadas no solo a manejar, también a moldear, a unos connacionales sentidos como inferiores –tarzanes entre chimpancés–, y facilitó que este proceso ocupase el centro del debate público, transformando la política, de foro de intercambio de ideas para resolver problemas, en cuadrilátero identitario. Esta sustitución de lo racional por lo emocional es pasaporte al desastre salvo –no siempre– para sus incendiarios.

En cuanto a España, el Estado nación España también nació del naufragio de la vieja Monarquía, y necesitó un relato de nación. Los grupos políticos protagonistas del agitado siglo XIX pugnaron por interpretar los hitos históricos a su medida,[64] pero el Estado liberal supo darse un relato "coherente y con una cierta belleza poética",[65] que asumió parte de los imaginarios negativos sobre su historia e interpretó la Monarquía Católica para compensar su postergación en el siglo del colonialismo. Un relato que se mantuvo sin problemas hasta la Transición porque sirvió para todos los regímenes. En este sentido, es significativa la reseña que Melchor Fernández dedicó (1939) al libro de Ignacio Olagüe *La decadencia española* en *ABC*: "El autor, llevado por su nobilísimo arrebato patriótico llega incluso a negar la decadencia (del siglo XVII en adelante) sin advertir que, al faltar este triste hecho inicial de largo desarrollo, nada de lo ulterior se justificaría, ni aun tendría sentido nuestra guerra".[66]

La "mirada" fue incorporada de forma plena por los nacionalismos regionales, como el catalán y el vasco, y asumida por élites variadas a las que permitió erigirse en "tarzanes entre chimpancés".[67]

El exilio tras la Guerra Civil hizo que parte de la izquierda asumiera la "mirada" y concluyera que franquismo y exilio fueron consecuencias lógicas del *ethos* español, por lo que terminaron colaborando con los nacionalismos regionales o subordinándose a ellos, cuyo ejemplo más nefasto fue la disolución de la Federación Catalana del PSOE en el Partit dels Socialistes de Catalunya. La trayectoria con final en ETA de José Bergamín, el exiliado español que más huella dejó en México y padre de la expresión "la España peregrina", es ejemplo culmen. Por ello, y ante la necesidad del consenso, las élites que pilotaron la Transición crearon un régimen que abandonó "casi por completo todo proyecto de construcción nacional e hizo suyo el relato de una nación española a la defensiva, laminada entre proyectos de tipo centrífugo y un horizonte europeo que se ofrecía como solución, pero no como un proyecto nacional propio".[68] El resultado, una subordinación cultural sorprendente[69] y la consolidación de proyectos alternativos a la nación y al Estado, entre los que hoy destacan el del independentismo catalán y el de Podemos, uncido al "sanchismo" que acaudilla hoy el PSOE.

LEGADO

Suele considerarse *Del buen salvaje al buen revolucionario* contestación a *Las venas*, y en verdad representan formas antagónicas de entender los retales de la vieja América española. Latinoamérica (Indoamérica, Abya Yala o lo que toque) víctima de Occidente y España, frente a Hispanoamérica parte de Occidente e hispana. Lamentablemente, la primera arrasó. Uno de los últimos "trabajos" de Galeano fue promocionar *Multiviral* de Calle 13, quizá agradecido porque los portorriqueños resumieron su libro en una canción hoy convertida en himno popular. En los Grammy (2011) interpretaron *Latinoamérica* con la Sinfónica Simón Bolívar, aunque para el inicio: "Soy lo que dejaron, soy toda la sobra de lo que te robaron", deberían haber contratado un coro de venezolanos exiliados.

Desde el noticiero televisado que presentaba con Sofía Ímber, Rangel mutó en Casandra caraqueño. Vivió sus últimos años acosado, especialmente en la universidad, escracheado por niñatos que debieron escucharle. Confesó a Federico Jiménez Losantos que guardaba un traje en su despacho para cuando le escupían. Poco antes de que el ya conspirador Chávez inaugurase despacho frente a Miraflores como ayudante del secretario General de Seguridad y Defensa, Rangel se pegó un tiro (el 15 de enero de 1988).

Dos días antes de que Galeano muriese (el 13 de abril de 2015), Maduro tuvo una breve plática con Barack Obama en la VII Cumbre de las Américas. En la V (2009) Chávez le había regalado *Las venas*, y ante el intento de su "hijo" de explicárselo, le sugirió que se olvidara de la historia y se centrase en resolver problemas. ¿Cómo vamos a olvidarla?, le respondió, "para nosotros la historia no es testimonio pasado, es fuerza viva".[70] Así lo contó en su *show* televisado (14 de abril), el día que enterraban a Galeano en Montevideo pleno de honores y plañideras. Desde luego no se refería al pasado, sino al relato poetizado por Galeano, y replicado por Arana o Leguizamo. "Nuestro maestro Galeano [...] construyó una forma de ser para América Latina", continuó. Así es, una donde él puede ser presidente.

En su carta (fechada el 1 de julio de 2020) sobre los ataques a san fray Junípero Serra, el primer hispano que es arzobispo de Los Ángeles, J. H. Gómez, nacido en México, afirmaba que "lo que recordamos sobre nuestro pasado y la manera en la que lo recordamos es lo que define nuestra identidad nacional: el tipo de personas que queremos ser y los valores y principios de acuerdo a los que queremos vivir".

Por ello, es necesario combatir implacablemente la "mirada", que debe ser considerada un discurso de odio contra el mundo hispano. Para Hispanoamérica es vital revisitar sus relatos de nación para aceptar el valor fundacional de la Monarquía Católica, que es su vínculo con España, el resto de Hispanoamérica y Occidente; y para España, que el Estado defienda un relato que fortalezca un proyecto nacional. Y con ambos, facilitar la creación de alguna expresión política del mundo hispano, en la que México debería tener papel protagónico. De lo contrario, Hispanoamérica probablemente terminará siendo un conjunto de Estados que –en mayor o menor medida– experimentarían soluciones "descolonizadoras", y España un conjunto de irrelevantes proyectos de Estado nación. Es posible que unos y otros lograsen cierta integración regional, pero con míseros lazos. La lengua común no terminaría en deslavazarse. El legado de la vieja Monarquía sería autoritarismo y nacionalismo. Ni libres ni iguales.

No solo sería un desastre para nuestras naciones, sería tan nefasto para el resto de Occidente, y en especial para quien ejerce su liderazgo, Estados Unidos, como provechoso para sus adversarios. En palabras de Mario Vargas Llosa, hoy "Hispanidad [...] rima con libertad".[71]

FRONTERA, ¿CON QUIÉN?

María Elvira Roca Barea

We need to get out bad hombres.

DONALD TRUMP, EXPRESIDENTE
DE ESTADOS UNIDOS

N o es fácil decidir qué temas deben tratarse de manera preferente en relación con el mundo hispano en el interior de Estados Unidos. Este particular tiene aristas múltiples y tan complejas que bordean la noción misma de civilización occidental y sus límites. Nada menos. Pero a veces para llegar a lo grande conviene partir de lo pequeño, quizá porque, como decía Jorge Luis Borges, cada minúsculo átomo del universo presupone e implica al universo entero, de tal modo que, tirando de uno, como si fuesen cerezas en un cesto, es posible que consigamos extraer si no todos, sí muchos planos de un problema complejísimo. Participa nuestro asunto de lo social y lo económico, de lo religioso y lo cultural y alcanza honduras abisales que nos dejan al pie de la gran cuestión que arriba mentábamos: ¿qué es la civilización occidental?, ¿cómo la definimos?, ¿cuáles son sus componentes esenciales?, ¿la cultura hispana pertenece a ella o no? Estos interrogantes son de una gravedad difícilmente exagerada. Afectan al tuétano del autoconcepto de los hispanos y españoles, a su manera de enfrentarse al mundo con mayor o menor confianza y, en consecuencia, a sus posibilidades de éxito o fracaso. Por lo pronto nosotros vamos a tirar de la primera cereza.

El 1 de julio de 2020 apareció en *Otros diálogos*, publicación web del Colegio de México, un artículo titulado "Y al español de California no se lo tragó la tierra".[1] En él una profesora de la Universidad de California en Riverside narra la siguiente anécdota: "no hace mucho antes de esta pandemia hablaba con una de mis estudiantes californianas sobre viajar. Ella, sinaloense nacida en East LA, me decía que nunca había salido al extranjero. Pensando que me estaba diciendo una broma le pregunté: '¿no fuiste en Navidad a Los Mochis[2] a ver a tu abuela?'. Me miró sorprendida y me respondió: 'maestra, sí, claro... pero... ¿México es el extranjero?'".

En nuestra exposición intentaremos explicar qué vínculos unen a través del tiempo las vidas de tres personas: la alumna mexicana de Los Ángeles que no sabe que México es el extranjero; Juan de Oñate, que nació en Zacatecas, abrió el camino del norte para su virreinato, el de la Nueva España, y murió en Sevilla años después y fray Junípero Serra, que nació en Mallorca pero vivió en California y está enterrado en Monterrey. Sus vidas están irremediablemente entrelazadas. Sin Oñate no hay Junípero y sin Junípero no hay alumna.

Para entender la pequeña anécdota que se narra arriba es menester retroceder en el tiempo, pero no mucho, si pensamos en términos de historia y no en los de una vida humana. Esta circunstancia de pasado reciente confiere a nuestro asunto una intensidad y una urgencia que los españoles de Europa no saben apreciar. Para ellos las cosas que tienen que ver con el imperio y con América acabaron hace ya doscientos años y a buenas horas. Bolívar fue más libertador de España que de ningún otro sitio. Por eso el país está lleno de estatuas suyas: parque de María Luisa en Sevilla; avenida Duque de Nájera en Cádiz; parque de la Barceloneta en Barcelona; parque del Oeste en Madrid...[3] Hay además que saber algunos hechos del pasado que en América no sabe casi nadie, ni los hispanoamericanos ni los angloamericanos, ni en España tampoco. Comenta Mariano Alonso Baquer que, en 1990, durante una serie de conferencias impartidas en El Paso, Alburquerque, y San Antonio en Texas, le sorprendió "la ignorancia que los habitantes de los estados, aunque fueran de origen hispano, tenían sobre los detalles de su propia historia, aunque conservaran tradiciones como los viejos romances de desposados".[4]

Enumeremos entonces lo básico:

- Casi la mitad de lo que hoy es Estados Unidos fue en algún momento de su historia parte de la Monarquía Hispánica o Imperio español o como lo queramos llamar.

- De los miles de kilómetros cuadrados afectados por esta situación, hay una región enorme, que duplica holgadamente la superficie de la España actual y que fue ocupada militarmente en 1848 con el tratado de Guadalupe Hidalgo tras perder México la guerra con Estados Unidos. Fundamentalmente es el estado de California, aunque no solo.

El objetivo de este texto incompleto e imperfecto es que el lector que habla español entienda lo que subyace en la escandalosa *damnatio memoriae* que está sufriendo todo el pasado hispano de Estados Unidos, muy especialmente en territorio californiano. La destrucción de estatuas de Colón, de Oñate, de Junípero, de las campanas que jalonan el Camino Real y hasta de Cervantes no es solo un producto de la barbarie. También lo es, pero esto tiene un origen y un porqué. Esta iconoclasia afecta a lo hispano en sí, en todas sus manifestaciones, ya sea novohispano, mexicano, latino, hispano o español, porque de muchos modos puede aludirse a lo mismo. Dicho en otros términos más sencillos, procuraremos explicar por qué los Columbus Days se han convertido en fechas aborrecibles, que no merecen ser recordadas. El Columbus Day, pero no el Thanks Giving Day. El uno conmemora la llegada de unos europeos a América (y su descubrimiento) y el segundo la llegada de otros europeos a América. La primera sin embargo pasa por ser el origen de todas las desdichas y la segunda no. Por eso a la una quieren borrarla del calendario y a la segunda no. A la segunda no solo no se la borra, sino que se la celebra con desfiles, pavo relleno y entrañable reunión familiar. Por eso la primera simboliza lo que une a una comunidad y la otra lo que desune a una comunidad, siendo en esencia lo mismo. Si al acabar el artículo el lector ha comprendido un poco mejor lo que está sucediendo y lo que va a seguir sucediendo con todo lo que recuerde el pasado hispano de Estados Unidos, nos daremos por satisfechos. De camino quizá también quede explicado, puesto que toda cultura subordinada imita y busca mimetizarse con aquella que considera superior, por qué esto ocurre igualmente en España o en Colombia o en México.

JUAN DE OÑATE Y LA EXPANSIÓN DEL VIRREINATO
DE LA NUEVA ESPAÑA

El virreinato de la Nueva España era un territorio rico y próspero que tuvo su propia expansión dentro de la Monarquía Hispánica. A mediados del siglo XVI entra en la historia del virreinato de la Nueva España la región de los chichimecas, denominación harto vaga que se refería más a una zona geográfica que a un pueblo o pueblos concretos, un territorio también llamado "frontera de la plata" que comprendía desde San Juan del Río a Durango y de Guadalajara a Saltillo.

A mediados del siglo XVI comienza la colonización de la región chichimeca que es como los aztecas llamaban a un conjunto de pueblos nómadas y seminómadas que estaba más allá de sus fronteras. Los españoles mantuvieron el término y puede decirse que heredaron de los aztecas las guerras chichimecas.[5]

Chichimeca era un apelativo que ya usaban los mexicas y que equivalía a bárbaro, pues eran pueblos nómadas que vivían de la caza fundamentalmente y no construían ciudades como los que vivían en el valle de México. Algunos de estos pueblos hablaban náhuatl y otros no. El nombre se aplicaba indiscriminadamente a los pueblos de cazadores recolectores que hostigaban a las civilizadas poblaciones mesoamericanas. Usamos aquí la palabra *civilizado* en el sentido de sedentario y capaz de producir alimento de manera intensiva.

Como ya hemos señalado, puede decirse que los españoles heredaron las guerras chichimecas de los aztecas y también que los aztecas fueron chichimecas, aunque parezca un contrasentido, pero no lo es. En algún momento del siglo XIV los aztecas, que fueron un pueblo chichimeca, es decir, bárbaro en el sentido de nómada y cazador recolector, acertaron a conquistar el valle de México e impusieron su dominio sobre otros pueblos que ya estaban allí.[6] Los aztecas fueron también un pueblo conquistador cuyo poder sobre el territorio tenía unos doscientos años. La leyenda dice que los aztecas peregrinaron durante siete siglos antes de llegar a la región donde los encontramos en tiempos históricos. En cualquier caso, lo que parece fuera de duda es que los aztecas lograron asentarse en Chapultepec durante el siglo XIII pero de allí fueron expulsados por una coalición de pueblos que eran indígenas con respecto a los aztecas, que eran recién llegados. Finalmente lograron un sitio de asentamiento permanente con la fundación de Tenochtitlán en torno a 1350 y desde allí extendieron su poder sobre otros pueblos vecinos tras más de un siglo de guerras permanentes.[7]

El descubrimiento de las minas de Zacatecas aceleró la emigración de españoles e indios hacia este territorio inestable, que se tardó mucho tiempo en pacificar. Como señala Powell: "A fines de 1546, una pequeña banda de soldados españoles acompañados por una fuerza más numerosa de aliados indios y unos cuantos frailes franciscanos descubrió toda una cordillera que contenía plata muchas leguas al norte y al oeste de la gran ciudad de México. El lugar del descubrimiento fue llamado Zacatecas. Esta plata desencadenó una serie de acontecimientos de vital importancia para el desarrollo de México. La afluencia de indios y españoles a la bonanza de Zacatecas ya en su auge en 1550 lanzó al hombre blanco y a su omnipresente aliado indio hacia tierras desconocidas y hostiles".[8]

En 1591 la Corona había firmado un acuerdo con el cabildo tlaxcalteca con el fin de que estos participaran en la colonización de la región chichimeca. El Colegio de Historia de Tlaxcala realizó en 2016 un programa de actividades para el 425 aniversario de lo que se conoce históricamente como "La Gran Jornada Tlaxcalteca del siglo xvi", cuya finalidad es la conmemoración y representación de la salida de cuatrocientas familias tlaxcaltecas para colonizar distintos territorios. Se inicia así un proceso de expansión tlaxcalteca que se prolongó durante los siglos xvi y xvii y alcanzó Texas y Nuevo México e incluso más allá.[9]

Hoy los descendientes de aquellos tlaxcaltecas en el estado de Tlaxcala celebran orgullosos su contribución en la expansión del virreinato. Los tlaxcaltecas fueron aliados de Cortés y los verdaderos responsables de la derrota del Imperio azteca. Ellos siempre lo consideraron así y por eso dibujaron el maravilloso lienzo de Tlaxcala.[10] En él es Cortés quien acompaña a los guerreros tlaxcaltecas, y no al revés. El indigenismo mal entendido y la aztequización de la historia de México bajo inspiración estadounidense han dejado a estos pueblos, y son muchos, no solo reducidos a la invisibilidad en la construcción de México sino en la amarga tesitura de ser considerados traidores. Este es un nutriente, y no pequeño, del trastorno bipolar en que se educa a los hispanos no solo de América sino también de Europa. A estos últimos los llamamos por costumbre españoles.

La aztequización de la historia mexicana no se entiende sin el concurso de Estados Unidos, de la misma forma que es imposible comprender el indigenismo político sin ella. Comenzó con Joel Roberts Poinsett (1779-1851), un diplomático y agente del poder estadounidense en Sudamérica extraordinariamente inteligente y eficaz. Fue cónsul general en Buenos Aires, Chile y Perú, lugares en los que ejerció una influencia enorme en los procesos de independencia. Llegó a redactar una constitución para Chile. Descendiente de una familia de hugonotes franceses era violentamente anticatólico y antiespañol. Su ida a México tuvo como principal misión reducir o neutralizar la influencia inglesa en esta región porque esto podía suponer un peligro grande para su joven país. En su casa de México, donde atendía, aconsejaba y financiaba a las clases dirigentes del momento, hizo colocar un retrato de Moctezuma, que mandó pintar para la ocasión, en el salón de recibir. Es el primero de que se tiene noticia. Allí enseñó a las élites mexicanas que esa era la única parte de su pasado que merecía la pena enseñar. Era (y es) evidente para cualquier político con un poco de pupila que fomentar el hecho diferencial constituía una forma muy eficaz de dividir y debilitar a un México que en este momento era todavía enorme frente a Estados Unidos. Esto dejaba a todos los demás pueblos que formaban parte de México exiliados dentro de su propio país. Debilitar el vínculo común, la *koiné* lingüística y cultural, que unía a México, que no era lo azteca sino lo hispano, era importante en el contexto de la expansión estadounidense.[11] Esto es simplemente inteligencia política.

Para que se entienda mejor el concepto de *trastorno bipolar* y la aztequización de la historia de México vamos a contar otra anécdota. Nos fue relatada a mí y a muchos por el profesor Manuel Aguilar durante el conversatorio titulado "Españoles y mexicanos. El encuentro continúa", que se celebró el 23 de abril de 2020. Participaron en él el diplomático Juan Carlos Sánchez Alonso, el productor Santiago Pozo y el profesor Manuel Aguilar. Este conversatorio formó parte del ciclo "De víctimas a protagonistas: la comunidad mexicana en Los Ángeles", que fue organizado a iniciativa de doña Marcela Celorio, cónsul general de México en Los Ángeles.

Transcribo la anécdota que contó el profesor Aguilar sucedida con un alumno suyo, de nombre Jorge González, que un día vino y le dijo:

> –Profesor, me acabo de quitar el nombre de esclavo –y entonces me enseñó su licencia de manejar–, y ya me puse mi nombre azteca, que es el que me corresponde.
>
> Entonces vi que se llamaba ahora Xhucoalt Temantzin Tenamaxtle y le dije:
>
> –Oye, Jorge, ¿y de qué parte de México vienes?
>
> –Pues somos de Michoacán.
>
> –Pues tienes que cambiar el nombre porque tú no eres azteca. Estás cometiendo un error, pues de cierta ignorancia, aquí en esto. Tendrás que ponerte Caltzontzin o algún nombre de los emperadores tarascos o purépechas que son los únicos que derrotaron a los aztecas. Entonces, el orgullo étnico de tu familia está en que fueron los únicos que derrotaron a los aztecas. No te puedes poner un nombre azteca porque estás contradiciendo totalmente el origen étnico de tu familia.
>
> Lo que sucedió es que a la semana siguiente volvió y me dice:
>
> –¿Sabe qué, maestro? Ya mejor soy Jorge González otra vez.

Y concluye el profesor Aguilar:

> Esto explica un poquito que tenemos que conocer los entramados tan complejos de nuestra historia porque la Historia no es blanco o negro, es un conjunto de grises.[12]

La conquista y pacificación de la enorme región chichimeca no fue sencilla, pero para 1583 la situación estaba lo suficientemente controlada como para plantearse nuevas empresas. La expansión del virreinato de la Nueva España hacia el norte comienza bastante después, con la expedición de Juan de Oñate, nacido en Pánuco (Zacatecas) en 1550.

Empresario minero como su padre, había descubierto y puesto en explotación minas de plata en Zachí, Charcas y San Luis de Potosí. Era un empresario próspero y esto no hay que perderlo de vista. Oñate estaba casado con Isabel de Tolosa Cortés Moctezuma, nieta de Hernán Cortés y de la princesa azteca Isabel Moctezuma. Era por tanto un producto genuinamente mexicano.

La exploración de la zona a la que se dirige Oñate no había contado con impulso oficial y puede decirse que no despertaba gran entusiasmo por diversas razones que tenían que ver con la conflictividad del territorio chichimeca. El 29 de marzo de ese año, mediante Real Cédula, se autoriza una expedición hacia la zona noreste de esta región y doce años después el virrey don Luis de Velasco, que gobernó la Nueva España entre 1590 y 1595, otorga a Oñate permiso para organizar esta exploración. Se firman las capitulaciones que dan a Oñate los títulos de adelantado y gobernador de las nuevas tierras, pero también le cargan con todo el peso económico de la empresa. Asombra la pujanza de la iniciativa privada en estos tiempos.

La caravana de Juan de Oñate avanza a razón de dos leguas por día y no es de extrañar esta lentitud teniendo en cuenta que tiene casi diez kilómetros de largo. Es una pequeña ciudad en movimiento formada por personal civil, mujeres y niños, algunos frailes, esclavos negros, 129 soldados, 400 tlaxcaltecas, 83 carretas y 7.000 cabezas de ganado que incluyen cabras, ovejas, vacas y caballos. Comienza aquí la expansión del virreinato por su propio impulso y, como España había engendrado a Nueva España, México engendra Nuevo México. La importancia de su nacimiento quedó plasmada en un poema poco conocido que escribió Gaspar de Villagrá titulado *Historia de Nuevo México*,[13] un canto épico que cuenta los azares de esta aventura. Solo dos regiones de Hispanoamérica han dado lugar a poemas épicos, una es esta y la otra es Chile, sobre la que Alonso de Ercilla escribió *La Araucana*.[14]

La expedición de Oñate abre el Camino Real de Tierra Adentro que une la capital, México, con Santa Fe, fundada para ser capital de la nueva provincia.[15] Este camino fue declarado National Historic Trail por las autoridades estadounidenses y está también protegido por la Administración mexicana. La estatua de Oñate en Santa Fe fue retirada en junio de 2020 por decisión de la gobernadora de Nuevo México Michelle Luján Grisham, y es de esperar que este camino sufra la misma *damnatio memoriae*, víctima de un juicio moral supremacista e hipócrita que está acabando con los vestigios históricos de la presencia hispana en Estados Unidos. Y aquí es necesario hacer un inciso porque no hay que confundir los hechos. A partir de los disturbios raciales tras la muerte de George Floyd en mayo de 2020 unos y otros acontecimientos se han ido mezclando, pero no conviene confundirlos porque no responden a las mismas razones ni tienen el mismo origen. La destrucción de todo lo que tiene que ver con la presencia hispana en Estados Unidos se presenta de manera artificial como una condena moral de la conquista española porque solo esta conquista es conquista y merece un juicio moral condenatorio, cosa que no ocurre con la conquista azteca o la conquista anglosajona mismamente, que son motivo de orgullo y veneración y parecen mágicamente haberse realizado sin violencia ni guerra. Es un gigantesco ceremonial de chivo expiatorio y también un modo sutil y muy efectivo de alimentar los prejuicios antihispanos entre los propios hispanos. Los disturbios raciales acabarán o se apagarán hasta que vuelva a suceder otra barbaridad como la de George Floyd, pero esto no.

Doce años duró la exploración de Oñate. En 1605 viaja hacia el oeste y se adentra en tierras de la Baja California. Y con esto tenemos ya enlazadas las dos áreas principales de expansión del virreinato de la Nueva España. La palabra *California* hoy refiere casi automáticamente a un estado de Estados Unidos, pero no siempre fue así. En realidad, no es así, ni siquiera desde hace mucho tiempo. El nombre procede de una novela de caballerías, *Las sergas de Esplandián* (1510) de Garci Rodríguez de Montalvo, en la que se describe un reino fabuloso gobernado por mujeres: "Es conocido que a mano derecha de las Indias hay una isla llamada California, muy cerca del paraíso terrenal, que está habitada por mujeres negras, sin un solo hombre entre ellas, que viven al estilo de las amazonas". Parece que es un nombre irónico que empezó a ser empleado entre los hombres de Cortés para tomarle el pelo por lo poco provechosa que había sido aquella exploración.

Estas fueron las dos vías principales de expansión del virreinato de la Nueva España en América. La tercera no fue en América sino en Asia y dio a México un protagonismo excepcional en la primera globalización. Nos referimos a las islas Filipinas que fueron incorporadas al Imperio español como parte del virreinato novohispano. El eje comercial Manila-Acapulco, Acapulco-Veracruz, Veracruz-Sevilla, revolucionó el comercio a nivel global,[16] pero esa historia no forma parte de este artículo, que debe ceñirse a su tema, a saber, la manera infamante en que se está destruyendo todo vestigio de la presencia hispana en Estados Unidos y sus causas. Y de camino, el destino de las poblaciones hispanas que quedaron en territorio estadounidense cuando esta frontera bajó hasta el río Grande. En última instancia intentaremos explicar los motivos por los que es tan importante borrar las huellas del mundo hispano que precedió al dominio anglosajón del territorio, aniquilar sus símbolos, o al menos quebrantar su prestigio y transformar estos lugares de memoria en una herencia de la que hay que avergonzarse. La deslegitimación de la cultura hispana y la aniquilación de sus vestigios históricos cubriéndolos de oprobio es muy importante para el rearme moral de la comunidad angloamericana y extremadamente necesario para mantener su posición de predominio en el territorio. Estas son *conditiones sine quibus*: no es posible aculturizar a la población hispana de Estados Unidos y muy particularmente a la de origen mexicano. Ello afecta tanto a los que han atravesado la frontera del río Grande de manera legal o ilegal en las últimas décadas como a los que ya estaban allí cuando los estadounidenses invadieron estas latitudes, y es válido igualmente para la región de California y para la de Nuevo México y otras zonas (y no son pocas) que presentan en mayor o menor medida fuerte presencia hispana.

FRAY JUNÍPERO Y LA COLONIZACIÓN DE CALIFORNIA

Los asentamientos hispanos comenzaron en California en el siglo XVII. Históricamente se usaba la expresión las Californias. En 1776 pasaron a formar parte de la Comandancia General de las Provincias Internas, nombre con que se denominó a aquellos territorios del virreinato que se fueron agregando con el paso del tiempo al área original y que formaban la frontera septentrional del virreinato mexicano. Desde el punto de vista jurisdiccional dependían de la Real Audiencia de Guadalajara que existía desde 1548. Las Californias estaban formadas por lo que hoy es Baja California y Baja California Sur en México y el estado de California en Estados Unidos. La denominación Alta California se empleaba en tiempos del virreinato y tras la independencia en contraposición a la Baja California que es el nombre de la península y el que todavía se usa. La Alta era en tiempos virreinales y hasta la guerra de México con Estados Unidos una región enorme que incluía la actual California estadounidense, Nevada, Arizona, Utah, el sudoeste de Wyoming y el oeste de Colorado.

La exploración de esta amplísima región comenzó ya en tiempos de Cortés, que en 1535 nombró isla de Cardón a la zona sur de la península, convencido de que se trataba de una isla. Siguieron luego las exploraciones de Francisco de Ulloa y Juan Rodríguez Cabrillo en 1542. La estatua de Cabrillo, cerca de San Diego, parece que todavía sigue en pie. Sin embargo, no puede hablarse de colonización propiamente dicha hasta Eusebius Franz Kühn o Eusebio Chini Lucci (1645-1711). En los textos españoles se le suele llamar padre Kino, un italoaustriaco con excelente formación en Trento e Innsbruck que rechazó la cátedra de Ciencias y Matemáticas que le fue ofrecida en Ingolstadt para ser misionero.[17]

Tras un azaroso viaje, Kino pudo por fin marchar hacia la península de Baja California en la expedición que mandaba el almirante Isidro de Atondo y Antillón, pero tuvo poco éxito en este intento. Después de desembarcar en La Paz se vieron obligados a regresar a Sinaloa pero pudo volver en el mismo año de 1683 y se erigió la primera misión de que se tiene noticia en Baja California, a unos veinte kilómetros de la actual Loreto, la de San Bruno. Esta misión tuvo que ser abandonada cuando la sequía agostó las cosechas. Con Kino llegaron también Matías Goñi y Juan Bautista Copart. Este último adquirió suficiente conocimiento de la lengua cochimí como para escribir un catecismo que luego sería de gran ayuda al padre Juan María de Salvatierra, que en 1697 fundó la misión de Nuestra Señora de Loreto Conchó, que es considerada cabeza y madre de todas las misiones de la Alta y Baja California.

La misión de San Bruno, aunque tuvo una vida efímera y no quedó nada de ella, tuvo una consecuencia perdurable: el establecimiento de una ruta estable hacia el Pacífico a través de la sierra de la Giganta. A pesar de este fracaso, Kino no se rindió y marchó a la Pimería Alta en territorio de lo que hoy es Arizona. Este estado donó a la National Statuary Hall Collection del Capitolio en 1965 una estatua del padre Kino.[18] En esta región fundó dieciocho rancherías, llevó ganado, enseñó agricultura, abrió caminos y murió en 1711.

Las fundaciones en California continuaron gracias al impulso de otro jesuita que tampoco era español, el padre Juan María de Salvatierra y Visconti, un noble italiano que eligió México para vivir y después de enseñar retórica en el colegio de Puebla marchó a territorio tarahumara al norte de la Nueva España (hoy estado de Chihuahua). Allí vivió durante diez años, aprendió la lengua y fundó varios pueblos. Tomó después la determinación de continuar el trabajo del padre Kino en las Californias. Solicitó y obtuvo permiso para ello, aunque no recursos económicos. Las autoridades consideraron que ya había costado bastante el intento infructuoso del padre Kino. Los jesuitas tardaron varios años en reunir recursos suficientes de distintos patrocinadores que donaron generosamente los dineros precisos para empezar esta empresa, que era una inversión a fondo perdido. A lo largo de siete años los jesuitas fundaron seis misiones en el litoral del mar de Cortés. Cuando los jesuitas fueron expulsados de las tierras del Imperio español, los frailes franciscanos se hicieron cargo de estas misiones y de ahí partió fray Junípero para llevar a cabo sus fundaciones.

Ahora conviene que nos detengamos un poco a considerar no el heroico esfuerzo misional tan del gusto católico sino el componente geoestratégico que va adquiriendo esta zona del mundo. No había interesado a casi nadie durante siglos, pero ahora comienza a despertar el apetito de varias potencias occidentales.

La presencia de los rusos en América es el resultado de varias exploraciones sucesivas. De las primeras, las de Semión Dezhniov y Fedot Alekséyer Popov, no se sabe mucho pero sí es mejor conocida la que suele denominarse Primera Expedición a Kamchatka, encargada en 1724 al danés Vitus Bering por el zar Pedro VI. Su propósito inicial era explorar el Pacífico norte. Vino después la Segunda Expedición a Kamchatka o Expedición Gran Norte. No llegaron a América, pero consiguieron dibujar la cartografía de estas zonas, y determinar la existencia del estrecho de Bering y el mar de Bering, así llamados en honor a su descubridor. Con esto quedó establecido que América y Asia eran masas de tierra separadas.

En 1732 llegó a las costas de Alaska el navío ruso San Gabriel, el primero que consigue desembarcar junto a lo que hoy es el cabo Príncipe de Gales. A partir de entonces el comercio de pieles atrae a más y más rusos que, en compañía de indígenas siberianos, organizan expediciones de caza y crean pequeños establecimientos comerciales, especialmente impulsados en tiempos de Catalina II. La colonia más al sur que llegaron a establecer estuvo en lo que hoy es bahía Bodega en Alta California. El lugar es llamado actualmente Fort Ross, que es seguramente una derivación del nombre fuerte Ruso con que los californios de habla española lo nombraron. Esto está en el condado de Sonoma, cerca de San Francisco.

Las costas de California ya habían adquirido un gran valor estratégico a partir del establecimiento del tornaviaje por Urdaneta en 1565, lo que dará origen a una ruta comercial que revolucionará la economía global, el Galeón de Manila. Estos barcos en su viaje hacia América subían hasta el paralelo 40 por encima del cabo Mendocino en California y luego aprovechaban la corriente de Kuro-Shivo para bajar costeando hacia Acapulco. Era por lo tanto esencial que no hubiera en estas costas un refugio que permitiera a los piratas ingleses dificultar este comercio y no lo hubo a pesar de que Drake fundó Nueva Albión y tomó posesión del territorio en nombre de la reina de Inglaterra. Felipe II ordena al conde de Monterrey, virrey de México, fortificar y poblar los puertos de California para que la flota de Filipinas no corriera peligro. En 1596 tres navíos partieron desde Acapulco con este propósito y fue fundada La Paz en Baja California. Más tarde Sebastián Vizcaíno, en una nueva exploración, da nombre a la bahía de San Diego y propone la colonización del puerto de Monterrey.

Conjurado el peligro inglés, Alta California y su poblamiento no despertaron interés de nuevo hasta la segunda mitad del siglo XVIII. El 1 de enero de 1768 el entonces visitador José de Gálvez envía al rey un "Plan para la erección del Gobierno y Comandancia General que comprende la península de California y las provincias de Sonora, Sinaloa y Nueva Vizcaya". Aquí incluye las razones por las que es necesaria la colonización de Alta California y que son principalmente tres: "los intentos por dos siglos de Francia e Inglaterra para descubrir el estrecho de Anián;[19] la reciente conquista de Canadá por Inglaterra como una nación que no repara en gastos, diligencia ni fatiga en adelantar sus descubrimientos, y los esfuerzos de Rusia promoviendo expediciones desde Kamchatka a las islas Aleutianas para penetrar nuestras Indias por el camino del mar tártaro".[20]

En este contexto hay que ubicar a fray Junípero Serra, nacido en Mallorca en el seno de una familia muy humilde. Llegó al puerto de Veracruz en México en 1749, junto con otros misioneros franciscanos. Su primera etapa misional la pasó en la sierra Gorda en Querétaro, con los indios pame y como hizo toda su vida al mismo tiempo que cristianizaba, enseñaba agricultura, ganadería, el manejo de los telares, a leer y escribir si se daban las condiciones. Su destino era marchar a Texas con los apaches en la zona de río San Sabá, que es un afluente del Colorado, pero en 1767 se produjo la expulsión de la Compañía de Jesús de todos los territorios del Imperio español y los franciscanos fueron enviados ese mismo año a hacerse cargo de las misiones de California que los jesuitas habían tenido que abandonar.[21] Dieciséis franciscanos embarcaron rumbo a Loreto. Obsérvese que media un año entre la expulsión de los jesuitas y el informe de Gálvez. El abandono de estas misiones suponía una peligrosa ausencia.

La canonización de fray Junípero supuso un nuevo arranque para la polémica que rodea su figura cada vez más y que es el mayor éxito de la política de subordinación cultural que tiene interiorizada el mundo hispano desde hace mucho tiempo. No hay ningún hecho histórico respetable, ningún personaje histórico digno de recordación, ninguna fecha del pasado que nos convoque y nos sirva como lugar de memoria y que nos aglutine. Todos están envueltos en sombra y polémica. Todo lo que podría haber servido para construir hechos fundacionales que nos uniesen ha sido sistemáticamente destruido. No tenemos ningún rincón en la historia que podamos celebrar juntos sin que esto se transforme de inmediato en un motivo de confrontación. Se polemiza hasta la extenuación en torno a la figura de Cortés, de Junípero o de Colón, pero no de Thomas Jefferson, dueño de una plantación de esclavos, o de Leland Stanford, gobernador de California, que se hizo inmensamente rico importando *coolies* chinos como si fueran ganado para la construcción del ferrocarril y practicó una política racista con total descaro durante su mandato. Pero es uno de los padres de California. Y la universidad que lleva su nombre eliminó el de fray Junípero de un edificio y una calle por considerarlos indignos. Pero no se quitó el nombre de Stanford. Y nunca nos preguntamos a qué se debe esta extraña anomalía, sino que participamos alegremente en las polémicas, con una ingenuidad y una inocencia que dan más pena que rabia, incapaces, generación tras generación, de meternos en el campo del adversario y sembrar polémica allí donde nacieron las nuestras. Pero sobre todo incapaces de hacernos la pregunta esencial: ¿*cui prodest*?

MEXICANOS Y CALIFORNIOS

La población que existía en esta amplísima región antes de la ocupación estadounidense era de una diversidad racial desconcertante. Eran mexicanos y californios, que es el gentilicio con que se nombraban antes de pasar a ser californianos. Como explica Daniel J. Weber:

> Despite the enduring myth that 'Spaniards' settled the border lands it is quite clear that the majority of the pioneers were Mexicans of mixed blood. [...] The first census of El Pueblo de Nuestra Señora la Reina de los Ángeles del Río de Porciúncula, taken in the year of its founding 1781 reveals, the truly Mexican origins of that pueblo's pioneer settlers. Only two of them claimed to be Spanish. The remainder were Indian, mestizo (in its narrowest sense, the child of an Indian and a Spaniard), mulatto (the child of a Negro and a Spaniard), Negro, *coyote* (the child of a mestizo and an Indian) and chino, (the child of an Indian and a *salta-atras*, a person with Negroid features born of apparently white parents). Notice also, the paternalistic nature of Spanish government so evident in this census report.[22]

Esta ciudad es ahora Los Ángeles, donde vive nuestra alumna que no sabe que México es el extranjero, y seguramente tampoco sabe que la ciudad en que vive fue fundada no por españoles en realidad sino por personas que pertenecían a la misma comunidad a la que ella pertenece. Los padres fundadores de Los Ángeles son un grupo hispano-mestizo en el que solo había dos españoles y su primer regidor fue un mulato llamado Manuel Carrero. Pero esto, claro está, no lo enseñan en la escuela. ¿Cómo explicar que en ese mundo depravado y monstruoso del Imperio español los mulatos podían ser alcaldes de una ciudad recién fundada?

En el periodo que siguió al tratado de Guadalupe Hidalgo la población hispano-mestiza de California alimentó en ocasiones el mito de que eran de origen exclusivamente español. En aquel entonces esto fue posiblemente un modo de defenderse de las actitudes racistas de la nueva población angloamericana que se había adueñado del territorio y de sus riquezas. Ahora alimenta el sueño contrario, que son exclusivamente indígenas y además indígenas víctimas de un horrible pasado español, que conviene borrar del mapa. No han llegado a esa conclusión por sí mismos. Para que piensen así se les ha educado. La estatua de Oñate, por ejemplo, fue retirada a instancia de los indios pueblo.[23] Los mismos indios pueblo que en 1992 vinieron a Madrid a agradecer a los españoles su alianza y su amistad, que consideraban esencial para haber sobrevivido como comunidad hasta el siglo XX. Es evidente que han sufrido un conveniente e intenso proceso de reeducación. El hecho al que acabamos de referirnos sucedió en un encuentro en El Escorial organizado por Eduardo Garrigues, entonces cónsul español en Los Ángeles. James Hena, presidente del Consejo de Indios Pueblo de Nuevo México, explicó que la colonización española les parecía "aceptable y justa" frente al exterminio realizado por los anglosajones: "los españoles escucharon a los pueblos indígenas, no los obligaron a marcharse fuera de sus tierras mientras que la colonización anglosajona trastornó el sentido del pueblo indio forzando a las tribus a desplazarse hacia el interior de Estados Unidos, lo que fue muy grave y perjudicial". Más tarde añadió: "la colonización angloamericana desterró al pueblo indígena de su cultura, idioma e identidad. Su filosofía consistía en que cualquier pueblo que no fuera anglosajón era inferior y, por tanto, había que despojarlo de todo lo que poseía mediante la práctica de la guerra, incluso con los hispanos". Hena terminó afirmando que "la amistad y preocupación de los españoles aseguró la supervivencia de la raza".[24]

California no era una región pobre precisamente. Producía la mayor cantidad de carne de vaca, cuero y sebo que se generaba en la América del Norte y a los puertos de San Diego, San Francisco, Monterrey, Los Ángeles, San Juan de Capistrano... llegaban buques procedentes de Boston en busca de estas y otras mercancías. Pero el asunto realmente crucial fue el descubrimiento de oro en las montañas de California. Esto puso en marcha toda la maquinaria militar de que disponía entonces Estados Unidos, que no era mucha pero sí la suficiente como para derrotar a un México agotado por los conflictos internos desde la independencia.

A partir de 1848 los californios bajo administración estadounidense fueron perdiendo el derecho a la propiedad de sus tierras y lo mismo sucedió a las poblaciones indias que vivían al amparo de las misiones cuando estas dejaron de existir. Esto era una flagrante violación de lo que establecía el propio tratado de Guadalupe Hidalgo, tratado que jamás se respetó en realidad. En él quedaba claramente expresado que las nuevas autoridades del territorio no violarían los derechos de propiedad otorgados primero por las autoridades virreinales y luego por las mexicanas, tras la independencia. Cuando se produjo la ratificación del tratado por parte del Senado de Estados Unidos en su versión en lengua inglesa, fue eliminado el artículo 10, que establecía las garantías sobre la propiedad que acabamos de explicar. También fue modificado el artículo 9, que trataba de los derechos de ciudadanía de la población mexicana (india, mestiza, criolla y en todas las variedades raciales habidas y por haber) preexistente.[25] Al día siguiente de haber sido admitida California entre los estados de la Unión el coronel Fremont (a quien nadie le ha vandalizado todavía una estatua) explicó en el Congreso de Estados Unidos de América que "la ley española, de manera clara y absoluta, garantizaba a los indios sedentarizados el derecho de propiedad de la tierra que ocupaban más allá de lo que está permitido por este Gobierno en sus relaciones con nuestras tribus domésticas".[26] Por lo tanto, no debe extrañar lo que cuenta Mariano Alonso Baquer en su investigación: "en todos los lugares recibimos el cariño y el afecto de las poblaciones hispanas y de los pueblos indios, como el de Santo Domingo, donde todo el pueblo de la tribu quere fue entrando a la casa donde estábamos comiendo y pasando sus amuletos y besando el guion del Regimiento que llevaba el escudo del rey Carlos III. Al investigar las razones de tales reverencias, el alcalde del pueblo nos enseñó los documentos de propiedad de sus tierras que provenían de la colonización española y que tenían el mismo escudo que nuestro guion".[27]

La novela de María Amparo Ruiz de Burton, *The Squattery and the Don*, ambientada en la California de 1880, cuenta la lucha de una familia de californios por recuperar las tierras que les habían sido confiscadas. En general este fue el destino de la población hispana en las tierras ocupadas por Estados Unidos, y es un agujero negro en la historia de tal magnitud que apenas si podemos hacernos una idea de su importancia ni medir a cuántas personas pudo afectar. Esta realidad fue borrada de los documentos, omitida en los libros y negada a los descendientes de estas comunidades hispanas.

Supongamos qué sucedería si los descendientes de quienes fueron despojados de sus tierras hace siglo y medio conocieran esta realidad y ya no se sintieran más "foreigners in their native land". Supongamos que alguno tuviera la valentía, ahora que son mayoría en California y otros estados, de llevar su caso ante los tribunales en vez de conformarse con recibir limosnas étnicas de distintas fundaciones angloamericanas para que se manifiesten y pidan la supresión del Columbus Day. Un ejemplo paradigmático es el de los winnandotas, la tribu a la que al parecer pertenece el ex cantante de cruceros Mitch O'Farrell que, trasmutado en concejal del ayuntamiento de Los Ángeles, consiguió junto con Hilda Solís la supresión del 12 de octubre como fiesta reconocida. Tras esto vinieron unas ochenta ciudades más.

Como explica David Weber en un libro que debería estar traducido al español: "Until recently sizeable ethnic group had been characterised as the 'invisible minority', 'a minority nobody knows' or 'the forgotten people'".[28] Pero ¿qué sucede cuando esta minoría invisible deja de ser minoría? Fundamentalmente que los lugares de memoria a través de los cuales esta minoría establece vínculos entre sí y con su pasado deben ser destruidos. Como mínimo, estas reliquias históricas deben perder su prestigio, de tal forma que los hispanos se avergüencen de su origen, polemicen entre ellos de manera tan infructuosa como autodestructiva y queden por lo tanto en las mismas condiciones de marginalidad en las que siempre han vivido.

Sobre toda esta enorme realidad que aquí apenas hemos podido enseñar cayó un manto de silencio, que todavía perdura. Los mimbres con los que se construyó están tejidos en su mayor parte con prejuicios raciales y religiosos aunque esto nunca se dice con claridad y los que callan estas infamias ocurridas a lo largo de siglos son precisamente quienes las padecen, porque están convencidos, porque les han convencido, de que no son prejuicios sino algo que se merecen porque vienen lastrados desde el origen por un componente cultural y racial que es como una maldición luciferina: hablan en español, algo tienen de español, aunque sean de raza aborigen o mestizos. Por lo tanto, la solución es la negación de esa parte de sí mismos, a ser posible colaborando en la construcción de argumentos que demuestren la iniquidad del pasado español, como hacen Hilda Solís, Arana o Leguizamo.[29] Esto les hará tener un gran éxito en la cultura dominante porque son las correas de trasmisión imprescindibles para provocar el necesario y buscado fenómeno de aculturación de la población hispana en Estados Unidos. Son muy demandados en el mundo cultural y académico anglosajón y suelen tener un confortable acomodo en los departamentos de *Latin American Studies*.

La otra consecuencia inmediata es el borrado de hechos terribles y muy visibles todavía, como es la desaparición de las poblaciones indígenas en territorio estadounidense. Si Colón o Junípero tienen la culpa de esta desaparición, es que la culpa no es, por ejemplo, de Stanford y de los *settlers* que ocuparon el territorio. Suministrar coartadas de este tipo es muy rentable, como ya hemos explicado.

'WESTERN'

Nada de esto debe extrañar porque la maquinaria de ocultación y reescritura de la realidad ha tenido a su servicio una de las industrias más poderosas en la formación de gustos y opiniones que haya existido jamás: el cine y luego la televisión. Desde que comienza a existir como género cinematográfico, el *western* fabrica una determinada versión de la conquista del oeste y el nacimiento de Estados Unidos, tan épica como falsa. Reduciendo el asunto a sus rasgos esenciales podemos destacar que las películas del oeste en general ofrecen una visión del hombre blanco que avanza generalmente en carretas hacia el oeste con sus familias y es atacado por tribus indias hostiles que son criaturas extrañas y salvajes. Con ellas no se puede pactar ni tratar. Son inasimilables para la civilización. Pero sucede que la mayor parte de las tierras que estas carretas atravesaron desde San Luis Missouri habían formado parte del virreinato de la Nueva España y en ellas había indios, sí, pero la mayoría estaban sedentarizados, practicaban la agricultura y muchos de ellos eran cristianos y hablaban español. Esta realidad no debe mostrarse jamás porque entonces el indio no es un ser salvaje que no puede ser integrado en nuestra civilización. Su fin, por lo tanto, era inevitable. Por tirar de un hilo y solo de uno, porque resulta imposible ni siquiera trazar por aproximación las líneas maestras de lo que vive oculto en el subsuelo, trataremos de los apaches que dieron asunto a tantas y tantas películas y, fuerza es reconocerlo, algunas de ellas maravillosas. Falsas y maravillosas. La inmensa mayoría de los hispanos (incluyo aquí a los españoles) que saben quién fue Gerónimo no saben que era cristiano y hablaba español. Y la pregunta correcta que hay que hacerse aquí es justamente por qué sí sabemos lo uno, pero no sabemos lo otro. Saber responder a esta pregunta es esencial si queremos alguna vez resolver los problemas que la comunidad de hispanohablantes tiene por el ancho mundo: qué sabemos y qué no sabemos de nuestra historia y cómo se ha producido el proceso de selección de aquello que debe ser recordado o no.

Nos cuenta Manuel Rojas que Gerónimo nació en Arizpe y su partida de bautismo se encuentra en este municipio, con fecha 1 de junio de 1821.[30] Era hijo de Hermenegildo Moteso y Catalina Chagori. El nombre Gerónimo era frecuente en Arizpe porque la población había sido fundada por el jesuita vasco Jerónimo del Canal. Ya en uno de los primeros *westerns* de la historia del cine, *La diligencia*, que fue dirigida por John Ford en 1939 y protagonizada por John Wayne, aparecen los apaches chiricaguas. Esta denominación procede del náhuatl y significa 'los que son pocos' o 'pocos' y fue el nombre que les dieron los tlaxcaltecas al establecer contacto con ellos cuando comenzaron, en alianza con los españoles, a desplazarse hacia las regiones del norte de Sonora y Chihuahua (México), sureste de Arizona (hoy Estados Unidos) y suroeste de Nuevo México, como más arriba hemos explicado.

Los chiricahuas de *La diligencia* responden ya al cliché clásico que el *western* repetirá hasta la extenuación: indios salvajes cabalgando como centauros a grito pelado y hostigando a las carretas de pacíficos colonos que van hacia el oeste con sus familias en busca de una vida mejor. El contraste entre la imagen arquetípica de cómo ocuparon los territorios los angloamericanos y cómo lo hicieron los hispanoamericanos es una construcción cultural y mental que se fabrica desde la escuela.

La diferencia más ostensible no es solo *settlers* frente a *conquerors*, pacíficos granjeros frente a violentos conquistadores, sino que los angloamericanos se reconocen en esas imágenes, ubican en ellas sus lugares de memoria y por eso celebran cada año con emoción y alegría su Thanks Giving Day mientras que los hispanos escinden su origen, rechazan el componente español como parte no querida, indigna de convertirse en algo que merezca recordación o celebración y, en consecuencia, profundizan una relación catastrófica con su pasado, con su cultura, con la lengua que hablan y convierten en fuente de conflicto y autoodio lo que podría ser fuente de riqueza y autoafirmación. Esta es en definitiva la causa que explica el trastorno bipolar que padece la comunidad hispana desde Ibiza al Machupichu, desde Bilbao a Acapulco.

Los chiricahuas eran una tribu apache, nombre genérico con el que se engloba a un conjunto de tribus que comenzaron a desplazarse hacia el sur en la segunda mitad del siglo XVII. El término *apache* procede de los zuñis, que hablaban una lengua atabascana y significa 'enemigo'. Esto se debe a que los apaches habían expulsado a los zuñis y también a los jumanos y a los sumas de sus zonas de asentamiento tradicional como ellos mismos fueron expulsados por los comanches.[31]

El primer documento que menciona a los apaches fue escrito en Taos en 1706. Los habitantes de la ciudad envían al gobernador de Nuevo México una carta en la que solicitan ayuda ante el inminente ataque de un pueblo nómada y hasta entonces desconocido. La situación en esta zona del mundo es extremadamente conflictiva. Unos estaban ya allí cuando llegan los españoles, como los indios pueblo; otros hace poco que frecuentan el territorio, como los apaches, y otros están incursionando en la zona desde el norte, como los comanches. Como se ve la idea de un edén indígena donde todo era paz y armonía es un disparate concebido por cabezas europeas a partir de su absoluta ignorancia de la realidad.

En 1720 llega a Taos una embajada apache solicitando protección a cambio de su conversión al cristianismo. Las autoridades virreinales aceptan el trato y comienza un proceso complejísimo de acomodación en sus nuevas tierras. El gobernador Vélez Cachupin fue uno de los más inteligentes gestores de esta nueva situación que supone la ubicación de los apaches en una región en que viven otros pueblos que no son precisamente amigos de los apaches. Ebright destaca que "The relatively balanced land use and ownership plan crafted by Governor Vélez Cachupin during his two terms –which reached its peak in 1766-1767– recognized and protected the land rights of all inhabitants of New Mexico: Pueblo Indians, Hispano livestock raisers, Genizaro Indians, Hispano community land-grant farmers, and even Navajos".[32]

Los antepasados de Gerónimo por tanto llevan ya varias generaciones cristianizados y asentados en la zona de Arizpe. Su peripecia personal de enfrentamiento con las autoridades comienza en 1851 tras una incursión del coronel Carrasco en la reserva de Junos durante la cual Gerónimo pierde a toda su familia. Tras la ocupación de tierras mexicanas con el tratado de Guadalupe Hidalgo, los bendoke, la tribu de Gerónimo y otros grupos apaches comenzarán una guerra sin cuartel contra el Ejército de Estados Unidos que durará desde 1861 a 1886 y que se conocen en la historia estadounidense como las Guerras Apaches. Estos pueblos luchan por la mera supervivencia, porque han perdido los derechos sobre sus tierras y el único destino que se les ofrece es ir a morir lentamente a las reservas. Los nombres de los jefes apaches son muy significativos: Irigoyen, Pósito Moraga, Trigueño, Delgadito, Ponce...

El *western* naturalmente no refleja esta situación. Dibuja en el imaginario colectivo un relato épico y hermoso, pero profundamente alejado de la realidad. Desde John Ford a Tarantino el componente

hispano-mestizo, que es el telón de fondo de la ocupación estadounidense, está completamente ausente de la sintaxis mítica del *western*. Solo
hay una historia posible, la versión WASP de la conquista del oeste y
esta anula todas las demás. En los años sesenta y setenta la narrativa del
western amplía su campo de visión y comienzan a aparecer además de
indios y blancos, negros y chinos. La popular serie *Kung-Fu* contribuyó
notablemente a ello. Hubo incluso un momento en que los propios indios se transformaron en los héroes protagonistas con películas como
Un hombre llamado Caballo (Elliot Silverstein, 1970) o *Bailando con lobos*
(Kevin Costner, 1990). Pero los indios hispanos no han tenido nunca ni
tendrán presencia tangible.

La marginación de la población negra hace ya mucho tiempo que
está aceptada en la narrativa oficial estadounidense y ha dado lugar a
un sinnúmero de textos y películas, pero no la que afecta a los hispanos porque esta toca algunos asuntos extremadamente delicados que
tienen que ver con la propiedad de la tierra o con tratados que no se
cumplen. En esas circunstancias es importante que haya un borrado de
memoria que sea intenso y eficaz. Ningún cineasta oficialmente "rebel-
de" va a contar lo que realmente ocurrió con la población hispana que
quedó en territorio ocupado por Estados Unidos en su expansión. Por
la sencilla razón de que desaparecería de la visibilidad. Quizá esto se
podrá hacer dentro de veinte años, pero todavía no.

A MODO DE REFLEXIONES FINALES

La población hispana de California crece alarmantemente. De manera
que nuestra alumna de Los Ángeles que no sabe que México es el extranjero, y cuya existencia es incomprensible sin Oñate y sin Junípero, ya no
pertenece a una minoría discriminada sino a una mayoría discriminada.

El 9 de julio de 2015, BBC Mundo informó de que "Los hispanos
ya son mayoría en California según datos del censo de Estados Unidos". Esta oficina acababa de hacer públicos sus últimos estudios en
esa fecha y de ellos resulta que la población hispana alcanza la cifra de
14,99 millones mientras que los blancos no hispanos son 14,92 millones.

California y Nuevo México son los dos estados en que la comunidad hispana ha superado a la angloamericana.

Planeando sobre las denominaciones *hispanic* y *non hispanic white* está la cuestión racial de larga y tormentosa vida en la historia de Estados Unidos, porque vinculado al hecho dudoso para muchos anglos de que los hispanos y españoles formen parte de la civilización occidental, está la consideración de si pertenecen o no a la raza blanca. Dos caras de la misma moneda. En enero de 2020 nos enteramos estupefactos de que Antonio Banderas era un actor "de color". La revista *Deadline* informó de que solo dos actores "de color" habían sido nominados a los Oscar, el propio Banderas y la actriz afroamericana Cynthia Erivo. Según el diario *El País* "*Vanity Fair* –que mencionaba a los dos artistas como miembros de una misma comunidad aclarando que 'los españoles no son técnicamente considerados personas de color'– eliminó la frase unas horas después. En septiembre Rosalía, calificada como latina, hispana y europea, protagonizó una polémica similar en los premios MTV".[33] Eso de "ser considerado técnicamente persona de color" es una frase que necesita una larga y divertida exégesis. Vaya por delante que particularmente no tengo ningún inconveniente en ser "de color". Es más: me encanta. Lo que realmente interesa analizar es esa obsesión con la raza y lo que eso significa. El asunto Banderas vino a animarse más todavía cuando *The New York Times* publicó el 9 de septiembre un reportaje titulado "Faces of Power: 80% Are White, Even as U.S. Becomes More Diverse" ['Las caras del poder: el 80% de las personas más influyentes son blancas incluso cuando Estados Unidos se vuelve más diverso']. O, dicho en otros términos: los WASP seguimos siendo los mejores pese a todo. Ahí nos enteramos de que Pablo Isla, presidente de Inditex no es blanco como tampoco lo es John Garamendi y otros. Técnicamente. Habrá que colocarlos en un apartado "raza indefinida o por determinar". Debe ser la raza cósmica de que hablaba Vasconcelos. Dejando a un lado la tontería manifiesta y el hecho de que ser blanco (o no serlo) es algo que no puede ofender a nadie en su sano juicio, lo que llama la atención es que existe, sigue existiendo, una parte y no pequeña de angloamericanos para los que la determinación racial es importantísima a la hora de calificar a un ser humano. También para los que leen *The New York Times*. Y este algoritmo mental amasado de racismo más o menos maquillado es lo que es digno de meditación y estudio. Porque no parece que los lectores de *The New York Times* bombardearan la redacción escandalizados ante el hecho de que en 2020 se siguiera clasificando a las personas en función de criterios raciales. ¿Cómo extrañarse de que lo haga un periódico si se hace en los impresos oficiales? Esta necesidad de supremacía de lo *white* viene de lejos, cambia y se camufla, varían los criterios raciales, pero no desaparece y está presente en cada momento en el discurso antihispano en Estados Unidos. Y esto afecta a españoles e hispanos igualmente, porque cuando Donald Trump se refiere con tanta rotundidad a la necesidad de expulsar a los *bad hombres* y usa la palabra en español, no está pensando en España precisamente. Su horizonte racial es Hispanoamérica y más concretamente México. Este amasijo de prejuicios es viejísimo y se articula en dos ramilletes argumentales, el étnico-racial y el religioso-moral. Cada año se renueva con publicaciones y manifestaciones diversas, todas de gran éxito editorial y abundantemente elogiadas por los medios intelectuales más influyentes. En los últimos tiempos han aparecido las de Huntington y las de Marie Arana que han tenido una recepción espectacularmente favorable en el mundo anglosajón a pesar del racismo descarado que en ellas se despliega y que admite pocos matices. Como explica Enrique Krauze al reseñar uno de los textos de Huntington:

> el profeta Samuel Huntington escucha voces, ve visiones y anticipa un nuevo peligro: su provocador ensayo 'The Hispanic Challenge' (*Foreign Policy*, marzo/abril, 2004) descubre que los mexicanos han 'establecido cabezas de playa' por todo el territorio estadounidense, en particular en los dominios de México anteriores a la Guerra de 1847. Esta invasión que parecería planeada, esta 'reconquista' constituye a su juicio, el mayor peligro para la identidad histórica, cultural y lingüística y para los sistemas políticos, legales, comerciales y educativos y aun para la integridad territorial de Estados Unidos.[34]

El párrafo resume muy bien los miedos crecientes de la población angloamericana y la consiguiente reacción. Si a esto añadimos la necesidad de un chivo expiatorio que explique la cuasi desaparición de los pueblos aborígenes en territorio estadounidense, encontraremos motivos más que suficientes para entender las razones por las que los vestigios históricos y los símbolos de la presencia hispana en Estados Unidos están siendo destruidos en nombre de un anticolonialismo indigenista que no es más que supremacismo WASP disfrazado.[35]

El error de la comunidad hispana (incluyo España) es no haber sabido dar una respuesta unánime y firme a todo esto. Al contrario. Lo que habitualmente encontramos es una actitud a lo López Obrador que escribe cartas al rey de España para que pida perdón por la Conquista. Es un perfecto ejemplo del débil que solo sabe aparentar coraje allí donde sabe que no hay peligro, como esos niños asustadizos que son incapaces de defenderse en la calle, pero luego se hacen los valientes en casa, armando escándalo con la mamá y la abuelita. ¿Acaso se atrevería a hacer lo mismo con el vecino del Norte que le arrebató más de la mitad del territorio y encima no cumplió el tratado? ¿Le escribiría a Trump para decirle que tiene que pedir perdón? Llevamos siglos de subordinación cultural, política y económica, haciéndonos los machitos con los de casa, pero incapaces de actuar coordinadamente, con inteligencia y valentía en defensa de nuestros intereses comunes en el mundo global, y podemos seguir así por los siglos de los siglos, aunque es una triste herencia para dejársela a los hijos. Ciertamente la pasividad es confortable, pero ahora mismo, en este instante, los ejes de poder hegemónicos del mundo están cambiando del Atlántico Norte hacia Asia y esto abre una ventana de oportunidad para la comunidad hispana en el mundo como no volverá a haber otra en décadas. Como rezaba el título del conversatorio celebrado en Los Ángeles, quizá ha llegado el momento de dejar de ser víctimas y pasar a protagonistas.

NAVEGACIÓN EN MARES PROCELOSOS
A modo de epílogo
Guadalupe Jiménez Codinach

> El Señor de la Historia siempre actúa
> por encima de los atropellos y distorsio-
> nes que los hombres dan a la Historia.
>
> DON SAMUEL RUIZ, OBISPO DE CHIAPAS[1]

SEIS VELAS DESPLEGADAS

Un día en la soleada Sevilla, el 10 de agosto de 1519, zarparon cinco navíos, Trinidad, San Antonio, Victoria, Concepción y Santiago al mando de don Fernando de Magallanes (1480-1521), marino portugués al servicio del Gobierno de Carlos V, en busca de una ruta marítima que permitiera llegar a las islas de la Especiería o Molucas, Indonesia, y a los codiciados productos del Oriente en las ciudades europeas.

Aquellas naves cruzaron mares encrespados, sus tripulaciones pasaron hambre, sed, enfermedades y toda suerte de peligros y, sin embargo, aquellos 245 marinos castellanos, portugueses, griegos, franceses, italianos, flamencos, ingleses y germanos, formaron parte de la expedición que completó la primera vuelta a la Tierra y encontraron, en los confines del Nuevo Mundo, el paso del océano Atlántico al mar del Sur, llamado por Magallanes mar Pacífico, al compararlo con las aguas turbulentas del Atlántico.

Por el estrecho que hoy lleva su nombre, de 565 kilómetros de longitud, Magallanes continuó hasta las islas Marianas y a las que llamarían más tarde islas Filipinas, en honor de Felipe II. Allí murió don Fernando el 27 de abril de 1521, en la batalla de Mactán, en Cebú, Filipinas. Quedó al mando de la nave Victoria el capitán Juan Sebastián Elcano (*ca.* 1476-1526), quien logró regresar a Sanlúcar de Barrameda el 6 de septiembre de 1522, y el día 9 a Sevilla, mostrando al mundo que todos los mares y océanos estaban conectados y comprobando la redondez de la Tierra. En palabras de Elcano al emperador Carlos V: "Hemos descubierto y redondeado toda la rondeza del mundo".[2] Hazaña que transformó para siempre el conocimiento geográfico e impactó las redes comerciales, culturales y políticas de la época, en un inicio de globalización, en términos actuales. De los cinco navíos regresó solo la maltrecha nave Victoria y de los aproximadamente doscientos cuarenta y cinco hombres de la expedición, después de tres años, solo sobrevivieron dieciocho marinos.[3]

Quinientos años más tarde, don Emilio Lamo de Espinosa, director del Real Instituto Elcano, en unión con José María Ortega, prepararon desde el verano de 2019, una nueva navegación, ahora intelectual, hoy presentada en una obra con el título *La disputa del pasado. México, España y nuestra común leyenda negra*, con preguntas fundamentales y con respuestas de seis historiadores, académicos e intelectuales de sólida formación y reconocida trayectoria profesional en ambos lados de las costas atlánticas, seis autores que recuerdan las seis velas con las que cada nave de la expedición de Magallanes y Elcano enfrentaron tempestades y peligros para sobrevivir y alcanzar una hazaña de repercusiones mundiales.

"Quien pregunta no yerra" nos recuerda el refrán popular y quien pregunta "quiere saber".[4] Pues bien, no sorprende que don Emilio Lamo de Espinosa y José María Ortega se hayan embarcado en la delicada, pero urgente, tarea de dar respuestas claras y fundamentadas en años de investigación en archivos y en las principales obras de la historiografía universal, con particular énfasis en las obras de historia hispánicas, estadounidenses, anglosajonas y francesas, para aclarar las afirmaciones, negaciones y omisiones y los juicios negativos sobre nuestra identidad, carácter y cultura que se han venido repitiendo al pasar de los años, en escuelas, universidades, medios de comunicación, sin que exista la suficiente y pronta aclaración sobre la realidad de nuestra historia, de nuestros valores y adelantos en las ciencias, en la tecnología, en las humanidades, en la política, en la economía, en las artes, y en todos los aspectos del devenir humano, aportaciones que los pueblos hispánicos han compartido con la humanidad.

Ciertamente la historia de nuestros pueblos también registra nuestros fracasos, errores, limitaciones, abusos, es decir, frutos amargos y dulces como decían los romanos de la dinastía de los Claudios, con sus luces y sombras propias de toda condición humana. Ya es tiempo, como nos invita don Emilio en la presentación de este libro, de hacer memoria de lo realmente sucedido, de olvidar distorsiones y propagandas y, sobre todo, de reconciliación.

Sin embargo, las tendencias basadas en falsas premisas de quienes desconocen y tienen prejuicios y adjetivos negativos sobre lo hispánico se esparcen por Estados Unidos y por otros países, por las redes de internet en general y por nuestros propios pueblos. De ahí la urgencia de respuestas fundamentadas en evidencias, no en meras opiniones o en modelos teóricos y meras suposiciones sobre la realidad y sobre la esencia de lo que somos, que si se analizan con rigor, resultan ser ejercicios imaginativos que han creado una pseudo historia, una propaganda que fácilmente ha conformado una imagen distorsionada sobre lo hispánico desde el siglo XVI hasta el siglo XXI debido a modas intelectuales, ideologías, intereses políticos o de otra índole, prejuicios y repetición de errores, sin que lamentablemente exista interés en nuestros países por corregirlos.

En las últimas décadas del siglo XX y primeras del XXI han crecido dos tendencias: 1) el llamado *presentismo*; 2) un renacimiento de la llamada *leyenda negra* contra todo lo hispánico. Veamos en qué consisten estas dos olas que hacen mella en la investigación histórica y la historiografía de universidades y centros de investigación, pero peor aún, en la opinión popular al multiplicarse en las redes sociales y en los medios de comunicación, en el cine y series en internet, sin que se cuestionen los datos falsos, los adjetivos negativos, los anacronismos y prejuicios.

Entiendo por *presentismo* la tendencia a inyectar al pasado preocupaciones, ideologías, sistema de valores, información y experiencias del presente, y con esas premisas, exigirles a los personajes del pasado y las sociedades de una época determinada, actuar de acuerdo con nuestra información, nuestras preferencias, valores y conocimientos actuales. En estas páginas el lector podrá apreciar cómo varios autores del libro nos alertan sobre este peligro: el "juzgar el pasado con los criterios del presente", error señalado por el doctor Emilio Lamo de Espinosa, o lo anotado por el doctor Martín F. Ríos Saloma, quien previene del "enorme riesgo de proyectar hacia el pasado conceptos tan caros a nuestro presente", como por ejemplo los "derechos humanos" o el "genocidio so pena de incurrir en un grave anacronismo".

Ante esta distorsión del tiempo y el espacio del ayer, no sorprende la absurda condena del almirante don Cristóbal Colón como criminal ecológico, genocida y otras lindezas, promovida en Estados Unidos, sobre todo a partir de 1992; el degüello de la estatua de Miguel de Cervantes Saavedra o el vandalizar las estatuas de fray Junípero Serra y el ataque y remoción de la estatua de don Juan de Oñate en Santa Fe, Nuevo México. Recientemente, el papa Francisco denunciaba estas conductas y sus consecuencias, porque tales actitudes están "amputando la Historia".[5]

Además de esta amputación de la historia, del olvido o deconstrucción de los trabajos y los días de nuestros antepasados, se ha reproducido nuevamente la cabeza de la hidra, es decir, resurge una añeja propaganda contra todo lo hispánico, denunciada valientemente por Julián Juderías en su libro clásico *La Leyenda Negra*, publicado en 1914 y 1917, cuyo autor trató de "vindicar el buen nombre de España, demostrando que ha sido víctima del apasionamiento de sus adversarios que crearon en torno a su significación en la Historia Universal, una leyenda tan absurda como injusta".[6]

Y esta leyenda negra renovada no es algo marginal y de poca importancia. Permea y penetra en las aulas, en las calles, en las conversaciones, en las tertulias y reuniones familiares no solo de España sino de todos los pueblos de Iberoamérica y de nuestros vecinos estadounidenses, así como de nuestros hermanos europeos, asiáticos, africanos y australianos, leyenda cada vez más agresiva y exagerada, alimentada en gran medida por aquellas dos hermanas gemelas que el premio Nobel Octavio Paz advertía recorrían Estados Unidos: la ignorancia y la soberbia.

Recordemos las palabras de Alain Finkielkraut: "cuando el odio a la cultura se convierte en parte de la cultura, la vida de la mente pierde todo sentido".[7] ¿Se ha perdido el sentido de nuestro pasado hispánico? Aún no. Esta ola de afirmaciones negativas sobre todo lo hispánico, cada vez más aceptada como hechos reales, estas exageraciones, estos discursos e impresos plagados de adjetivos calificativos, sin evidencias que los sustenten, requieren una respuesta serena, equilibrada, rigurosa, producto de una investigación científico-histórica, comprensiva del momento y lugar de los sucesos y de sus actores, de la información que manejaron y de su sistema de valores, aquellos y no los nuestros, que motivaron sus decisiones.

Esta obra reúne las respuestas de conocidos historiadores e investigadores, cuya trayectoria es el mejor aval y en donde el lector de estas páginas encontrará reflexiones lúcidas, claras, resultado de años de búsqueda de fuentes, de horas y horas de consulta de archivos en varias naciones y cuya participación en este libro es una prueba de que, en ambos lados del Atlántico, los intelectuales hispánicos están dispuestos a presentar argumentos sólidos, a que sus voces no clamen en el desierto y a convertirse en el buque insignia de una respuesta valiente, que enfrente estas olas de prejuicios que vuelven por sus fueros.

Ahora más que nunca, los historiadores, científicos sociales, intelectuales y académicos que por vocación buscan la verdad y la justicia, tenemos que hablar y escribir contra estas tendencias que dañan a nuestras generaciones de jóvenes, que los llevan a participar en la vandalización de estatuas, en expresiones de odio, de ira, de resentimiento, a debilitar su autoestima y sentido de pertenencia, a dar opiniones sin conocimiento de la época, de la vida y obras de los personajes, de las circunstancias que les rodeaban, de las limitaciones económicas, de salud, de educación, de oportunidades de mejoramiento, de la influencia sobre ellos de su familia y comunidad, en un tiempo y en un espacio determinado.

¿Y por qué es tan importante oír las voces autorizadas de quienes conocen a profundidad el pasado de nuestros pueblos?

Ante la pérdida del sentido de la historia que disgrega aún más a los pueblos, el papa Francisco da un consejo a los jóvenes: "si una persona les hace una propuesta y les dice que ignoren la historia, que no recojan la experiencia de los mayores, que desprecien todo lo pasado, y que sólo miren el futuro que esta persona les ofrece, ¿no es una forma fácil de atraparlos con su propuesta para que solamente hagan lo que él les dice? Esa persona los necesita vacíos, desarraigados, desconfiados de todo, para que sólo confíen en sus promesas y se sometan a sus planes. [...] Para esto necesitan jóvenes que desprecien la historia, que rechacen la riqueza espiritual y humana que se fue transmitiendo a lo largo de las generaciones, que ignoren todo lo que los ha precedido".[8]

El reto que enfrentamos los historiadores, los intelectuales, los científicos, los maestros, los comunicadores y nuestras familias es intentar enseñar a las nuevas generaciones y al público en general a discernir con claridad qué puede ser verdad y qué falsedad, qué constituye un hecho real y qué es una mera opinión, una teoría, un adjetivo calificativo, una distorsión, una mentira o mera propaganda.

ALCANZAR LA VERDAD, TAREA NADA FÁCIL

Enrique Martínez Lozano nos recuerda que la verdad "no es un concepto ni una creencia. Tampoco las construimos nosotros. *La verdad es una con la realidad*, ya está ahí. Lo que nos queda es descubrirla". Requiere "quitar los velos" que nos impiden verla, necesitamos desprendernos de tantas ideas, creencias, maneras de ver y pensar que habíamos dado por definitivas.[9]

Descubrir, desvelar, desprendernos de prejuicios solo se puede lograr si acudimos a quienes han dedicado su vida a buscar la verdad, con una mirada serena, equilibrada, con afán de encontrarla, formulando todas las preguntas necesarias para intentar dar respuestas fincadas lo más cerca posible de la realidad de lo sucedido.

Mi profesor y director de tesis doctoral en Inglaterra, el doctor John Lynch, director del Instituto de Estudios Latinoamericanos de la Universidad de Londres, me explicaba que toda investigación histórica se inicia con preguntas para las cuales aún no tenemos respuesta y me animaba a formular todas las que se me ocurrieran, a ordenarlas e intentar darles respuestas satisfactorias a cada una de ellas, sobre todo sustentadas en fuentes primarias, existentes en los archivos de varias naciones. Recuerdo haber preparado más de cien preguntas sobre el tema de mi tesis doctoral, *La Gran Bretaña y la independencia de México, 1808-1821*, que requerían investigarse y responderse. Y el consejo de mi mentor fue: "cuando las contestes todas, estará lista tu tesis doctoral".

Años de archivos, de lectura de manuscritos, de impresos, de bibliografía, hemerografía, grabaciones, entrevistas, videos, y todos los instrumentos de las ciencias auxiliares de la Historia pueden contribuir a conjuntar un resultado final: la obra histórica de un profesional fidedigno. La obra que tiene el lector entre sus manos, o en forma digital, intenta contestar seis preguntas que han preocupado a generaciones del mundo hispánico y de otras nacionalidades desde el siglo XVI en adelante: Conquista, ¿qué conquista?; Colonia, ¿qué Colonia?; una civilización propia, pero ¿cuál?; Bárbaros, ¿qué bárbaros?; Mirada, ¿de quién?; Frontera, ¿con quién? Seis preguntas que hoy seis autores responden con firmeza, fundamentados en años de estudio y reflexión, para enfrentar con verdades el presentismo que obscurece el pasado con anacronismos propios del presente y la nueva leyenda negra que deforma la realidad del mundo hispánico en nuestros días.

No podemos repetir toda la riqueza y seriedad de los planteamientos de los autores de esta obra, solo se intentará aquí dar algunos ejemplos de su investigación con algunos comentarios de quien esto escribe, producto no solo de sus más de cuarenta y cinco años de trabajo en archivos y bibliotecas, de sus cursos en universidades mexicanas y del extranjero, pero sobre todo de sus vivencias como historiadora mexicana en el mundo anglosajón.

FRENTE AL ENCRESPADO MAR: DEL MITO A LA REALIDAD

Martín F. Ríos Saloma, profesor e investigador de la Universidad Nacional Autónoma de México, doctorado en la Universidad Complutense de Madrid, a la pregunta "Conquista, ¿qué conquista?" responde que lo que llamamos Conquista fue "un proceso de reconocimiento mutuos, de fascinación por el otro, de intercambios culturales enormemente complejos". La conquista de México Tenochtitlan debe explicarse con una perspectiva de larga duración, de múltiples características económicas, políticas, militares, ideológicas, culturales, religiosas y espirituales. En 1519 se inicia una integración de territorios a la Monarquía Hispánica y la conformación de un nuevo reino, de un virreinato desde 1535: la Nueva España, que a la postre "acabó convirtiéndose en el eje central y articulador de la economía mundo de la época moderna", para nuestro autor.

Menciona el profesor Ríos Saloma que escritores como Octavio Paz (1914-1988), premio Nobel de Literatura, ciertamente autor de valiosas obras de poesía y prosa, al tratar de temas históricos, presenta serias distorsiones de la realidad. Según Paz, el pueblo mexicano es producto de una violación en la que Malintzin representa la figura de una mujer ultrajada, en un papel secundario, silenciada y condenada al oprobio. De ahí concluye que, por ello, en la idiosincrasia de los mexicanos, predomina "la desconfianza, el disimulo, la reserva cortés que cierra el paso al extraño, que teme y finge frente al señor".

De forma parecida opinaba Carlos Fuentes, otro reconocido escritor mexicano, quien en su novela *La muerte de Artemio Cruz* dedica varios párrafos a describir a Malintzin como la mujer violada, frustrada, despreciada por el conquistador, dolida y resentida que traiciona a su pueblo indígena.

Pude conversar con ambos escritores cuando trabajaba en la Biblioteca del Congreso en Washington DC, y les comenté a ambos algunos errores históricos que se encontraban en sus obras. A Paz, sobre su libro *Sor Juana Inés de la Cruz o las trampas de la fe* (1982), le señalaba el lugar donde indica que no se puede conocer ni recrear la historia de los conventos femeninos de la Nueva España. Le expliqué que existía mucha información en archivos públicos, eclesiásticos y privados, ya que las candidatas a ingresar al convento tenían que saber latín, leer y escribir, que los conventos tenían una cronista, que las monjas escribían muchas cartas a parientes, amigos y conocidos, algunos en Europa y en América del Sur, y que muchos de sus directores espirituales les pedían que escribieran un diario. Paz me contestó: "¡ay, Mijita! Pero yo no voy a ir a ningún archivo!".

A Carlos Fuentes le comenté sobre lo que escribió sobre Malintzin en la novela *La muerte del Artemio Cruz* (1962) y que lo que decía de ella era falso, ya que Malinztin no era una joven cristiana de la España renacentista. Malinztin pertenecía a una comunidad donde se decidía desde pequeña su futuro y para ella no era una violación o una ofensa que la regalaran a un jefe, y este la volviera a regalar, ni era un pecado sino un signo de su valor ser presentada a un personaje importante para su comunidad. Ni estaba furiosa ni traicionaría a su pueblo por haber sido "humillada". Y me contestó: "mira, los historiadores tienen que probar todo, yo no tengo que probar nada".

Nos recuerda Ríos Saloma cómo, en las últimas décadas del siglo XX y los comienzos del siglo XXI, el papel de doña Marina o Malintzin ha sido mejor comprendido por Rodrigo Martínez Baracs, Camilla Townsend, Federico Navarrete y otros muchos autores mexicanos, como Margo Glantz, y varios escritores extranjeros. De ser descrita como "traidora a su pueblo", ha pasado a ser una persona inteligente, de dones naturales, que se convirtió en la voz de Cortés y en un agente indispensable de la empresa de la Conquista.

Sin embargo, tengo que aclarar que, lamentablemente, *El laberinto de la soledad* (1950) y otras obras de Paz, así como los libros de Carlos Fuentes, se encuentran en varias bibliotecas de Estados Unidos en la sección de Historia y muchos maestros se las recomiendan a sus alumnos como si fuesen obras de esa naturaleza. Hecho este que no me debería de extrañar, pues desde pequeña, estando interna en un Colegio de las Damas del Sagrado Corazón en Estados Unidos, en clase de geografía, mis cuarenta y cuatro compañeras afirmaban que México estaba en América del Sur y yo insistía que estaba en América del Norte. Para zanjar la cuestión la maestra me envió a la biblioteca a traer un atlas. Por supuesto que México ¡era parte de América del Norte! Recuerdo también la placa de bronce que le relata al visitante de la misión de San Diego de Alcalá, cómo en 1769 se fundó la primera de las misiones franciscanas de la Alta o Nueva California en "el primer sitio fundado por europeos en el Pacífico". Error, por cierto, suscrito en dicha placa por tres universidades de la ciudad de San Diego. ¿Y qué sucede con Acapulco, San Blas, Santa Cruz o La Paz (fundada en 1535 en la península californiana), Huatulco (en el actual estado de Oaxaca), Lima con El Callao y tantos puertos y ciudades frente al Pacífico en Iberoamérica desde el siglo XVI?

Sir John H. Elliott señala que los ingleses llegaron más tarde que los hispánicos a la gesta heroica de la historia americana: los colonos anglosajones fundan Jamestown en 1607 y Plymouth en 1620, y para estos años ya vivían en América más de cuatrocientos mil españoles y treinta mil portugueses. Cuando llegaron los "peregrinos" a Massachusetts, la América a donde llegaban, había sido considerada por más de un siglo como parte de las Coronas de Castilla y Portugal.[10] Recuerdo la visita del presidente de la Universidad de Harvard al Museo Nacional de Historia en el castillo de Chapultepec, Ciudad de México, en donde le mostré la grandeza y belleza de dicha ciudad al inicio del siglo XVII, plasmadas en un biombo, en el cual se podía apreciar el edificio de la Universidad de México fundada –para su sorpresa– en 1553, cuando aún no llegaban los "peregrinos" a Nueva Inglaterra. Todavía más se sorprendió nuestro invitado cuando le mostré el óleo de un conspirador de 1785, el conde de Torre de Cosío, quien junto con dos aristócratas criollos, planearon un levantamiento contra las autoridades virreinales para lograr la independencia con ayuda inglesa, molestos porque fueron los encargados de reunir un millón de pesos para pagar el apoyo hispánico a la revolución de independencia de las colonias angloamericanas, deuda que por cierto pagó, en parte, la ciudad de México, no los nacientes Estados Unidos.

No debiera sorprendernos tanto desconocimiento de la historia de nuestro continente si reflexionamos que hasta el nombre de América asignado al Nuevo Mundo en 1507 por los cosmógrafos del monasterio de Saint-Dié, en Estados Unidos, lo usan hoy como si solo ellos fueran América y los demás pueblos del llamado "Continente de la Esperanza" existiéramos en una especie de limbo. Recuerdo a los alumnos centroamericanos de la Universidad George Washington, en la capital estadounidense, que se quejaban conmigo de que sus compañeros les decían que ellos no vivían en América. Yo les hacía ver a ellos que en 1507 las tierras que recorrió Américo Vespucio eran unas partes de Venezuela y de Brasil, a las que los monjes cosmógrafos decidieron designarlas con el nombre de *América*, ya que las otras tres partes de la Tierra, Asia, África y Europa poseían nombres femeninos. Las colonias angloamericanas del siglo XVII, futuros Estados Unidos, aparecieron más tarde en los mapas de América. Tuve el privilegio de acompañar al insigne historiador colombiano don Germán Arciniegas a visitar la National Gallery of Art en Washington DC, para ver el mapa original de América realizado en 1507 por el cosmógrafo Martin Waldseemüller, al servicio del duque de Lorena, en el monasterio de Saint-Dié. Ambos estábamos muy emocionados de verlo, sobre todo él, que tanto había escrito sobre el tema. De pronto, se colocaron cerca de nosotros dos damas habitantes de la Florida, quienes estaban muy enojadas porque Estados Unidos no aparecía en el mapa. Se sentían engañadas: ¡ese no podía ser el mapa de América!

Otro error frecuente, que produce serias consecuencias para el estudio de la historia del continente americano, es hablar de Latinoamérica o *América Latina*, término acuñado por los franceses en la segunda mitad del siglo XIX para referirse a los países integrantes de las monarquías española, portuguesa y francesa, es decir los que tenían como legado las lenguas romances. América Latina se refiere al ámbito cultural, no al geográfico; hace referencia a nuestros pueblos como parte de la cultura grecolatina, de la cual la Francia del Segundo Imperio de Napoleón III se sentía la principal heredera. Por lo tanto, es un grave anacronismo hablar de América Latina entre los siglos XVI y la primera mitad del siglo XIX.

También en el arte, los hechos de la conquista de la ciudad de México-Tenochtitlan, Tlatelolco y de sus actores han sido distorsionados. Generaciones de visitantes a los murales del Palacio Nacional de la capital mexicana, advierte el profesor Ríos Saloma, aprenden una serie de errores y una interpretación sesgada "anclada en tres ejes rectores: primero, que México como nación existía previamente a la llegada de Cortés; segundo, que la época virreinal fue un período de la historia de México marcado por la violencia, la explotación económica de los indígenas y la ambición de los conquistadores y encomenderos y, tercero, que, paradójicamente, el México contemporáneo era producto de la fusión de dos pueblos, de dos razas, de dos naciones, y, por lo tanto, era un México mestizo". Añadamos que Hernán Cortés es mostrado por Diego Rivera como un enano giboso, verde y enfermo. ¿Y desde cuándo un pintor, por más talentoso que sea en su arte, conoce la historia, si nunca la ha estudiado o, en el caso de Rivera, autor de los murales de Palacio, quiere crear un rechazo a todo lo que proceda de España y su cultura o tiene una ideología que busca, más que la verdad, propagar una crítica a lo que considera fue un abuso, una conducta criminal de los europeos con los pueblos originarios? El muralismo mexicano, de los años posteriores a la Revolución mexicana de 1910, nos presenta por lo general una pseudo historia que muy poco tiene que ver con lo que realmente ocurrió, pues responde a ideologías en boga durante aquellos difíciles años posrevolucionarios. Recuerdo como el mural de Jorge González Camarena (1908-1980) sobre la Conquista de México-Tenochtitlan en el Museo Nacional de Historia en el castillo de Chapultepec nos presenta a un guerrero mexica asesinando a un español a caballo que, a su vez, está matando al indígena, y las tres figuras están envueltas en un fuego voraz y en medio de una total destrucción. Violencia, agresión, muerte, odio, sintetiza un momento fundacional de nuestra historia, la cual no existiría si solo se aniquilaron ambos pueblos y quedó la nada. Increíble, pero a fines de los años ochenta el mural recibió el nombre de *La fusión de dos Culturas*. Cada vez que doy visitas guiadas al Museo Nacional de Historia, explico a los visitantes que los murales de reconocidos muralistas que se conservan en el castillo de Chapultepec no son testimonios históricos, sino producto de la imaginación, de la ideología y de una visión, de una propaganda sobre nuestra historia nacional, sesgada y manipulada por los diversos regímenes y por políticos que se justifican en ella, enseñada a generaciones de niños y jóvenes que la asumen como verdadera.

El profesor Ríos Saloma en su ensayo nos muestra cómo Cortés y sus compañeros eran un grupo minoritario en un mundo desconocido y que, por tanto, para sobrevivir, debieron adaptarse a las condiciones que la realidad les presentaba, y cómo los pueblos indígenas no solo fueron actores secundarios, sino de primer orden. Desde 1519 proveyeron de alimentos, de ayuda para cargar los enseres, dando a los europeos alojamiento en aposentos preparados, prestándoles auxilio militar, guiándolos por intrincados caminos y enseñándoles técnicas de combate de los pueblos originarios. No se puede dudar del genio militar de Cortés ni de su capacidad de formar alianzas. Por ejemplo, añado, alianzas con los treinta pueblos totonacas, con los tlaxcaltecas, con los altépetl o comunidades que rodeaban el lago de Texcoco, así como no podemos perder de vista la capacidad de los señores indígenas para negociar desde una posición de fuerza, no de debilidad. Cuando renovamos dos historiadores y quien esto escribe las salas del Museo Nacional de Historia en el castillo de Chapultepec, el doctor Antonio Rubial y yo cambiamos el nombre de la sala 3, "La Conquista", a "Las Conquistas", para incluir otros tipos de conquista, incluyendo a los Tlaxcaltecas, la espiritual, científica y tecnológica, cultural, geográfica hasta las Filipinas, las islas Marianas, Guam, etcétera.

Por su parte, el doctor Tomas Pérez Vejo, doctor en Geografía e Historia por la Universidad Complutense de Madrid y profesor e investigador del Instituto Nacional de Antropología e Historia (INAH), autor de obras como *Nación, identidad nacional y otros mitos nacionalistas* (1999) e *Imágenes e imaginarios sobre España en México: Siglos XIX y XX* (2007), a la pregunta "Colonia, ¿qué Colonia?", inicia su texto con una pregunta: "¿hasta qué punto resulta legítimo calificar de coloniales los tres siglos de pertenencia de los reinos americanos a la Monarquía Católica, mucho más monarquía compuesta que imperio con colonias y en las que, como consecuencia, el uso de los términos *colonia* y *colonial* resulta en gran parte anacrónico?". Contundente responde nuestro autor: "nunca fueron colonias". Incorporados los territorios americanos a la Monarquía como reinos anexos a la Corona de Castilla, mantuvieron ese estatus a lo largo de los tres siglos que en sentido estricto habría que denominar virreinales y no coloniales. Y recuerda las palabras del doctor Servando Teresa de Mier, autor de la primera obra sobre la guerra de independencia de la Nueva España publicada en Londres en 1813, que denuncia "el desatino de llamar colonias a unos reinos con todas las prerrogativas de los más distinguidos reinos de España", así como la *Declaración de la Junta Central* española, del 22 de enero de 1809, en que se afirmaba lo siguiente: "los vastos y preciosos dominios que España posee en las Indias, no son propiamente colonias o factorías como las de otras Naciones sino una parte esencial de la Monarquía Española".

El profesor Pérez Vejo, en sus investigaciones, ha encontrado que el término *colonias*, referido a los territorios americanos, aunque raro, aparece en algunos documentos privados, "pero nunca oficiales". Y señala cómo la ciudad de México se convirtió en "Una auténtica metrópoli imperial [...] mucho más metrópoli que Madrid y que la mayoría de las demás ciudades, 'cabeza de reino' de la Monarquía". Y añade: "si hay una capital imperial en la Monarquía Católica del siglo XVIII, desde el punto de vista arquitectónico-urbanístico, esta es México y no Madrid". Mirada que es compartida por viajeros como el barón Alexander von Humboldt que, en 1803-1804, admirado escribe: "México debe contarse sin duda alguna entre las más hermosas ciudades que los europeos han fundado en ambos hemisferios".[11]

Con Tomás Pérez Vejo podemos preguntarnos cómo llamar *colonia* a una Nueva España "que para las últimas décadas del siglo XVIII se había convertido en el eje financiero del mundo, que llegó a producir el ochenta por ciento de la plata que circulaba en el mercado mundial". Ya Charles Louis de Secondat, barón de Montesquieu (1689-1755), en *El Espíritu de las Leyes* (1748) señalaba: "las Indias y España son dos poderes bajo un mismo amo... el principal es las Indias. España no es más que un accesorio". La importancia del virreinato de la Nueva España, no solo para la Monarquía Hispánica, sino para la historia europea y asiática no ha sido destacada en investigaciones importantes publicadas en España, Francia, Inglaterra, la India, China, y otros muchos países.

El profesor Pérez Vejo señala cómo la plata novohispana fue la que permitió a la nueva dinastía borbónica mantener su papel como "potencia planetaria", cómo las fortificaciones de La Habana fueron pagadas en su totalidad por recursos novohispanos, cómo la guerra contra la invasión napoleónica de la península ibérica fue pagada en gran parte por Nueva España así como las armas inglesas compradas en 1809 para combatir a los franceses. Personalmente puedo añadir que muchos hechos memorables y cambios políticos importantes se llevaron a cabo y fueron financiados en Europa y Asia con pesos acuñados en la Casa de Moneda de México. He aquí solo algunos ejemplos: en 1785, la ciudad de México tuvo que pagar un millón de pesos para cubrir la deuda que el naciente Estados Unidos le debía a España por su generosa ayuda a la guerra de independencia de las colonias angloamericanas, deuda que al no poder pagarla con dinero, solicitó Estados Unidos a Carlos III cubrirla con harina enviada a Cuba; ayuda que recibieron los rebeldes angloamericanos en millones de reales para compra de balas, pólvora, bombas, gastos de mil trescientos hombres enviados por Bernardo de Gálvez para atacar a los ingleses en la Florida occidental y otros muchos apoyos; el avituallamiento de las Armadas de Francia y de España que combatieron en la batalla de Trafalgar (1805), gasto cuyas tres cuartas partes fueron pagadas por la Nueva España y una cuarta parte por Perú; los subsidios ingleses a Suecia, Holanda, Prusia y Austria para que abandonaran el apoyo a Napoleón I, pagados con plata novohispana y otros muchos casos que casi nunca se mencionan en la historia de dichos países.[12]

Recuerdo mi sorpresa al iniciar mis clases en la Universidad George Mason en el estado de Virginia, Estados Unidos, al enterarme que mi curso se titulaba "Colonial Latin America", curso muy frecuente en las universidades estadounidenses. Mi primera clase fue para explicarles a los estudiantes que el título de la clase era totalmente errado: pues ni éramos "colonias" ni tampoco el nombre *Latinoamérica* tenía sentido alguno en la época que estudiaríamos. Varias veces discutí con mis colegas estadounidenses por el uso anacrónico de "América Latina", por ejemplo, con doctores en Historia y bibliotecarios pertenecientes a famosas universidades y bibliotecas de Estados Unidos, en una reunión que tuvimos en la Biblioteca del Congreso sobre un posible proyecto de una "Guía de manuscritos originales sobre el Mundo Hispánico en Estados Unidos", obra que insistían en llamarla "*Latin American Manuscripts*". Objetaba yo dicho título, basada en mi experiencia de varios años en que dirigí en la Biblioteca del Congreso una investigación de cincuenta y tres colecciones de manuscritos copiados en España desde fines del siglo XIX por instituciones de Estados Unidos existentes en cuarenta y nueve archivos y bibliotecas de la Unión Americana, en las que la mayoría de los documentos se referían a los siglos XV al XVIII, y gran parte de ellos a la Nueva España. La respuesta de mis destacados colegas fue: "*Latin American* será, así les decimos y entendemos en Estados Unidos". Nunca se llevó a cabo tal proyecto.[13] Un nombre equivocado puede afectar todo el contenido de una obra, como es el caso de *The Cambridge History of Latin América* (1986-1995), cuyos volúmenes I y II, sobre "Colonial Latin América" desde 1500, omiten la historia de más de dos millones de kilómetros cuadrados de territorios actualmente en Estados Unidos, pero antes posesiones de Nueva España y de México hasta 1848.

Entre otros comentarios de gran interés, el profesor Pérez Vejo se refiere a una visión equivocada del arte novohispano en ciertos círculos académicos de algunos países, resultado del poco conocimiento de la historia del reino o virreinato de la Nueva España. Al considerar a los dominios americanos de la monarquía española como meras colonias, es lógico que las opiniones sobre su arte, literatura, ciencia, humanidades y otros conocimientos estén prejuiciados a considerarlos como copias de modelos extranjeros. Escribe nuestro autor: "el arte de la Nueva España y de los demás virreinatos no puede ser entendido como el resultado de copias más o menos imperfectas de modelos europeos sino como expresión de un común universo civilizatorio".

Esta apreciación del profesor Pérez Vejo la comprobé en toda su carga negativa cuando me tocó dar una visita guiada a la exposición realizada en el Museo Metropolitano de Nueva York en 1990 bajo el título "México. Esplendores de treinta siglos". Se reunieron unos trescientos setenta y cinco objetos y, en opinión de algunos, el folklore y el exotismo predominaron. Mi experiencia fue desalentadora: la parte dedicada a las culturas prehispánicas me pareció la mejor lograda, asesorada por especialistas mexicanos, pero, al continuar con la presentación del arte y cultura virreinal, se daba la impresión de que la Nueva España era un mero reflejo del arte europeo. Los curadores de esta sección eran los estadounidenses Johanna Hetch y Marcus Burke para el periodo "colonial", como le titularon. Era notorio cómo la narrativa de las épocas de la Independencia, la formación del Estado nación, la Reforma, el Porfiriato y la Revolución y los regímenes posrevolucionarios continuaban "el desencuentro entre la realidad histórica mexicana y el exotismo turístico", propio de un contexto neoliberal, de un discurso oficial y de los intereses y visión de una televisora.[14]

Vicente Guerrero, uno de los insurgentes que lograron unirse al proyecto de Agustín de Iturbide a fines de 1820 y en 1821 escribe a don Agustín, desde Rincón de Santo Domingo el 20 de enero de 1821, quejándose del trato de las Cortes de Cádiz a los diputados americanos:

"cuando llegó a nuestra noticia la reunión de las Cortes de España, creíamos que calmarían nuestras desgracias en cuanto se nos hiciera justicia, ¡pero qué vanas fueron nuestras esperanzas...!". Y continúa describiendo cómo rechazaron con ultrajes las justas y humildes representaciones de los diputados de la Nueva España, cómo no se le concedió a los americanos igualdad de representación y más grave aún: "ni se quiere dejar de conocernos con la infame nota de COLONOS; aún después de haber declarado a las Américas parte integral de la monarquía".[15]

En resumen, jurídicamente hablando, señala el maestro Pérez Vejo, "el Nuevo Mundo nunca fue colonia de España". Y dicho término "jamás se empleó en las leyes ni en la Administración imperial". Resulta, por lo tanto, incomprensible para nuestro autor —y me uno a ese sentimiento— el que los profesionales de la Historia usen la palabra *colonia* en contextos que en modo alguno pueden admitirla. En México, bajo el patrocinio de Fomento Cultural Banamex, A. C., se realizó una magna exposición en 2010-2011 en el Museo Nacional del Prado y en el palacio de Oriente de Madrid, con el sugerente título "Pintura de los Reinos. Identidades compartidas en el mundo hispánico". Se pudo apreciar el lenguaje común, así como las particularidades locales, en magníficas obras existentes en los diversos reinos de la monarquía, comentados en los cuatro volúmenes sobre el mismo tema, elaborados por especialistas de ambos lados del Atlántico donde se logró comprobar que tal riqueza de composición, de creatividad y originalidad no podía ser obra de meras factorías o colonias, sino de verdaderos reinos o virreinatos. Recuerdo con cariño a la doctora Juana Gutiérrez Haces, alma de este proyecto, y nuestras conversaciones sobre el error de llamar *coloniales* tales obras de arte y tantos años en que ella se reunió con especialistas del virreinato del Perú, de Nápoles, y otros reinos de la monarquía española para preparar dicha exposición que ya no pudo presenciar debido a su fallecimiento en 2007. Comentábamos, por ejemplo, la calidad y genial composición de las pinturas del novohispano Cristóbal de Villalpando (*ca.* 1649-1714), que en algunas de sus pinturas supera al mismo Rubens.

El editor de esta nao intelectual, don Emilio Lamo de Espinosa, quien nos encomendó presentar la realidad a través de hechos históricos confirmados que sirvan de base a interpretaciones certeras, y no a distorsiones, responde a dos preguntas: "¿una civilización propia?, pero ¿cuál?". Y a otra que se desprende de esa primera: "¿es América Latina parte de Occidente?".

Don Emilio ha cuestionado a quienes afirman que América Latina pertenece a un universo cultural o civilización propia, distinto de lo que llamamos Occidente. Tal es el caso de corrientes ideológicas como "el indigenismo latinoamericano que rechaza todo lo occidental en nombre de la preservación y de la esencia e identidad nativas que habrían sido destruidas por la colonización primero y por las repúblicas criollas después". El norte, se lamenta el autor, rechaza al sur en aras de su propia pureza y el sur rechaza al norte en aras de la suya.

Esta mirada distorsionada de la realidad tiene un antecedente. En el siglo XVIII, intelectuales franceses, ingleses y germanos, entre otros, se preguntaban si España era parte de Europa. Para algunos de ellos, los Pirineos eran la frontera con África. Para la visión ilustrada del siglo XVIII, España no había contribuido en absoluto a la civilización occidental. Y si España no era parte de Europa ni parte de Occidente, menos podríamos serlo sus vástagos, los países hispanoamericanos.

Fruto del desconocimiento de la historia de nuestros pueblos hispánicos, producto de una leyenda negra que obscurece el entendimiento y lleva a generalizaciones carentes de fundamento, lo que permanece es una leyenda o mito inspirado en un racismo nocivo que impide respetar y comprender al otro. Ejemplo de estas posiciones es Samuel P. Huntington quien, en su libro *El choque de civilizaciones: y la reconfiguración del orden mundial*,[16] considera a América Latina como una civilización aparte y distinta de la occidental que amenaza la supremacía e identidad de los estadounidenses. Lamentablemente, ideas como la de Huntington, falsas y teñidas de racismo, son compartidas por escritores e intelectuales hispánicos como Carlos Fuentes, quien se preguntaba con escepticismo cuál había sido la contribución de España al derecho. Pregunta que mostraba la gran ignorancia de Fuentes sobre su propia cultura hispánica, ignorancia que le llevaba a aceptar los planteamientos de la leyenda negra. España aportó, entre otros avances, las Leyes de los Reinos de Indias; el llamado Código Negro cuyo propósito era suavizar el trato a los esclavos; y la Constitución de Cádiz de 1812 que fue el modelo a seguir por los movimientos revolucionarios constitucionales de Grecia, Portugal, el Piamonte, los principados germanos, los Países Bajos y Nápoles en la década de los años veinte del siglo XIX.

Un somero conocimiento de la historia, de la literatura, del arte, de la ciencia, de las expediciones científicas y de la tecnología de los pueblos hispánicos desmiente la mirada despreciativa y equivocada de la leyenda negra. Una niña de inteligencia superior, nacida en Nepantla, bajo la sombra de los volcanes Popocatépetl e Iztaccíhuatl, joven monja de clausura en un convento del siglo XVII, ha sido considerada la poeta más completa del mundo hispánico de la época. Sor Juana Inés de la Cruz (1648-1695) sabía latín, náhuatl, castellano, se escribía con bienhechores, amigos, eclesiásticos, monjas, poetas, científicos e intelectuales que vivían en la Nueva España, en Europa y en América del Sur, y recibía a algunos de ellos que la visitaban en el convento de San Jerónimo. Nuestra "paisanita querida", como la llamaba un funcionario y literato de la Nueva Granada, era ávida lectora de clásicos griegos y latinos, de autores del Siglo de Oro español, de Erasmo de Rotterdam, Pico della Mirandola, santo Tomás de Aquino, san Agustín, Teresa de Ávila, fray Luis de Granada, san Ignacio de Loyola, Francisco de Quevedo, Luis de Góngora, entre otros.[17]

Don Emilio concluye, de manera convincente, que España y los pueblos hispánicos son una parte valiosa de la civilización occidental, y solo la ignorancia, la envidia, la inseguridad de otros países, puede explicar la actitud de querer negar el valor de sus aportaciones a la historia universal, la literatura, las artes, la política, las ciencias, el derecho, la filosofía y la gastronomía universal. Por cierto, en esta humilde área de la vida cotidiana, ¿qué haría la civilización occidental sin las aportaciones mexicanas a la cocina mundial? Sin maíz, chocolate, vainilla, tomate, aguacate, mamey, guanábana, piña, papaya, tunas, chirimoya, tejocote, camote, jícama, zapote negro, pitaya; sin especias como el achiote, el epazote y la chía; o sin productos como el chicle, el algodón, el hule, la cochinilla (con la cual se teñían de rojo las casacas británicas); o sin flores como el nardo, la dalia, la flor de nochebuena, hoy símbolo casi universal de la Navidad.[18] Algún autor considera que el jitomate (del náhuatl *xitomatl*) es el producto más utilizado en la cocina mundial. En Italia fue tan apreciado que se le llamó *pomodoro* o manzana de oro. Thomas Jefferson cultivó jitomates en 1781. ¿Podríamos siquiera imaginar una pizza de Nueva York, un bacalao a la vizcaína, unos espaguetis, un coctel de camarones, un gazpacho andaluz sin jitomate?[19] Desde luego que no.

Don Luis Francisco Martínez Montes, reconocido diplomático que ha sido consejero de la Embajada de España ante la Unión Europea y ante la Representación Permanente de España ante las Naciones Unidas, entre otros distinguidos cargos, contesta a la pregunta "¿Bárbaros? ¿Qué bárbaros?". Viejo lobo de mar en estos temas, con precisión y una cauda de datos nos muestra cómo España y la cultura hispánica han "aportado incontables conocimientos, avances, cultura y sensibilidad" a la cultura occidental.[20]

En un texto en que ofrece información detallada de las aportaciones del mundo hispánico a la historia mundial, don Luis refuta lo escrito por muchos autores que asignan la culpa del atraso material, de los sistemas políticos fallidos latinoamericanos y de la distancia material entre Estados Unidos y la América hispánica a que Estados Unidos son hijos de la Reforma protestante y de la Ilustración mientras que los hispanoamericanos venimos de una España que se cerró a la modernidad. Todo lo contrario señala don Luis: "entre finales del siglo xv y principios del siglo xix, la Monarquía Hispánica fue una de las mayores y más complejas construcciones políticas jamás conocidas en la historia".[21] Con hechos fehacientes prueba la falsedad de dichas apreciaciones: España promovió las expediciones marítimas que unieron a Asia con América y Europa; sus teólogos y togados promovieron los derechos de las personas, el moderno Derecho Internacional, llevó además a cabo las primeras expediciones científicas trasatlánticas y "erigió estructuras políticas y administrativas capaces de gobernar la vertiginosa diversidad de territorios y pueblos que llegaron a extenderse desde la Patagonia hasta la frontera de Alaska y desde Europa hasta Asia, rigiendo urbes tan cosmopolitas como la ciudad de México, Sevilla, Bruselas, Amberes, Nápoles, Milán y Manila". A la pregunta que se le hizo si España tenía miedo de la globalización, don Luis contestó con firmeza: "¿cómo vamos a tener miedo de la globalización si la inventamos nosotros?".[22] Y describe el ejemplo de comercio globalizado en el Parián, palabra tagala filipina, asentado en la plaza de Armas de la ciudad de México, construido entre 1695 y 1703, mercado de productos de lujo, orientales, europeos y americanos que no solo se vendían a las altas clases sociales sino a las más vulnerables. Era un mercado con ciento cincuenta tiendas de sedas, brocados, marfiles, porcelanas, relojes, especias, muebles, pero también de telas chinas o de la India, muy baratas, y vajillas más accesibles a la población pobre que las fabricadas en Puebla o en Guanajuato.

Recordemos el paliacate tan utilizado por los jinetes y arrieros novohispanos, y más tarde por los vaqueros de Texas, Nuevo México y California, procedente de la India; o las chaquiras y lentejuelas del Asia bordadas en tela de castor, tela de un paño chino de color rojo que es parte fundamental de la falda típica de la *china poblana*, el traje nacional mexicano. La tela procedente de China era más barata que la que se fabricaba en los obrajes de Nueva España. El término *china poblana* significaba la mujer de escasos recursos que se vestía con telas traídas de China, y como era del pueblo, se le llamó poblana. También en otros países americanos se les llamó *chinas* a las mujeres del pueblo.

Relata don Luis cómo de jovencito leyó *Tiempo nublado* (1983) de Octavio Paz y en general lo encontró muy interesante, pero cuestionó el capítulo sobre América Latina que sostenía una mirada negativa y crítica de los pueblos con cultura hispánica. Aprecié la misma visión negativa y sin sustento en la realidad en don Carlos Fuentes cuando escribió en un guion para el programa *El espejo enterrado*, patrocinado por la Smithsonian Institution y el Canal 4 de Inglaterra, entre otras descripciones, una en la que el rey Felipe II pasó cuarenta años vestido de negro, encerrado en un cuarto obscuro acompañado de pinturas deprimentes de Jerónimo Bosch "El Bosco" (1450-1516); y otra donde los estudiantes españoles que estudiaran en universidades extranjeras en Europa serían condenados a muerte. Los historiadores que fuimos llamados a revisar dicho guion omitimos tales barbaridades.

Don Luis Martínez Montes en su libro *España: Una historia global*[23] ha descrito cómo "España y el más amplio Mundo Hispánico han contribuido a la Historia Universal y en concreto, a la Historia de la Civilización, no solo durante el apogeo del Imperio español sino a través de un período mucho más amplio".[24]

El maestro José María Ortega Sánchez, en su ensayo "La 'mirada' anglosajona sobre el mundo hispánico",[25] comenta una serie de obras y artículos que contestan a la pregunta "Mirada, ¿de quién?". Y muestra la mirada de algunos autores que no solo revelan desconocimiento, ignorancia y abuso de adjetivos calificativos muy arraigados pero que además creen poder interpretar la cultura hispánica basados en premisas falsas, en prejuicios añejos, en emociones negativas más que en resultados de una rigorosa investigación en fuentes confiables.

José María expone los errores y distorsiones que se aceptan acríticamente por medios de comunicación, entre ellos diarios tan conocidos como *The Washington Post, The New York Times* y otros más; yerros y entuertos considerados como si fueran aportaciones a una supuesta Historia del Mundo Hispánico, a la de sus principales personajes y a sus características culturales, datos sin fundamento difundidos por periodistas y críticos literarios, por comunicadores de radio, televisión y redes sociales, poco conocedores de la realidad hispánica.

José María Ortega Sánchez inicia su ensayo señalando con pleno conocimiento de causa los múltiples errores de la mirada plasmada en dos obras de la escritora Marie Arana, autora alabada y premiada en Estados Unidos por su "sorprendente originalidad", de acuerdo con la opinión de jueces desconocedores del tema. Si un estudiante de bachillerato en México hubiera escrito, como lo hace Arana en su libro *Bolívar: American Liberator* (2013), los párrafos criticados acertadamente por José María en los que ella afirma que el primero de abril de 1767 fueron expulsados todos los sacerdotes jesuitas de la América española (cuando en Nueva España este hecho sucedió el 25 de junio de aquel año), error al cual ella añade otro: que la decisión de expulsar a los miembros de esa orden religiosa la tomó Carlos IV, cuando en realidad fue su padre Carlos III quien dio la "Pragmática Sanción" para llevar a cabo tal medida, nuestro joven alumno hubiera reprobado el curso de historia de México.

Esta medida contra la Compañía de Jesús hirió la sensibilidad de las poblaciones de la América española y se convirtió en uno de los agravios acumulados en los dominios españoles americanos, por ejemplo en la Nueva España, donde en los once años de guerra civil por la independencia consumada en 1821, todos los dirigentes de las diversas etapas del movimiento liberador pedían el regreso de los jesuitas.[26] Don José María apunta que la idea central de la biografía de Bolívar escrita por Arana y de su siguiente libro, *Silver, Sword, and Stone: Three Crucibles in the Latin American Story*,[27] es absurda, ya que según ella la "reconquista" española forjó un país de tarados, repudiados en Europa por su violencia y fanatismo. La "brutal y fanática purga" de judíos y de moros en la península ibérica fue continuada en América. La Iglesia católica y el Ejército español impusieron un abominable yugo basado en "un estricto autoritarismo y una corrupción sofocante". Por supuesto, los tarados ibéricos traumatizaron durante tres siglos a los americanos, daño que fue afectando a las sucesivas generaciones hasta llegar al día de hoy, dando por resultado a hispanoamericanos que llevan la violencia en su sangre. Arana generaliza sin base y aplica adjetivos calificativos a granel, de lo cual resulta una obra en la cual no se puede confiar. Sin embargo –anota José María Ortega Sánchez–, la actitud positiva hacia estos controvertidos libros ha llegado al exceso de que, tras ellos, la autora fue premiada por la American Academy of Arts and Letters y de que Walter Isaacson, quien dirigió el Aspen Institute, llegara a afirmar que la biografía de Bolívar escrita por Arana era "una obra maestra de historia".

En *Silver, Sword and Stone*, Marie Arana revela la magnitud de su desconocimiento sobre la historia iberoamericana. Líneas arriba mencionamos el anacronismo en que se cae al utilizar el término *Latinoamérica* o *América Latina* para períodos anteriores a la mitad del siglo XIX, ya que ese nombre surgió en la Francia de Napoléon III. Arana usa constantemente ese término, así como usa el de *colonias*. Abusa tanto de la palabra *colonias* que en la página 168 de esta última obra habla de "las colonias de Buenos Aires, Bogotá, Quito y México". ¡Las ciudades convertidas en colonias!

No faltan en este disparatado libro frases como "el cruento salvajismo de la conquista española", y la absurda reducción de la complicada historia de los países iberoamericanos a "tres obsesiones que han detenido a América Latina por el pasado milenio", siendo estas: 1) la plata: el deseo sin medida por los metales preciosos; 2) la espada: una cultura de violencia persiste en "Latinoamérica", desde los "guerreros chimú que tasajeaban a sus enemigos hasta los cuchillos burdos de cocina usados por los *gangsters* de los Zeta en la ciudad mexicana de Juárez"; y según dicha autora, las ciudades "más peligrosas del mundo están en América Latina"; 3) la piedra: la Iglesia católica, que según Arana se convirtió en una burocracia, una operación de venta, una amplia red financiera. Su objetivo, en vez de apacentar al humilde y pobre, "era su propia glorificación".[28] Un error cometido continuamente por Arana es equiparar a la Iglesia católica con la jerarquía eclesiástica; *iglesia* significa 'comunidad', 'asamblea', es decir, todos los bautizados que, en el caso de los virreinatos de Nueva España y Perú, serían prácticamente todos los habitantes.

Una serie de falsas afirmaciones pespuntean la obra antes mencionada. Por ejemplo: "los vencidos fueron asignados directamente a las encomiendas: tierra entregada a los conquistadores, funcionarios y sacerdotes" y "Los españoles simplemente se apropiaron de territorios completos, esclavizaron a todos los que vivían en ellos, persiguieron a los fugitivos y forzaron a sus cautivos a trabajar en sus minas en condiciones traicioneras, muchas veces fatales, sin atender a sus necesidades espirituales".[29]

Lo anterior refleja una horrenda y por demás falsa visión de la acción de los españoles en América: las encomiendas no daban tierras a los encomenderos, solo la fuerza de trabajo de los habitantes de dichas tierras, como se hacía antes de su llegada mediante el tequio prehispánico: trabajo de cuadrillas enviadas por la comunidad indígena para colaborar en obras de utilidad pública, como caminos, presas, iglesias, hospitales, etcétera. Por otra parte, la reina Isabel la Católica, en su testamento de 1504, prohibió la esclavitud de los indios y en 1542 las Leyes Nuevas de Indias prohibieron esclavizar indígenas en el Nuevo Mundo y previeron el fin de las encomiendas.

A propósito de *Silver, Sword and Stone* puede decirse, haciendo referencia a un refrán popular, que en tierra de ciegos, el tuerto es rey. Entre otras recomendaciones laudatorias, Candice Millard, ganadora del BIO Award 2017, nos dice José María Ortega Sánchez, aseguró que nunca había leído un libro de tan "asombrosa amplitud e intrincada profundidad"; Julia Álvarez, galardonada con la National Medal of Arts 2013, la sugirió como "lectura obligatoria para cualquiera que quiera conocer este hemisferio"; Jon Meacham lo declaró "digno de leerse". La Biblioteca del Congreso en Washington DC, nombró a la señora Arana "Literary Director" ['directora literaria']. Para José María la explicación de que semejantes obras, plagadas de errores, de generalizaciones, de adjetivos calificativos, de comparaciones equivocadas, sean elogiadas es "porque responden a la forma de mirar lo español —e hispano— mayoritaria en el mundo —académico y no académico— anglosajón [...] y esta es la razón de su acogida".

Recuerdo mi sorpresa al llegar a la Biblioteca y ver que no usaban tildes ni ñ para el español. Les probé lo esencial que eran. Ante el enorme desconocimiento de la cultura hispánica, sugerí a varios empleados de la Biblioteca que fundáramos un grupo con el objetivo de hacer respetar a nuestro idioma y cultura. Se fundó la Hispanic Cultural Society of The Library of Congress para dar a conocer la amplitud y riqueza de nuestra cultura en todos los ámbitos del conocimiento a través de una conferencia mensual que titulamos "Tertulia" en español. Recuerdo también la indignación que sentí cuando en una reunión organizada por la Biblioteca del Congreso para bibliotecarios de Estados Unidos, se les regaló un mapa de "bibliotecas en el mundo": Gran Bretaña apenas se veía de tantas bibliotecas que tenía y Estados Unidos lucía otras tantas. En cambio, toda Iberoamérica aparecía con dos bibliotecas: una en México y otra en Brasil. España no tenía ninguna; solo mostraba la figura de un toro y su torero. Molesta por ello escribí al director de la Biblioteca, el doctor James Billington, y le dije que ese mapa era una broma pesada y sin gusto y que me extrañaba que una institución tan seria como la Biblioteca del Congreso avalara semejante mapa.

Viene a mi memoria también el enfrentamiento que sostuve con los directivos de la sección de Manuscritos de la misma Biblioteca, que se atrevieron a cambiar la identificación de los documentos copiados en España a una catalogación "modernizada", completamente errada. Por ejemplo, un manuscrito del Archivo General de Indias clasificado como

AGI, Estado, Audiencia de Santo Domingo, lo cambiaron a AGI, República Dominicana. Les argumenté que el cambio era una barbaridad, ya que la Audiencia de Santo Domingo, fundada en 1511, era un tribunal de justicia y un órgano de gobierno que tenía una jurisdicción sobre las islas del Caribe, la Florida (1512), la Nueva España (1522), Veragua, Nicaragua, Guatemala, Honduras (1523), Venezuela, Santa Marta (1523), por lo que no era equiparable a la República Dominicana, que constituía la mitad de una isla.[30] A esta objeción mía, ellos contestaron que "eran los mejores catalogadores del mundo", y que no confiaban ni en España ni en mi persona. Respondí que el cambio de las siglas originales de los manuscritos solo se lo habían hecho a los que procedían de archivos españoles y no a los copiados en Inglaterra, Francia y otros países. Y pregunté, a guisa de ejemplo, que si "modernizaban" las clasificaciones de copias de manuscritos ¿por qué no hacían lo mismo con un manuscrito procedente de un archivo inglés al cual le sustituyeran "Boston Militias" por "Pentágono"? Señalé además que si alguien tenía experiencia en archivos oficiales era España, cuyo Archivo de Simancas fue fundado en el siglo xv por los Reyes Católicos, mientras que los Archivos Nacionales de Estados Unidos eran de la época del presidente Franklin D. Roosevelt fundados en la década de los años treinta del siglo xx.

En esta discusión estuvo presente el subdirector de la Biblioteca del Congreso, quien aceptó mis objeciones y me apoyó. Aunque admiro los tesoros que resguarda la Biblioteca del Congreso en más de ciento cincuenta idiomas, así como el trabajo profesional y heroico de miles de sus empleados, también en sus oficinas, pasillos y salas de lectura deambulaban resquicios de la leyenda negra contra lo hispánico.

Sorprende la cantidad de errores que aparecen en obras como *Silver, Sword and Stone* de la escritora Marie Arana. En el índice aparece Moctezuma I como "emperador mixteca"; Felipe II como "emperador del Sacro Imperio Romano"; Maximiliano I es "rey de México"; Carlota "princesa de México"; "Tazco" por Taxco, etcétera. Lo más grave de obras como las de Arana son las generalizaciones negativas. Carrie Gibson, autora del libro *El Norte. The Epic and Forgotten Story of Hispanic North America*,[31] escribió en el diario inglés *The Guardian* que los capítulos de la obra de Arana presentan a América Latina como "un caleidoscopio de horrores" y lo que más le parece preocupante de ese libro es que repite varias veces que "la violencia se encuentra de alguna manera en la sangre de todos los latinoamericanos".[32] A lo anterior agregaría, quien escribe el presente epílogo, el equívoco de una "Latinoamérica" que para Arana termina en el río Bravo, a pesar que desde el siglo XVI a 1848, gran parte de lo que hoy es de Estados Unidos perteneció a Nueva España y a México, error que, como se ha mencionado líneas arriba, es muy frecuente en los países de habla inglesa.

Después de dar un gran número de ejemplos de lo que llama la "mirada anglosajona" en escritos, libros y artículos, José María Ortega Sánchez reflexiona que dicha mirada debe de ser considerada "un discurso de odio contra el mundo hispano", por lo que es vital para Hispanoamérica revisar su pasado histórico y "aceptar el valor fundacional de la Monarquía Católica, que es un vínculo con España, el resto de Hispanoamérica y Occidente".

Como mexicana y profesora de Historia de México, reconozco que la impronta que dejó España en Hispanoamérica tanto en su historia como en su cultura es imposible de negar. Cualquier persona que recorra nuestras ciudades, pueblos, villorrios, haciendas, ranchos, alquerías y comunidades lejanas podrá observar la presencia de una iglesia; una plaza situada frente a ella; los edificios o casas de las autoridades locales; los arcos que adornan las fachadas; los balcones de hierro forjado; los hogares escondidos detrás de altos muros; los faroles encendidos por las noches en callejuelas empedradas; los patios interiores rodeados de columnas y macetas de geranios y plantas de ornato; el suave sonido del idioma español mexicano mezclado con palabras de los pueblos originarios; la música que recuerda una tarde de toros, una romería o una serenata al pie de una ventana; las fiestas del santo patrón de cada pueblo; las tradiciones de Semana Santa, de Corpus Christi, del Día de Muertos, las posadas, las pastorelas, las piñatas, los nacimientos con ángeles, pastores, buey y burro, un ermitaño y un Lucifer agazapado..., todo ello resultado de la fusión de las antiguas civilizaciones originarias y de los trescientos años de pertenecer a una unidad: la Monarquía española, con territorios desde los confines de Alaska hasta Tierra del Fuego y el estrecho de Magallanes.

Como dice el refrán popular: "no podemos negar la Cruz de la parroquia"; es decir, la pertenencia a un pueblo multicultural, multiétnico, mestizo, en donde el componente hispánico fue y sigue siendo innegable, desde 1519 a la fecha. Es necesario conocernos para aceptarnos como realmente hemos sido y somos. Debemos liberarnos de una serie de prejuicios y distorsiones de nuestro pasado que nosotros mismos hemos asumido como verdaderos; esto nos debilita ante el concierto de las naciones. Es imperioso que nos liberemos de los adjetivos injustos que nos han impuesto otros y que nosotros hemos aceptado sin el menor cuestionamiento. Los hispanoamericanos estamos obligados a investigar con objetividad y rigor nuestra historia, desde el siglo xv a la segunda década del siglo xix. Hay que saber que por trescientos años nuestra historia formó parte de una historia mayor: la de una unidad llamada Monarquía española que entrelazaba a la península ibérica con todos los reinos, virreinatos, capitanías generales, islas y provincias que conformaban ese conjunto global. "Hoy Hispanidad −nos dice José María Ortega Sánchez, citando a Mario Vargas Llosa− rima con libertad".

Por su parte, la doctora en Filología e historiadora, doña María Elvira Roca Barea, ha sido una valiente defensora de la cultura hispánica y, como un Quijote femenino, ha enfrentado los molinos de vientos huracanados del presentismo y de la renovada leyenda negra contra todo lo hispánico. Ha demostrado en obras tan reconocidas como *Imperiofobia y leyenda negra. Roma, Rusia, Estados Unidos y el Imperio español*,[33] los orígenes de la leyenda negra, por qué surge esta, qué elementos la configuran y cómo se expande hasta convertirse en opinión pública y termina por sustituir a la historia.

Doña Elvira no da meras opiniones, proporciona datos sólidos basados en evidencias procedentes de manuscritos y documentos originales de varios archivos y bibliotecas. Demuestra cómo el Imperio español fue uno de los mayores y más longevos imperios de la humanidad, el más grande imperio cristiano de Occidente, por lo cual generó enemigos poderosos que respondieron con ataques cuyo fin era distorsionar la imagen de ese poder que les amenazaba.[34]

A la pregunta "Frontera, ¿con quién?", nuestra autora, originaria de Málaga, responde: casi la mitad de lo que hoy es Estados Unidos fue en algún momento parte de la Monarquía Hispánica; entre estas tierras estaba el actual estado de California, región enorme que perteneció a México hasta 1848.

La doctora Roca Barea da inicio a su ensayo con una mención a tres casos dignos de llamar la atención: 1) una alumna de origen mexicano en Los Ángeles que ignoraba que México era un país extranjero; 2) Juan de Oñate, nacido en el actual estado de Zacatecas, quien recorrió a caballo y a pie el camino hacia el norte del virreinato de la Nueva España, desde la ciudad de México hasta Santa Fe, Nuevo México; 3) fray Junípero Serra, nacido en Mallorca, y enterrado en Carmel, California, quien fuera el fundador de las misiones franciscanas de la Alta California, a excepción de la de San Francisco.

En referencia al primer caso, el de la jovencita de Los Ángeles que desconocía que México fuera un país extranjero, diferente a Estados Unidos, no me sorprende. Primero que nada, porque esa chica me recuerda a una joven universitaria estadounidense quien me preguntó en una boda en Cuernavaca: "Y tú, ¿a cuál tribu perteneces?". Por unos momentos no supe qué contestarle; pasada mi sorpresa ante esa absurda pregunta, le respondí: "Mira, aquí en esta zona central y sur de México existieron grandes y adelantadas civilizaciones; quizá alguno de mis remotos antepasados perteneció a alguna de ellas, pero no sé a cuál".

En segundo lugar, no me sorprende la ignorancia mostrada por estas jóvenes si centros culturales como la Smithsonian Institution de Washington DC, distribuyó un folleto que invitaba a un "Domestic-Trip", esto es, al interior de Estados Unidos, con estas palabras: "*Come to Baja*". Al ver esto, escribí de inmediato al director del Instituto Smithsoniano para hacerle ver los errores contenidos en dicho folleto: *Baja* –le explicaba– no es nombre; es un adjetivo que significa '*Lower*'. ¿Usted cree que es correcto decir que alguien viaja a *New*? En Estados Unidos existen New York, New Orleans, New England, New Jersey; no *New* a secas. Lo mismo sucede en México. La península de Baja California –aclaré en mi carta– es la antigua California del siglo xvi, en donde el propio Hernán Cortés vivió en 1535 durante un año. Esta península no se encuentra en Estados Unidos sino en México, por lo que el viaje en cuestión no era nacional (doméstico en términos estadounidenses) sino internacional. La respuesta del director del reconocido Instituto fue que ellos encargaban la publicidad a una empresa y así pretendió lavarse las manos como Pilatos.

La profesora Roca Barea destaca que Juan de Oñate, nacido en 1550 en Pánuco, Zacatecas, fue un minero casado con Isabel de Tolosa Cortés Moctezuma, nieta de Hernán Cortés y de la princesa mexica Isabel Moctezuma. El virrey de la Nueva España, don Luis de Velasco, otorgó permiso a Oñate para explorar la Gran Chichimeca, región de grupos indígenas cazadores recolectores. Oñate y su expedición avanzaron lentamente. Ciento veintinueve soldados, numerosas mujeres y niños, esclavos negros, cuatrocientos tlaxcaltecas, ochenta y tres carretas y siete mil cabezas de ganado llegaron a Santa Fe, con lo cual abrieron el Camino Real de Tierra Adentro, hoy declarado por la UNESCO Patrimonio de la Humanidad. No obstante, este notable esfuerzo, en junio de 2020 la estatua de Oñate en Santa Fe fue retirada por órdenes de la gobernadora de Nuevo México, Michelle Luján Grisham, en un acto de condena al recuerdo de la presencia hispana en esas tierras y a sus vestigios históricos. De acuerdo con nuestra autora, este hecho de desprecio hacia el pasado hispano es un intento "de borrar las huellas del mundo hispano que precedió al dominio anglosajón del territorio, aniquilar sus símbolos o al menos quebrantar su prestigio y transformar estos lugares de memoria en una herencia de la que hay que avergonzarse".

Como bajacaliforniana, la autora de estas líneas agradece el interés de la doctora Roca Barea en el caso de las Californias. Ella menciona el interés creciente de varios comerciantes estadounidenses, rusos, ingleses y algunos novohispanos en la venta de las pieles de nutria, pequeño animal de hermoso pelambre, cuya piel era muy apreciada en los imperios chino y ruso.

Alta California, indica doña Elvira, despertó gran interés en la mitad del siglo XVIII. Citando a Irving Berdine Richman, recuerda que en enero de 1768, el visitador de Nueva España, don José de Gálvez, envió a Carlos III un "Plan para la erección del Gobierno y Comandancia General que comprende la península de California y las provincias de

Sonora, Sinaloa y Nueva Vizcaya", en el cual recomienda la colonización de la Alta California basado en tres razones: 1) los intentos de dos siglos de Francia e Inglaterra para descubrir el estrecho de Anián;[35] 2) la reciente conquista de Canadá por Inglaterra, nación esta última que no reparaba en gastos, diligencia ni fatiga en adelantar sus descubrimientos y 3) los esfuerzos de Rusia promoviendo expediciones desde Kamchatka a las islas Aleutianas para penetrar nuestras Indias por el camino del mar Tártaro.

Estados Unidos se dio cuenta muy pronto del valor estratégico de las Californias, particularmente de los puertos de San Diego y San Francisco. En la primera narración que se conoce escrita por un estadounidense sobre las Californias, el *Diario de un viaje entre China y la costa noroeste de América efectuado en 1804*, del comerciante de pieles de nutria William Shaler (1773-1833),[36] originario de Connecticut, uno de aquellos mercaderes estadounidenses conocidos en la América española como "Bostoneses", audaces comerciantes que cruzaban el estrecho de Magallanes y subían por la costa del Pacífico hasta Alaska. Tuve la fortuna de encontrar su *Diario* publicado en Filadelfia en 1808 en el *American Register*, en un estante de la Biblioteca del Congreso y decidí traducirlo y anotarlo para que fuera publicado por la Universidad Iberoamericana de Ciudad de México en 1990.

En su *Diario*, Shaler describe las misiones de la Alta California, y, entre otros comentarios, nos dice: "las misiones de San Francisco, Santa Clara y Pueblo de San José están bajo la jurisdicción de San Francisco. El capitán Vancouver las presenta como muy fértiles y florecientes y los españoles los estiman como los establecimientos más ricos de estas tierras".[37] Shaler se refiere más adelante a Santa Cruz, La Soledad, El Carmelo, San Antonio, San Miguel, "todas se reputan por ricas en ganado y granos".[38] Este viajero señala que la misión de San Luis Obispo "tiene un ganado que excede mil cabezas de ganado vacuno, además de caballos, ovejas, puercos, cabras..., se dice que sus construcciones son excelentes, aún las habitaciones de los indios son de piedra y argamasa".[39] La misión de Santa Inés le parece muy fértil, está bien irrigada y en general las misiones californianas le merecen buena impresión por sus cosechas de trigo y maíz, la cantidad de cabezas de vacas, toros, caballos, ovejas. Santa Bárbara y su región era "muy rica en ganados y granos, en viñedos y frutas".[40] Lo más grave del relato de Shaler se encuentra en las varias invitaciones que él hace al lector estadounidense de adueñarse de las Californias: "la conquista de esta tierra costaría poco; sucumbiría sin esfuerzo ante una fuerza de poca consideración".[41] "En una palabra, a pesar de los españoles, sería tan fácil quedarse con California como arrebatárselas en un principio".[42]

Contrastan las descripciones de Shaler sobre la fertilidad y estabilidad económica y social de las misiones californianas con la visión actual, negativa, distorsionada, sobre los franciscanos y fray Junípero Serra, fundador de todas las misiones de California, menos de la de San Francisco, misión establecida después de su muerte. Según nuestra autora, en su ensayo incluido en la presente obra: "La destrucción de todo lo que tiene que ver con la presencia hispana en Estados Unidos se presenta artificialmente como una condena moral de la conquista española, porque solo esta conquista es conquista y merece un juicio moral condenatorio pero no la conquista azteca o la conquista anglosajona mismamente, que son motivo de orgullo y veneración y parecen mágicamente haberse realizado sin violencia ni guerra". Observa la doctora Roca Barea que el 12 de octubre se presentan pequeñas obras de teatro en las escuelas primarias públicas del estado de California, donde niños vestidos con hábitos franciscanos azotan a otros niños vestidos de indios. De esta manera, tanto los niños como sus familias creen erróneamente que los franciscanos fueron quienes acabaron con la población indígena de California y no quienes se asentaron ahí después de 1848, cuando la Alta California pasó a formar parte de Estados Unidos a resultas de la injusta guerra iniciada en contra México en 1846. Es importante para algunos estadounidenses, reflexiona doña Elvira, "borrar las huellas del mundo hispano que precedió al dominio anglosajón, aniquilar sus símbolos, o al menos quebrantar su prestigio y transformar estos lugares".

El descubrimiento de oro en las montañas de California puso en marcha el llamado "Gold Rush" que devastó a California al llegar una multitud de buscadores de oro en 1849. Esto –señala la doctora Roca Barea– aunado a una Administración estadounidense indiferente a la protección del derecho de propiedad de las tierras de los californios y de las poblaciones indias, lo cual constituyó una "flagrante violación" del Tratado de Guadalupe Hidalgo (1848), que obligaba a Estados Unidos a respetar las propiedades de los habitantes mexicanos. Este tratado fue inmediatamente violado por Estados Unidos porque se modificó también el artículo 9 del mismo que preveía la protección del derecho a la ciudadanía por parte de los mexicanos, incluidos los indios que, desde la Constitución de Cádiz de 1812, eran ciudadanos con plenos derechos. Sería hasta la segunda década del siglo XX cuando Estados Unidos concedió la ciudadanía a los indígenas dentro de su territorio. La doctora Roca Barea afirma que existe una fijación equivocada sobre el ser de "color" o "blanco"; por supuesto, los hispánicos son de "color", incluyendo al actor español Antonio Banderas, así presentado en enero de 2020 en Estados Unidos.

Cuando quien esto escribe fue contratada en la Biblioteca del Congreso para dirigir el proyecto sobre copias de documentos fotografiados y microfilmados en España por cinco instituciones de Estados Unidos, fui entrevistada por un agente del FBI quien me preguntó: ¿a qué raza pertenece? "Usted es mexicana, pero no es morena, ni negra, ni amarilla, y blanca no puede ser". Nadie jamás me había preguntado algo así. Yo contesté: "donde dice raza, ponga 'humana'". Derivado de la ignorancia, muchos estadounidenses no imaginan que los mexicanos somos un pueblo mestizo a consecuencia de la mezcla de etnias y nacionalidades. Un médico que investigaba el genoma mexicano me explicaba que los científicos han encontrado en los habitantes de México la presencia de todas las sangres posibles, de los pueblos originarios, de árabes, de judíos, de europeos (particularmente españoles, franceses, portugueses, alemanes) de asiáticos, de africanos y de Oceanía. Todos los colores de piel se pueden encontrar en nuestro país; también todos los colores de ojos, como puede verse en un *collage* que obra en el Museo Nacional de Historia en el castillo de Chapultepec en el cual se muestran fotografías de ojos mexicanos con una gran variedad de colores negros, cafés, verdes, azules y grises provenientes de todo el país.

Terminaré el presente epílogo con las palabras de sor Juana Inés de la Cruz respecto a lo que sucede cuando una persona, una cultura, un pueblo sobresale en la historia como ocurrió con el Imperio español. "Quien sobresale −escribe la Décima Musa− no puede estar sin púas que la puncen, quien está alto. ¡Infeliz altura... la altura del entendimiento es la que más atacan!".

Convencidos del valor y de la riqueza de las aportaciones de España y de los pueblos hispánicos a la cultura occidental y a todos los pueblos de la tierra; convencidos de su altura de miras, enfrentaremos esas manifestaciones de odio, de racismo, de violencia a nuestras tradiciones, a nuestros usos y costumbres, como distorsiones de los hechos históricos y como generalizaciones negativas de quienes se niegan a reconocer el verdadero papel de lo hispánico en la historia mundial. Sin flaquear −como lo hiciera la expedición finalizada por Elcano− es nuestro propósito enfrentar estos vientos huracanados de la leyenda negra mediante la investigación y el estudio riguroso de la historia de la hispanidad, labor que reconocidos intelectuales hispanos, iberoamericanos y de otras regiones del globo han venido haciendo desde hace tiempo, esfuerzo que debe de darnos ecuanimidad, serenidad y seguridad para mostrar con orgullo nuestras aportaciones a la cultura occidental y a otras culturas.

Al puerto de partida hemos arribado al término de nuestra circunnavegación.

San Miguel de Allende, Guanajuato
4 de diciembre de 2020

BIBLIOGRAFÍA

ALESINA, Alberto; DEVLEESCHAUWER, Arnaud; EASTERLY, William; KURLAT, Sergio y WACZIARG, Romain (2003): "Fractionalization", *Journal of Economic Growth*, vol. 8, n.º 2, pp. 155-194.

ANNINO, Antonio (2008): "Imperio, constitución y diversidad en la América hispana", *Historia Mexicana*, vol. LVIII, n.º 1, julio-septiembre, pp. 179-228.

ARACIL VARÓN, Beatriz (2016): "'Yo, don Hernando Cortés'. Reflexiones en torno a la escritura cortesiana", Madrid, Universidad de Navarra/Iberoamericana/Vervuert.

ARJOMAND, Said y TIRYAKIAN, Edward A. (2004): *Rethinking Civilizational Analysis*, Londres, Sage Publications.

BABINGTON MACAULAY, Thomas (2011): *The History of England from the Accession of James II*, Cambridge, Cambridge University Press.

BLUMENBERG, Hans (2008): *La legitimación de la Edad Moderna*, Valencia, Pre-Textos.

BOLÍVAR, Simón (2017 [1815]): *La carta de Jamaica 200 años después. Vigencia y memoria de Bolívar*, Barcelona, B de Books.

BOLTON, Herbert Eugene (1996 [1921]): *The Spanish Borderlands: A Chronicle of Old Florida and the Southwest*, Albuquerque, University of New Mexico Press.

BONFIL BATALLA, Guillermo (1987): *México profundo, una civilización negada*, Ciudad de México, Grijalbo.

BRADING, David A. (1991): *The First America. The Spanish Monarchy, Creole Patriots, and the Liberal State, 1492-1867*, Cambridge, Cambridge University Press.

CAÑIZARES-ESGUERRA, Jorge (2006): *Nature, Empire, and Nation. Explorations of the History of Science in the Iberian World*, Stanford, Stanford University Press.

— (2001): *How to Write the History of the New World. Histories, Epistemologies, and Identities in the Eighteenth-Century Atlantic World*, Stanford, Stanford University Press.

CÁRABES PEDROZA, Jesús (1960): *Mi libro de tercer año. Historia y Civismo*, Ciudad de México, Comisión Nacional de Libros de Texto Gratuitos.

CHANG-RODRÍGUEZ, Raquel (ed.) (2010): *Entre la espada y la pluma. El Inca Garcilaso de la Vega y sus "Comentarios Reales"*, Lima, Fondo Editorial de la Pontificia Universidad Católica del Perú.

CLARK, Kenneth (1969): *Civilisation. A Personal View*, Nueva York, Harper & Row.

COELLO DE LA ROSA, Alexandre y NUMHAUSER, Paulina (2012): "Introducción: criollismo y mestizaje en el mundo andino (siglos XVI-XIX)", *Illes e Imperis*, n.º 14, pp. 13-48.

COMISIÓN NACIONAL DE LIBROS DE TEXTO (1982): *Ciencias sociales. Cuarto grado*, Ciudad de México, Secretaría de Educación Pública.

CURIEL MÉNDEZ, Gustavo; GUTIÉRREZ, Juana y RUIZ GOMAR, Rogelio (2001): "El Parián", *Anales del Instituto de Investigaciones Estéticas*, n.º 78, pp. 213-220.

DAWN, Ades (1989): *Arte en Iberoamérica, 1820-1980*, cat. exp., Madrid, Ministerio de Cultura/Centro de Arte Reina Sofía.

DÍEZ DEL CORRAL, Luis (2018): *El rapto de Europa. Una interpretación histórica de nuestro tiempo*, Madrid, Ediciones Encuentro/Instituto de Estudios Europeos.

DOLSON, Bill (2014): "Urban View Painting in Spanish Colonial Latin America: Mechanisms of Control in a Nascent Surveillance Society", *Hemisphere: Visual Cultures of the Americas*, vol. 7, n.º 1, pp. 25-46.

DURKHEIM E., y MAUSS, M. (1971): "A Note on the Notion of Civilization", *Social Research*, vol. 4, n.º 38, pp. 808-813.

EZLN (1994): *Primera Declaración de la Selva Lacandona*. Disponible en https://enlacezapatista.ezln.org.mx/1994/01/01/primera-declaracion-de-la-selva-lacandona/ [consultado el 14/09/2020].

FERGUSON, Niall (2012): *Civilización. Occidente y el resto*, Barcelona, Debate.

FERNÁNDEZ ARMESTO, F. (2002): *Civilizaciones. La lucha del hombre por controlar la naturaleza*, Madrid, Taurus.

FERNÁNDEZ MIRANDA, Fernando (1988): *Inventarios reales: Carlos III, 1789-1790*, Madrid, Patrimonio Nacional.

FUENTES, Carlos (1992): *El espejo enterrado*, Ciudad de México, Fondo de Cultura Económica.

FUKUYAMA, Francis (1992): *El fin de la Historia y el último hombre*, Barcelona, Planeta.

GALEANO, Eduardo (1971): *Las venas abiertas de América Latina*, Montevideo, Universidad de la República.

GARCÉS, Joan E. (1996): *Soberanos e intervenidos. Estrategias globales, americanos y españoles*, Madrid, Siglo XXI.

GORDON, Raymond G., Jr. (ed.) (2005): *Ethnologue: Languages of the World*, 15.ª edición, Dallas, SIL International. Disponible en https://cutt.ly/Fkn4qb4 [consultado el 05/02/21].

GROTIUS, Hugo (1950): *De Iure Praedae Commentarius. Vol. I: A translation of the original manuscript of 1604*, Gwladys L. WILLIAMS (ed.), Oxford, Clarendon Press.

GRUNBERG, Bernard (2001): *Dictionnaire des conquistadores de México*, París, L'Harmattan.

GRUZINSKI, Serge (2010): *Las cuatro partes del mundo. Historia de una mundialización*, Ciudad de México, Fondo de Cultura Económica.

GÜERECA DURÁN, Raquel E. (2016): *Milicias indígenas en la Nueva España. Reflexiones del derecho indiano sobre los derechos de guerra*, Ciudad de México, UNAM.

GUNDER FRANK, André (1998): *ReORIENT: Global Economy in the Asian Age*, Berkeley, University of California Press.

GUTIÉRREZ, Ramón (2001): "Repensando el Barroco americano", *Barroco Iberoamericano. Territorio, arte, espacio y sociedad*, tomo I, Sevilla, Universidad Pablo de Olavide/Ediciones Giralda, pp. 61 y 65.

HEREDIA MORENO, M. Carmen; ORBE SIVATTE, Mercedes de y ORBE SIVATTE, ASUNCIÓN de (1992): *Arte Hispanoamericano en Navarra. Plata, pintura y escultura*, Pamplona, Gobierno de Navarra.

HOBSBAWM, Eric y RANGER, Terence (2002): *La invención de la tradición*, Barcelona, Crítica.

HUNTINGTON, Samuel P. (2004): *¿Quiénes somos? Desafíos a la identidad nacional estadounidense*, Barcelona, Paidós.

— (1997): *El choque de civilizaciones y la reconfiguración del orden mundial*, Barcelona, Paidós.

INGLEHART, Ronald y WELZEL, Christian (2005): *Modernization, Cultural Change, and Democracy: The Human Development Sequence*, Cambridge, Cambridge University Press.

J. J. C. (1845): "Discurso que en la solemnización del aniversario del glorioso día diez y seis de septiembre de 1845, pronunció en la universidad de esta capital", *El Monitor Constitucional*, 9 de octubre.

JIMÉNEZ, Alfredo (2001): "La Historia como *fabricación* del pasado: La frontera del Oeste o *American West*", *Anuario de estudios americanos*, vol. 58, n.º 2, pp. 737-755.

JUNTA DE CASTILLA Y LEÓN (1992): *Arte americanista en Castilla y León*, Valladolid, Junta de Castilla y León.

KATZEW, Ilona (2011): *Contested Visions in the Spanish Colonial World*, New Haven, Yale University Press.

KELEMEN, Pál (1977): *Vanishing Art of the Americas*, Nueva York, Walker & Company.

KHANNA, Parag (2019): *The Future is Asian*, Nueva York, Simon & Schuster.

LAMO DE ESPINOSA, Emilio (2007): "La globalización cultural. ¿Crisol, ensalada o gazpacho civilizatorio?", en VVAA, *Lo que hacen los sociólogos. Libro homenaje a Carlos Moya*, Madrid, CIS.

— (2001): "La normalización de España. España, Europa y la modernidad", *Claves de Razón Práctica*, n.º 111, abril, pp. 4-16.

LEÓN PORTILLA, Miguel (ed.) (2014): "50 Años del Museo de Antropología". Disponible en https://www.gob.mx/cultura/prensa/entra-a-la-edad-de-oro-el-museo-nacional-de-antropologia [consultado el 14/09/20].

— (1987 [1959]): *Visión de los vencidos. Relaciones indígenas de la Conquista*, Ciudad de México, UNAM.

— (1956): *La filosofía náhuatl estudiada en sus fuentes*, Ciudad de México, UNAM/Instituto Indigenista Interamericano.

MAHBUBABI, Kishore (2018): *Has the West Lost it? A Provocation*, Londres, Allen Lane.

MARICHAL, Carlos (1999): *La bancarrota del virreinato. Nueva España y las finanzas del Imperio español, 1780-1810*, Ciudad de México, El Colegio de México/Fondo de Cultura Económica.

MARTÍNEZ, José Luis (1992): *Hernán Cortés*, versión abreviada, Ciudad de México, Fondo de Cultura Económica.

MARTÍNEZ BARACS, Rodrigo (2005): "El primer documento conocido escrito en México por los conquistadores españoles", *Historias. Revista de la Dirección General de Estudios Históricos del INAH*, n.º 60, enero-abril, pp. 113-123.

MARTÍNEZ MARTÍNEZ, María del Carmen (2013): *Veracruz, 1519. Los hombres de Cortés*, León, Universidad de León-CONACULTA.

— (2003): *Cartas y memoriales*, León, Junta de Castilla y León/Universidad de León.

MARTÍNEZ MARTÍNEZ, María del Carmen y MAYER, Alicia (coords.) (2016): *Miradas sobre Hernán Cortés*, Madrid, UNAM/Iberoamericana/Vervuert.

MATTHEW, Laura E. y OUDIJK, Michel R. (eds.) (2007): *Indian Conquistadors: Indigenous Allies in the Conquest of Mesoamerica*, Norman, University of Oklahoma Press.

MIER, Servando Teresa de (2006): *Memorias. Un fraile mexicano desterrado en Europa*, Madrid, Trama Editorial.

MISHRA, Pankaj (2020): *Bland Fanatics: Liberals, Race and Empire*, Londres, Verso.

MONTES GONZÁLEZ, Francisco (2009): "Una aproximación a las fuentes documentales para el estudio del coleccionismo americano en España", *Artigrama*, n.º 24, pp. 205-223.

MORALES MARTÍNEZ, Alfredo (2009): "Presencia de arte barroco mexicano en Andalucía", en Rafael LÓPEZ GUZMÁN (coord.), *Andalucía y América. Cultura artística*, Granada, Atrio/Universidad de Granada, pp. 13-29.

NAVARRETE LINARES, Federico (2019): *¿Quién conquistó México?*, Ciudad de México, Debate.

ORTEGA Y GASSET, José (2006): *España invertebrada*, Madrid, Alianza Editorial.

PAZ, Octavio (2002): *El laberinto de la soledad*, Ciudad de México, Fondo de Cultura Económica.

— (1983): *Tiempo nublado*, Barcelona, Seix Barral.

PÉREZ VEJO, Tomás (2019): *Elegía criolla. Una reinterpretación de las guerras de independencia hispanoamericanas*, Ciudad de México, Crítica.

PIETSCHMANN, Horst (2003): "Los principios rectores de la organización estatal en las Indias", en Antonio ANNINO y François-Xavier GUERRA (coords.), *Inventando la nación. Iberoamérica siglo XIX*, Ciudad de México, Fondo de Cultura Económica, pp. 47-84.

POPPER, Karl R. (2006): *La miseria del historicismo*, Madrid, Alianza Editorial.

PORRAS, Iena (2006): "Constructing International Law in the East Indian Seas: Property, Sovereignty, Commerce and War in Hugo Grotius' *De Iure Praedae – The Law of Prize and Booty, or on How to Distinguish Merchants from Pirates*", *Brooklyn Journal of International Law*, vol. 31, pp. 741-804.

PRIETO, Guillermo (1855): "Oración cívica pronunciada por el ciudadano Guillermo Prieto, en la Alameda de México el día 16 de septiembre de 1855, aniversario del glorioso grito de '¡independencia!' dado por el cura de Dolores en 1810", *El Pata de Cabra*, 28 de septiembre.

RAMOS, Samuel (1934): *El perfil del hombre y la cultura en México*, Ciudad de México, P. Robredo.

RESTALL, Mathew (2019): *Cuando Moctezuma conoció a Cortés*, Ciudad de México, Taurus.

RICARD, Robert (2017): *La conquista espiritual de México. Ensayo sobre el apostolado y los métodos misioneros de las órdenes mendicantes en la Nueva España de 1523-1524 a 1572*, Ciudad de México, Fondo de Cultura Económica.

RINGROSE, David R. (1997): *España, 1700-1900. El mito del fracaso*, Madrid, Alianza Editorial.

RÍOS MOLINA, Andrés (s. f.): "México al diván. El trauma de la conquista", *Noticonquista*. Disponible en http://www.noticonquista.unam.mx/amoxtli/1834/1827 [consultado el 14/09/2020].

RÍOS SALOMA, Martín (ed.) (2015): *El mundo de los conquistadores*, Madrid/Ciudad de México, Sílex/UNAM.

RIVA PALACIO, Vicente (coord.) (1987-1989): *México a través de los siglos. Historia general y completa del desarrollo social, político, religioso, militar, artístico, científico y literario de México desde la antigüedad más remota hasta la época actual*, 5 vols., Ciudad de México/Barcelona, Ballescá/Espasa.

RIVADENEYRA BARRIENTOS, Joaquín (1768): *Diario notable de la excelentísima señora marquesa de las Amarillas, virreina de México, desde el puerto de Cádiz hasta la referida Corte*, México, Imprenta de la Biblioteca Mexicana.

RUSSELL MEAD, Walter (2007): *God and Gold. Britain, America, and the Making of the Modern World*, Nueva York, Alfred A. Knopf.

SABAU GARCÍA, María Luisa (coord.) (1994): *México en el mundo de las colecciones de Arte. Nueva España*, Ciudad de México, Grupo Azabache.

SAN VICENTE, Juan Manuel de (1768): *Exacta descripción de la magnífica Corte mexicana del nuevo americano mundo, significada por sus esenciales partes, para el bastante conocimiento de su grandeza*, Cádiz, Imprenta de don Francisco Rioja y Gamboa.

SCHMITT, Carl (2007): *Tierra y mar. Una reflexión sobre la historia universal*, Madrid, Trotta.

— (2002): *El nomos de la tierra*, Granada, Comares.

SLACK, Edward R. (2009): "The *Chinos* in New Spain: A Corrective Lens for a Distorted Image", *Journal of World History*, vol. 20, n.º 1, pp. 35-67.

SOCIEDAD ESTATAL PARA LA ACCIÓN CULTURAL EXTERIOR, INSTITUTO NACIONAL DE ANTROPOLOGÍA E HISTORIA (2005): *España medieval y el legado de Occidente*, cat. exp., Madrid, SEACEX/Lunwerg.

TOWNSEND, Camilla (2015): *Malitzin. Una mujer indígena en la Conquista de México*, Ciudad de México, Era.

TOYNBEE, Arnold (1947): *A Study of History*, D. C. SOMERVELL (comp.), Nueva York, Oxford University Press.

TUTINO, John (2016): *Creando un nuevo mundo. Los orígenes del capitalismo en el Bajío y la Norteamérica española*, Ciudad de México, Fondo de Cultura Económica.

VARELA ORTEGA, José (2019): *España. Un relato de grandeza y odio*, Madrid, Espasa.

VASCONCELOS, José (1941): *Hernán Cortés, creador de la nacionalidad*, Ciudad de México, Xóchitl.

— (1925): *La raza cósmica*, Madrid, Agencia Mundial de Librería.

VIERA, Juan de (1778): *Breve compendiosa narración de la ciudad de México, corte y cabeza de toda la América septentrional*, México, s. e.

VILLACAÑAS, José Luis (2019): *Imperiofilia y el populismo nacional-católico*, Madrid, Lengua de Trapo.

VILLORO, Luis (1950): *Los grandes momentos del indigenismo en México*, Ciudad de México, El Colegio de México/El Colegio Nacional/Fondo de Cultura Económica .

VRIES, Jan de (1997): "The Industrial Revolution and the industrious revolution", *Journal of Economic History*, n.º 54, pp. 240-270.

VRIES, Jan de y WOUDE, Ad van der (1997): *The First Modern Economy. Success, Failure, and Perseverance of the Dutch Economy, 1500-1815*, Cambridge, Cambridge University Press.

WEBER, D. J. (2000): *La frontera española en América del Norte*, Ciudad de México, Fondo de Cultura Económica.

YUSTE, Carmen (2007): *Emporios transpacíficos. Comerciantes mexicanos en Manila, 1710-1815*, Ciudad de México, UNAM/Instituto de Investigaciones Históricas.

— (1995): "Los precios de las mercancías asiáticas en el siglo XVIII", en Virginia GARCÍA ACOSTA (coord.), *Los precios de alimentos y manufacturas novohispanos*, Ciudad de México, Comité Mexicano de Ciencias Históricas/CIESAS/Instituto Mora/ UNAM, pp. 31-64.

ZEA, Leopoldo (1942): "En torno a una filosofía americana", *Cuadernos Americanos*, año I, vol. 3, pp. 63-78.

NOTAS

1   Diario *ABC*, jueves 24 de octubre de 1940.

2   O'GORMAN, Edmundo (2003): "La falacia histórica de Miguel León Portilla sobre el 'Encuentro del Viejo y Nuevo Mundo'". Disponible en https://www.academia.edu/12179644/la_Falacia_hist%C3%B3rica_de_Miguel_Leon_Portilla_por_Edmundo_O_gorman [consultado el 05/02/21].

3   DIAMOND, Jared (2006): *Armas, gérmenes y acero*, Barcelona, Debate, 2006, p. 54.

4   OPPENHEIMER, Andrés (2010): *¡Basta de historias! la obsesión latinoamericana con el pasado y las 12 claves del futuro*, Barcelona, Debate.

5   Restall, 2019.

6   Twitter, 14 de octubre de 2020.

7   VARGAS LLOSA, Mario (2018): "Hispanidad ¿mala palabra?", *El País*, 28 de octubre. Disponible en https://elpais.com/elpais/2018/10/25/opinion/1540480036_431820.html#:~:text=No%20hay%20raz%C3%B3n%20alguna%20para,paso%2C%20ahora%20rima%20con%20libertad [consultado el 05/02/21].

8   PRIETO, M. (2015): "¿Es América Latina parte de Occidente?", *Semana*, 23 de noviembre. Disponible en https://www.semana.com/opinion/articulo/es-america-latina-parte-de-occidente-opinion-de-marcela-prieto/450946-3/ [consultado el 05/02/21].

9   HÄMÄLÄINEN, Pekka (2008): *The Comanche Empire*, New Haven, Yale University Press.

10   León Portilla, 1987. Disponible en https://web.archive.org/web/20090221062-351/http://www.artehistoria.jcyl.es/cronicas/contextos/10383.htm [consultado el 05/02/21].

CONQUISTA, ¿QUÉ CONQUISTA?

1 HOBSBAWM, Erick (2002): "Introducción", en Hobsbawm y Ranger, 2002, pp. 7-21.
2 Ríos Molina, s. f.
3 Paz, 2002, p. 78.
4 Ibíd., pp. 88-89.
5 Cárabes Pedroza, 1960, p. 21.
6 Ibíd., p. 75.
7 León Portilla, 1987.
8 SECRETARÍA DE CULTURA (s. f.): "Entra a la edad de oro el Museo Nacional de Antropología", Ciudad de México, Gobierno de México. Disponible en https://www.gob.mx/cultura/prensa/entra-a-la-edad-de-oro-el-museo-nacional-de-antropologia [consultado el 05/02/21].
9 Comisión Nacional de Libros de Texto, 1982, p. 64.
10 EZLN, 1994.
11 Sociedad Estatal para la Acción Cultural Exterior, Instituto Nacional de Antropología e Historia, 2005, p. 1.
12 Ibíd., p. 3. Las cursivas son mías.
13 NAVARRETE, Federico (2019): ¿Quién conquistó México?, Ciudad de México, Debate, p. 13.
14 Véase https://www.noticonquista.unam.mx/ [consultado el 05/02/21].

COLONIA, ¿QUÉ COLONIA?

1 Acta de la Declaración de Independencia de las Provincias Unidas de Sud América, 9 de julio de 1816.
2 Mier, 2006, p. 147.
3 Annino, 2008, p. 189.
4 Slack, 2009, p. 42.
5 Mier, 2006, p. 130.
6 San Vicente, 1768.
7 Viera, 1778.
8 Rivadeneyra Barrientos, 1757.
9 Para un análisis detallado de la dependencia de la Monarquía Católica en su última época de los recursos novohispanos, véase Marichal, 1999.
10 Yuste, 2007.
11 Vries, 1997; Vries y Woude, 1997.
12 Tutino, 2016, p. 69.

13   Ibíd., p. 28.

14   Dolson, 2014, p. 43

15   Tutino, 2016, p. 13.

16   Pintura anónima, *Calidades de las personas que habitan en la ciudad de México*, óleo sobre tela, 55 x 90,2 cm, siglo XVIII, México, Colección Banamex. Este cuadro había sido tradicionalmente atribuido a Cristóbal de Villalpando, atribución rechazada por los estudios más recientes que además han retrasado su fecha de ejecución hasta la segunda parte del siglo XVIII. Véase Curiel Méndez, Gutiérrez y Ruiz Gomar, 2001.

17   Yuste, 1995, p. 240.

18   Sobre la idea de la Monarquía Católica como área cultural, véanse VVAA (2010): *Pintura de los Reinos. Identidades compartidas en el mundo hispánico*, cat. exp., Madrid, Museo del Prado; y BROWN, Jonathan (1999): "La antigua monarquía española como área cultural", *Los siglos de oro en los virreinatos de América, 1550-1700*, Madrid, Sociedad Estatal para la Conmemoración de los Centenarios de Felipe II y Carlos V, pp. 19-26.

19   Véanse, entre otros, Junta de Castilla y León, 1992; Heredia Moreno, De Orbe Sivatte y De Orbe Sivatte, 1992; Sabau García, 1994; Morales Martínez, 2009. Con una orientación más teórico-metodológica pero interesante por la riqueza que deja entrever, Montes González, 2009.

20   Fernández Miranda, 1988.

21   Montes González, 2009, p. 220.

22   Coello de la Roya y Numhauser, 2012, p. 14. La afirmación se refiere solo al mundo andino, pero puede aplicarse al conjunto de los territorios americanos de la Monarquía. Véase también Cañizares-Esguerra, 2001.

23   Dawn, 1989, p. 285.

24   Fuentes, 1992, p. 206.

25   Pietschmann, 2003, pp. 64-65.

26   TORRES, Camilo (1938 [s. f.]): "Representación del muy ilustre Cabildo de Santa Fe a la Suprema Junta Central de España, 20 de noviembre de 1809", en *Actas de la Junta municipal de propios de Santa-Fé de Bogotá. 1809-1820*, vol. II, Bogotá, Imprenta municipal. No fue publicado hasta 1832, con el título de *Memorial de agravios*, que es con el que actualmente se le conoce.

27   Prieto, 1855.

28   J. J. C., 1845.

UNA CIVILIZACIÓN PROPIA,
PERO ¿CUÁL?

1   En 2007 pronuncié una conferencia en Washington, "La frontera entre el mundo anglosajón y el hispano. ¿Es América Latina Occidente?", que luego fue publicada en GARRIGUES, Eduardo y LÓPEZ VEGA, Antonio (eds.) (2013): *España y Estados Unidos en la era de las independencias*, Madrid, Biblioteca Nueva, pp. 357-366. Esta es una versión actualizada, ampliada y revisada de esa conferencia.

2   GONZÁLEZ MANRIQUE, Luis Esteban (2005): "El 'etnonacionalismo': las nuevas tensiones interétnicas en América Latina", *ARI*, n.º 59, Real Instituto Elcano.

3   HANKE, Lewis (1969): *History of Latin American Civilization*, Londres, Methuen.

4   KEEN, Benjamin; BUFFINGTON, Robert y CAIMARI, Lila (eds.) (2004): *Keen's Latin American Civilization: History & Society, 1492 to the Present*, Boulder, Westview Press.

5   Arjomand y Tiryakian, 2004.

6   Véase Durkheim y Mauss, 1971.

7   Huntington, 1997, p. 48.

8   Lo hice hace años en mi trabajo "La globalización cultural ¿Crisol, ensalada o gazpacho civilizatorio?", en José ALMARAZ, Julio CARABAÑA MORALES y Emilio LAMO DE ESPINOSA (eds.) (2007): *Lo que hacen los sociólogos. Libro homenaje a Carlos Moya*, Madrid, CIS, pp. 543-575. Un reciente análisis del concepto puede encontrarse en Fernández Armesto, 2002, donde llega a conclusiones similares.

9   MALAMUD, C. (1992): "El espejo quebrado. La imagen de España en América de la Independencia a la Transición democrática", *Revista de Occidente*, n.º 131, pp. 180 y ss.

10   Puede verse el reciente libro, casi una enciclopedia del tema, Varela Ortega, 2019.

11   VICENS VIVES, J. (1960): *Aproximación a la historia de España*, Barcelona, Teide. La visión "excepcionalista" de la historia de España, rechazada por los nuevos historiadores, ha dado lugar a una amplia literatura, pero el texto clásico es probablemente el de Ringrose, 1997.

12   ZUBIRI, Xavier (1942): "El acontecer humano. Grecia y la pervivencia del pasado filosófico", *Escorial*, n.º 23, pp. 401-432.

13   CASTRO, Américo (1954): *La realidad histórica de España*, Ciudad de México, Porrúa.

14   Véase mi trabajo "La normalización de España. España, Europa y la modernidad", en Antonio MORALES MOYA, *Nacionalismos e imagen de España*,

Madrid, Sociedad Estatal España-Nuevo Milenio, 2001, pp. 155-186. Parcialmente editado en *Claves de Razón Práctica*, n.° 111, 2001, pp. 4-16.

15 Fukuyama, 1992.

16 Publicado en 1996 por Simon & Schuster. Para la edición en español véase Huntington, 1997.

17 Por ejemplo, en el ya citado "La globalización cultural ¿Crisol, ensalada o gazpacho civilizatorio?".

18 Publicado en 2004 por Simon & Schuster. Para la edición en español véase Huntington, 2004.

19 MONTESQUIEU (1731): *Réflexions sur la monarchie universelle en Europe*, cap. XVIII.

20 Véase SARTORI, G. (2001): *La sociedad multiétnica*, Madrid, Taurus, p. 51.

21 *A Study of History*, Nueva York, 1947, pp. 124-125. Vale la pena reproducir el texto en el original inglés:

> These Iberian pioneers, the Portuguese vanguard, round Africa to Goa, Malacca and Macao, and the Castilian vanguard across the Atlantic to Mexico and on across the Pacific to Manila [...] performed an unparalleled service for Western Christendom. They expanded the horizon; and thereby potentially the domain, of the society they represented until it came to embrace all the habitable lands and navigable seas of the globe. It is owing in the first instance to this Iberian energy that Western Christendom has grown, like the grain of mustard seed in the parable, until it has become 'the Great Society': a tree in whose branches all the nations of the Earth have come and lodged.

22 Hay una lamentable traducción española que, sorprendentemente, elimina quizá lo más importante del libro –la idea de una nación pionera– para titularlo *Exploradores españoles en América*, traduciendo la expresión *pioneer nation* por la de *nación exploradora*, y otros desmanes. El horror fue perpetrado por la Editorial Laocoonte en Navarra en 2009.

23 JIMÉNEZ, Alfredo (2001): "La Historia como fabricación del pasado: la frontera del Oeste o American West", *Anuario de estudios americanos*, vol. 58, n.° 2, pp. 737-755. La cita es de la p. 2.

24 Ibíd., p. 17.

25 Véase de JIMÉNEZ, Alfredo (1996): "El Lejano Norte español: cómo escapar del *American West* y de las *Spanish Borderlands*", Albuquerque, Colonial Latin American Historical Review, N. M., vol. 5, pp. 381-412.

26 Bolton, 1996.

27 WEBER, David J. (1992): *The Spanish Frontier in North America*, Yale University Press. Para la edición en español, véase Weber, 2000.

28 Aludo al interesante trabajo que editó en enero de 1899 en la *Yale Law Journal* el gran sociólogo americano William Graham Sumner, titulado "The Conquest of the US by Spain".

29 Es usual atribuir el origen del término a la obra del francés Michel Chevalier, *Cartas sobre la América del Norte*, publicadas en París en 1836. Hace años QUIJADA, Mónica (1998): "Sobre el origen y difusión del nombre 'América Latina' (o una variación heterodoxa en torno al tema de la construcción social de la verdad)", Revista de Indias, vol. LVIII, n.º 214, pp. 595-615; mostró lo incorrecto de la atribución apoyándose en la obra del uruguayo Arturo Ardao, *Génesis de la idea y el nombre de América Latina* (Caracas, 1980). Más recientemente, GARCÍA SAN MARTÍN, Álvaro (2013): "Francisco Bilbao, entre el proyecto latinoamericano y el gran molusco", *Latinoamérica. Revista de Estudios Latinoamericanos*, n.º 56, p. 141-162, acredita que la primera vez que se usó el término *América Latina* fue por el chileno Francisco Bilbao en su conferencia *Iniciativa de la América*, dada en París el 22 de junio de 1856 y que sería publicada poco después. Disponible en http://www.filosofia.org/aut/002/fbb1285.htm [consultado el 05/02/21].

30 GRUZINSKI, Serge (1997): *Usos políticamente incorrectos de la latinidad.* Conferencia dictada en la Caixa de Barcelona, Madrid, marzo de 1997. Citado por Quijada, 1998, *op. cit.*, p. 614.

31 Barcelona, 2017, p. 26.

32 Alesina, Devleeschauwer, Easterly *et al.*, 2003.

33 Una tesis que sustenté ya hace años en mi libro (ed.) (1996): *Culturas, Estados y ciudadanos. Una aproximación al multiculturalismo*, Alianza Editorial, Madrid.

34 VARGAS LLOSA, Mario (2018): "Hispanidad ¿mala palabra?", *El País*, 28 de octubre.

35 Antes de que declarara obsoleta esa misma declaración.

BÁRBAROS, ¿QUÉ BÁRBAROS?

1 Paz, 1983, p. 152.

2 Ibíd.

3 Villacañas, 2019, p. 247.

4 Kelemen, 1937, p. 101.

MIRADA, ¿DE QUIÉN?

1   Este texto amplía el artículo publicado en 2020 "Una forma de mirar. La mirada anglosajona sobre el mundo hispano", *Cuadernos de Pensamiento Político*, FAES, n.º 65.

2   Sobre el uso de este término, véase PÉREZ VEJO, T. (2010): *Elegía criolla*, Barcelona, Tusquets.

3   Las referencias están tomadas de ARANA, M. (2014): *Bolívar: American Liberator*, 1.ª edición, Nueva York, Simon & Schuster, p. 26. Traducción propia.

4   HURBON, L. "The Church and Slavery in Eighteenth-Century in Saint Domingue", pp. 55-68, en DORIGNY, M. (2003): *The Abolitions of Slavery*, Berghahn Books.

5   Sobre las escuelas de primeras letras en la época de Carlos III y su desarrollo en Nueva España, véase VALES-VILLAMARÍN NAVARRO, Helena, y REDER GADOW, Marion (2015): "Política Educativa Ilustrada: Una visión comparada de la fundación de Escuelas de Primeras Letras (siglo XVIII)", *Americanía. Revista de Estudios Latinoamericanos*, n.º 1, enero. Disponible en https://www.upo.es/revistas/index.php/americania/article/view/984 [consultado el 01/03/2021].

6   MORA GARCÍA, P., (2009): "Baltasar de los Reyes Marrero", *Revista de Historia y Educación Latinoamericana*, n.º 13.

7   El tomate llegó a Europa a principios del XVI y en Asia se difundió desde Filipinas. La patata, tras llegar a España, fue llevada a la India por los portugueses (*ca.* 1600).

8   Todo falso. Baste como ejemplo la familia de Bolívar.

9   Véase CHUST, Manuel (2012): "La dimensión americana de la Constitución de 1812", *Letras Libres*, 12 de marzo. Disponible en https://www.letraslibres.com/mexico-espana/la-dimension-americana-la-constitucion-1812 [consultado el 05/02/21].

10   Se unió a la rebelión de los hermanos Angulo (1814) que encargaron a J. M. Pinelo tomar La Paz.

11   Arana afirma que en Italia era un "Peruvian Jesuit Priest» (p. 19), en realidad no era jesuita y nunca fue sacerdote.

12   GONZALBO, P. y ALBERRO, S. (2013): *La sociedad novohispana, estereotipos y realidades*, Colegio de México.

13   Véase El Colegio de México (2014): *¿Castas en Nueva España?* Disponible en https://www.youtube.com/watch?v=8l6yIvtcHew [consultado el 05/02/21].

14   En Perú, destaca la obra de Scarlett O'Phelan Godoy.

15 SANCHIZ, J. (2013): "El grupo familiar de Juan Patricio Morlete Ruiz", Instituto de Investigaciones Artísticas, UNAM. Disponible en http://www.analesiie.unam.mx/index.php/analesiie/article/view/2505/2512 [consultado el 05/02/21].

16 SOTO, M. (2005): *El arte maestra. Un tratado de pintura novohispana*, Ciudad de México, UNAM.

17 Se le apareció a tres pescadores: "Los tres Juanes" (1612).

18 DÍAZ, M. E. (2000): *The Virgin, the King, and the Royal Slaves of El Cobre*, Stanford University Press.

19 Fueron varias desde 1680 y desde 1753 se aplicaron en toda la Monarquía. CANO BORREGO, D. (2019): "La libertad de los esclavos fugitivos y la milicia negra en la Florida española en el siglo XVIII", *Revista de la Inquisición, la intolerancia y los derechos humanos*, n.º 23, pp. 223-234.

20 Miguel Rodríguez y Luisa de Abrego.

21 Casi todos pueden consultarse en http://mariearana.net [consultado el 22/02/21].

22 Arana asegura en su web que su libro se basa en "fuentes primarias", pero básicamente resume otros libros.

23 Disponible en https://www.loc.gov/item/prn-15-191/marie-arana-named-kluge-chair-in-countries-and-cultures-of-the-south/2015-10-23/ [consultado el 05/02/21].

24 Las referencias están tomadas de Arana, 2019, *op. cit.* El número de página aparece tras la cita. Traducción propia.

25 HERRERA, J. G. (2014): *Devociones de la Insurgencia*, CEHM, 4 de diciembre. Disponible en https://www.youtube.com/watch?v=DC1JEUAoleM [consultado el 05/02/21].

26 MORENO MOLINA, A. (2011): "Los malentendidos de Pío VII y León XII respecto a la Independencia hispanoamericana", *Procesos Históricos*, Universidad de Los Andes, pp. 132-144. Disponible en https://www.redalyc.org/pdf/200/20019154011.pdf

27 VILLATORO, M. P. (2018): "La opinión de Hitler sobre los españoles", *ABC*, 17 de julio. Disponible en https://www.abc.es/historia/abci-opinion-hitler-sobre-espanoles-moros-y-vagos-adoran-reina-ramera-201807162322_noticia.html [consultado el 05/02/21].

28 Twitter, 24 de agosto de 2013.

29 Twitter, 14 de octubre de 2019.

30 Entendemos *español* antes de la implosión de la Monarquía como propio de los españoles de ambos hemisferios, y después a lo propio del Estado nación España. *Hispano* refiere lo común de los países que formaron la Monarquía, y los propios países.

31   BILBAO, F. (1864): *Evangelio americano*, Buenos Aires, Imp. de la Soc. Tip. Bonaerense, pp. 46 y 51. Disponible en http://www.memoriachilena.gob.cl/archivos2/pdfs/MC0013081.pdf [consultado el 05/02/21].

32   Probablemente adorados por pederastas. Al visitar el archivo de Simancas, casualmente se topa con el legajo de un novicio depravado.

33   En este sentido, véase ROCA BAREA, M.ª E. (2016): *Imperiofobia y leyenda negra*, Madrid, Siruela.

34   En este sentido, véase RODRIGO, J. y ALEGRE, D. (2019): *Comunidades rotas. Una historia global de las guerras civiles, 1917-2017*, Galaxia Gutenberg.

35   Y se habría iniciado con el oscurantista Felipe II. Puro mito: véase KAMEN, H. (1998): "La imprudencia del rey prudente", *El País*, 27 de diciembre. Disponible en https://elpais.com/diario/1998/12/27/opinion/914713207_850215.html [consultado el 05/02/21].

36   La última persona relajada lo fue en Sevilla (1781). La Inquisición desapareció en 1820. Cayetano Ripoll fue condenado por la "Junta de fe" de Valencia (1829).

37   Como hace Simon en *Titans of History* (2012).

38   TORREBLANCA, J. I., "El golpe que quiso ser", *El País*. Disponible en https://elpais.com/elpais/2018/04/11/opinion/1523436249_021800.html [consultado el 05/02/21].

39   JIMÉNEZ LOSANTOS, F., "El racismo alemán humilla a España y destroza la UE", *Libertad Digital*. Disponible en https://www.libertaddigital.com/opinion/federico-jimenez-losantos/el-racismo-aleman-humilla-a-espana-y-destroza-la-ue-84806/ [consultado el 05/02/21].

40   En la BBC es "Civilisations" y el capítulo "First Contact". El metraje es ligeramente diferente.

41   Título de un artículo de respuesta de Arturo Uslar Pietri (1972).

42   Malvido, E. (2006): "Así nació el Día de Muertos", en *La festividad indígena dedicada a los muertos en México*, n.º 16, Conaculta. Disponible en https://www.cultura.gob.mx/turismocultural/publi/Cuadernos_19_num/cuaderno16.pdf [consultado el 05/02/21].

43   16 de abril de 2018.

44   CLARÍN (2006): "La gira del presidente electo de Bolivia", *Clarín*, 8 de enero. Disponible en https://www.clarin.com/ediciones-anteriores/chirac-elogia-promete-ayuda-evo-morales_0_SJXDL8JCFl.html [consultado el 05/02/21].

45   DAUT, Marlene (2020): "When France extorted Haiti", *The Conversation*, 30 de junio. Disponible en https://theconversation.com/when-france-extorted-haiti-the-greatest-heist-in-history-137949 [consultado el 05/02/21].

46   CASTEJÓN, P. (2016): "Colonia y metrópoli, la génesis de unos conceptos históricos fundamentales (1760-1808)", *Illes i imperis*, n.º 18, pp. 163-79. Disponible

en https://www.raco.cat/index.php/IllesImperis/article/view/208050027 [consultado el 05/02/21].

47   NORDBLAD, J. (2008): "Den fransktalande rasen: Frankofonins fader Onésime Reclus och l'Organisation internationale de la francophonie", *Lychnos*, ISSN 0076-1648, pp. 65-90.

48   MUÑOZ MOLINA, Antonio (2017): "En Francoland", *El País*, 13 de octubre. Disponible en https://elpais.com/cultura/2017/10/10/babelia /1507657374_425961.html [consultado el 05/02/21].

49   SOCORRO, M. (2020): "Carlos Rangel, el profeta que anunció la catástrofe", *La Gran Aldea*, 15 de enero. Disponible en https://lagranaldea.com/2020/01/15/carlos-rangel-el-profeta-que-anuncio-la-catastrofe/ [consultado el 05/02/21].

50   No solo al Estado. Véase RIBES, Vicent (1997): "Nuevos datos biográficos sobre Juan de Rivelles", *Revista de Historia Moderna*, vol. 16, n.º 6, 1997. Disponible en https://core.ac.uk/download/pdf/16358498.pdf [consultado el 05/02/21].

51   PINHEIRO, J. C. (2014): *Missionaries of Republicanism*, Oxford University Press, p. 112.

52   TENORIO, M. (s. f.): "De la Atlántida morena y los intelectuales mexicanos", *Literal*, vol. 6. Disponible en https://literalmagazine.com/on-the-brown-atlantis-and-mexican-intellectuals/ [consultado el 05/02/21].

53   En ocasiones repugnante, ligando violaciones, pereza, robo y alcoholismo al catolicismo (Arana, *Silver, Sword and Stone*, p. 337).

54   TeleSURtv (2013): "Condecora pdte. Maduro a Eduardo Galeano con presea Simón Rodríguez", *YouTube*, 11 de septiembre. Disponible en https://www.youtube.com/watch?v=kbVvVjJXoAw [consultado el 05/02/21].

55   PÉREZ VEJO, T. (2003): "Los hijos de Cuauhtémoc", *Araucaria*, vol. 5, n.º 9. Disponible en https://revistascientificas.us.es/index.php/araucaria/article/view/12127 [consultado el 05/02/21].

56   CLAVERO, B. (2010), "Multitud de ayuntamientos", en LEÓN PORTILLA, M. y MAYER, A., *Los indígenas en la Independencia y la Revolución mexicana*, Ciudad de México, UNAM.

57   LEÁÑEZ, C. (2019): "Venezuela: Bolívar no, España sí", *El Mundo*, 10 de agosto. Disponible en https://www.elmundo.es/opinion/2019/10/10/5d-9dc62dfdddfc53c8b45b3.html [consultado el 05/02/21].

58   PINO ITURRIETA, Elías (2020): "La crisis de la Independencia", *runrún.es*, 28 de julio. Disponible en https://runrun.es/opinion/416676/la-crisis-de-la-independencia-por-elias-pino-iturrieta/ [consultado el 05/02/21].

59   Tutino, 2016.

60   SEMINARIO, B. (2016), *El desarrollo de la economía peruana en la era moderna*, Universidad del Pacífico. Disponible en http://www.historiaeconomicaperu.up.edu.pe/ [consultado el 05/02/21].

61 Marie es peruano-estadounidense. Su bisabuelo paterno fue un relevante político, emparentado con "el rey del caucho" Julio César Arana, conocido por sus crímenes contra los indígenas amazónicos.

62 DOBADO GONZÁLEZ, R., "Herencia colonial y desarrollo económico en Iberoamérica: una crítica a la nueva ortodoxia" en LLOPIS, E. y MARICHAL, C. (2009): *Latinoamérica y España 1800-1850: un crecimiento económico nada excepcional*; y la tesis doctoral de CALDERÓN FERNÁNDEZ, A. (2016): *Mirando a Nueva España con otros espejos*, dirigida por Dobado en la UCM.

63 RESÉNDEZ, A. (2016): *The Other Slavery*, Mariner Books, p. 365.

64 JACOBY, K. (2016): *The Strange Career of William Ellis: The Texas Slave Who Became a Mexican Millionaire*, Norton.

65 TORRECILLA, J. (2016): *España al revés, mitos del pensamiento progresista (1790-1840)*, Marcial Pons.

66 PÉREZ VEJO, Tomás (2015): "España tenía un relato de nación coherente y poético", *El País*, 30 de agosto. Disponible en https://elpais.com/cultura/2015/10/26/babelia/1445859038_689399.html [consultado el 05/02/21].

67 Diario *ABC*, 23 de noviembre de 1939.

68 Con nefastas consecuencias. Son buenos ejemplos en México la construcción del Estado de los revolucionarios y en España la Segunda República. Sobre este último: PÁJARO, Paloma (2019): "Elecciones municipales 1931 y proclamación de la II República española. Forja 42", *YouTube*, 3 de agosto. Disponible en https://www.youtube.com/watch?v=Q8xcv3Ue9NU&t=2s [consultado el 05/02/21].

69 PÉREZ VEJO, Tomás (2014): "Un proyecto para España", *El País*, 30 de septiembre. Disponible en https://elpais.com/elpais/2014/09/24/opinion/1411584774_536315.html [consultado el 05/02/21].

70 Basta ver la nómina de los Premios Princesa de Asturias. Véase FANJUL, Serafín (2017): "Imprudentia victrix", *ABC*, 29 de junio. Disponible en https://www.abc.es/opinion/abci-imprudentia-victrix-201706290410_noticia.html [consultado el 05/02/21].

O la programación de documentales de RTVE (las dos series señaladas en este capítulo fueron compradas por RTVE), que podría tomar ejemplo de modestas iniciativas como el canal Academia Play: https://academiaplay.es/ [consultado el 05/02/21].

71 TeleSUR TV (2015): "Maduro: Galeano construyó una forma de ser para América Latina", *YouTube*, 14 de abril. Disponible en https://www.youtube.com/watch?v=TgS9OhqqCCk [consultado el 05/02/21].

72 Vargas Llosa, 2018, *op. cit.*

FRONTERA, ¿CON QUIÉN?

1   LAMAR PRIETO, Covadonga (s. f.): "Y al español de California no se lo tragó la tierra", *Otros Diálogos*, 1 de julio. Disponible en https://otrosdialogos.colmex.mx/y-al-espanol-de-california-no-se-lo-trago-la-tierra [consultado el 05/02/21].

2   Para los lectores no mexicanos señalaremos que Los Mochis es una ciudad que está el noroeste de México, en el estado de Sinaloa.

3   Y no son cualesquiera clase de estatuas sino magníficos ejemplos ecuestres al estilo de El Cid o el rey Felipe III en la plaza Mayor de Madrid. El monumento de la capital de España estuvo a punto de tener cien metros de altura: "en 1957 los directores de los institutos de Cultura Hispánica español y venezolano, don Blas Piñar y don Rafael Paredes, respectivamente, junto al embajador de Venezuela, don Simón Becerra, se entrevistan con el escultor don Juan de Ávalos y le convencen para que prepare una maqueta del monumento proyectado, más de cien metros de altura", en APARICIO LAPORTA, Luis Miguel (2012): "Simón Bolívar, precursor de las emancipaciones americanas. Su presencia en Madrid", en *Ciclo de conferencias. Madrid y el mundo de la independencia americana*, Madrid, CSIC, n.º 31, pp. 5-34.

4   BAGUER, Mariano Alonso (2016): *Españoles, apaches y comanches*, tesis doctoral, p. 7. Disponible en https://publicaciones.defensa.gob.es/media/downloadable/files/links/e/s/espa_oles_apaches_comanches.pdf [consultado el 05/02/21].

5   POWELL, Philip W. (1977): *La guerra chichimeca (1550-1600)*, Ciudad de México, Fondo de Cultura Económica.

6   Véase http.mexicosil.org/es/publicaciones/confusión-de-nomenclatura/confusión-chichimeca [consultado el 17/09/20].

7   DAVIES, Nigel (1992): *El Imperio azteca*, Ciudad de México, Alianza Editorial.

8   Powell, 1977, *op. cit.*, p. 18.

9   MATHEW, Laura E. (2017): *Memorias de conquista. De conquistadores indígenas a mexicanos en la Guatemala colonial*, Massachusetts, Centro de Investigaciones Regionales de Mesoamérica, y también Matthew y Oudijk, 2007.

10 Disponible en https://www.gob.mx/cultura/es/articulos/el-lienzo-de-tlaxcala-los-tlaxcaltecas-y-su-labor-en-la-conquista?idiom=es [consultado el 05/02/21]. Véase BUENO BRAVO, Isabel (2010): "El lienzo de Tlaxcala y su lenguaje interno", *Anales del Museo de América*, n.º 18, pp. 56-77.

11 FUENTES MARES, José (1959): *Poinsett: historia de una gran intriga*, Ciudad de México, Jus.

12 CONSULMEXLA (2020): "Conversatorio 2. Españoles y Mexicanos. El encuentro continúa", *Youtube*, 28 de abril. Véase a partir del minuto 33. Disponible en https://www.youtube.com/watch?v=7Bb-sef3FGM [consultado el 05/02/21].

13 VILLAGRÁ, Gaspar de (1989): *Historia de Nuevo México*, Mercedes JUNQUERA (ed.), Madrid, Historia.

14 Sobre la importancia de *La Araucana* en la configuración del imaginario colectivo chileno, véanse las publicaciones del profesor Gaspar Garrote en su blog *Literaventuras*, "VI. 28. Ercilla, inventor de Chile (1)", 11/09/16; "VI.27. Ercilla, inventor de Chile (2)", 07/12/16; "VI.28. Ercilla, inventor de Chile (3)", 28/12/16, y "VI.29. Ercilla, inventor de Chile (4)", 09/01/17. Disponibles en http://literaventuras.blogspot.com/2016/09/vi-26-ercilla-inventor-de-chile-1.html [consultado el 05/02/21].

15 KING FLAGLER, Edward (1994): "Juan de Oñate y la colonización de Nuevo México", *Historia y vida*, n.º 316, pp. 21-31 y CRESPO-FRANCÉS, José y JUNQUERA, Mercedes (1998): *Juan de Oñate y el Paso del Río Grande: el Camino Real de Tierra Adentro (1598-1998)*, Madrid, Ministerio de Defensa.

16 MORALES, Juan José y GORDON, Peter (2017): *The silver way. China, Spanish America and the birth of globalisation, 1565-1815*, Penguin Books, y BONIALIAN, Mariano (2012): *El Pacífico hispanoamericano: política y comercio asiático en el Imperio español*, Ciudad de México, Colegio de México.

17 KINO, Eusebio Francisco (1896): *Aventuras y desventuras del Padre Kino en la Pimería Alta*, introducción y selección de Felipe GARRIDO, México, Secretaría de Educación Pública.

18 Véase https://www.aoc.gov/explore-capitol-campus/art/eusebio-kino [consultado el 05/02/21].

19 Es lo que luego se llamó Paso del Noroeste.

20 RICHMAN, Irving B. (1965): *California under Spain and México*, Nueva York, Cooper Sq. Publishers, pp. 64-65. Véase también VILA VILAR, Enriqueta (1966): *Los rusos en América*, Sevilla, Escuela de Estudios Hispano-Americanos y ORTEGA SOTO, Martha (1999): "Colonización de alta California: primeros asentamientos españoles", *Signos históricos*, n.º 1, pp. 85-103.

21 Sobre la vida de fray Junípero se han hecho muchas biografías, pero casi todas ellas parten del trabajo realizado por el padre Francisco Palou titulado *Junípero Serra y las misiones de California* (1787).

22 WEBER, David J. (2003): *Foreigners in their native land*, Alburquerque, University of New Mexico Press, p. 33.

23 Véase GONZÁLEZ, Marian (2007): "La figura de Juan de Oñate, eje de una encendida polémica en Estados Unidos", *El Diario Vasco*, 6 de abril. Disponible

en https://www.diariovasco.com/prensa/20070406/altodeba/figura-juan-ona-te-encendida_20070406.html [consultado el 05/02/21].

24 ASTORGA, Antonio (1992): "Los indios de Estados Unidos ponen como ejemplo la colonización española frente a la anglosajosana", *ABC*, 23 de septiembre.

25 La mayor parte de la población era indígena e hispanomestiza. El mayor levantamiento contra la invasión estadounidense lo protagonizó un indio cupeño llamado Antonio Garra: EDWARD EVANS, William (1966): "The Garra Uprising: Conflict Between San Diego Indians and Settlers in 1581", *California Historical Society Quarterly*, n.° 45, pp. 339-349.

26 "The Spanish Law clearly and absolutely secured to Indians fixed rights of property in the land they occupy, beyond what is permitted by this government in its relations with its own domestic tribes": MADLEY, Benjamin (2016): *An American Genocide. The States and the California Indian Catastrophe, 1846-1873*, New Haven y Londres, Yale University Press, p. 163.

27 Alonso Baquer, 2016, p. 8.

28 Weber, 2003, p. 1.

29 Solís colaboró con O'Farrell en la eliminación del Columbus Day en Los Ángeles y la retirada de la estatua de Colón. Marie Arana es *Literary Director* de la Biblioteca del Congreso en Estados Unidos y es la autora de *Bolívar* (2013) y *Silver, Sword and Stones* (2019), obras ambas escritas desde una visión claramente supremacista de la cultura anglosajona frente a la hispana y con gran éxito. John Leguizamo hace furor y ha recibido muchos premios en Estados Unidos por su obra teatral *Latin History for Morons*, que refleja el mismo punto de vista.

30 ROJAS, Manuel (2008): *Apaches. Fantasmas de la Sierra Madre*, Ciudad de México, Instituto Chihuahuense de la Cultura.

31 HALEY, James L. (1997): *Apaches, A History and Cultural Portrait*, Norman, University of Oklahoma Press y HÄMÄLÄINEN, Pekka (2011): *El imperio comanche*, Madrid, Península.

32 EBRIGHT, Malcolm (2015): *Advocates for the Oppressed, Hispanos, Indians, Genizaros and their Land in New México*, Nuevo México, University of New México Press, p. 252.

33 LABORDE, Antonio (2020): "¿Antonio Banderas es un hombre blanco?", *El País*, 16 de enero. Disponible en https://elpais.com/sociedad/2020/01/15/actualidad/1579118393_585204.html [consultado el 05/02/21].

34 KRAUZE, Enrique (2004): "Huntington: el falso profeta", *Letras Libres*, 30 de abril. Disponible en https://www.letraslibres.com/mexico/hunting-ton-el-falso-profeta [consultado el 05/02/21].

35 ROCA BAREA, María Elvira (2019): *Fracasología*, Madrid, Espasa, pp. 429-460.

NAVEGACIÓN
EN MARES PROCELOSOS

1   Entrevista a don Samuel Ruiz. Diario *Reforma*, 29 de julio de 1996.

2   SEVILLANO, Elena (2020): "Siguiendo los pasos de Magallanes y Elcano en la primera vuelta al mundo", El País, 13 de diciembre. Disponible en https://elviajero.elpais.com/elviajero/2020/12/10/actualidad/1607603926_631076. html [consultado el 05/02/21].

3   Ibíd. y Real Instituto Elcano, disponible en http://www.realinstitutoelcano.org/ [consultado el 05/02/21].

4   Véase BARCIA, Roque (s. f.): *Diccionario General Etimológico*, Barcelona, Seix Editor, tomo IV, p. 383.

5   Palabras del papa Francisco, en AGENCIA FRANCE-PRESSE (2020): "Pope Says Anti-Maskers Stuck in their Own Little World of Interests", *The Guardian*, 23 de noviembre.

6   JUDERÍAS, Julián (2020): *La Leyenda Negra*, dedicatoria de la 2.ª edición, 1917, reedición en Coppell, Texas, p. 7.

7   Citado en BENDA, Julien (2009 [1928]): *The Treason of the Intellectuals*, Nuevo Brunswick y Londres, Transaction Publishers, p. ix.

8   Exhortación apostólica, *Christus vivit*, 25 de marzo de 2019.

9   MARTÍNEZ LOZANO, Enrique (2020): "Para comprendernos, vivir y ayudar a vivir", entrevista. Disponible en https://www.enriquemartinezlozano.com/semana-26-de-julio-para-comprendernos-vivir-y-ayudar-a-vivir-entrevista/ [consultado el 05/02/21].

10 ELLIOTT, John L., (2009): "Spain's America", *The New York Review of Books*, 9 de mayo.

11 Citado en FERNÁNDEZ DE ALBA, Luz (2008): "La ciudad de México que Humboldt vio a través de sus ojos azules", *Fuentes Humanísticas*, vol. 20, n.º 36. Disponible en http://fuenteshumanisticas.azc.uam.mx/index.php/rfh/article/view/287 [consultado el 05/02/21].

12 JIMÉNEZ CODINACH, Guadalupe (1991): *La Gran Bretaña y la Independencia de México, 1808-1821*, Ciudad de México, Fondo de Cultura Económica, y KAISER, Charles (2019): "El Norte review: anepic and timely History of Hispanic North America", *The Guardian*, 24 de julio.

13 Véase JIMÉNEZ CODINACH, Guadalupe (comp.) (1994): *The Hispanic World, 1492-1898. A Guide to the Photo reproduced Manuscripts from Spain in the collections of the Unites States, Guam and Puerto Rico*, Washington DC, The Library of Congress.

14 Veáse MERINO, Julio César y ZAVALA, Viridiana (2017): "'Esplendores de treinta siglos': la exposición que presentó a México con Estados Unidos",

Nexos, 13 de diciembre. Disponible en https://cultura.nexos.com.mx/?p=14393 [consultado el 05/02/21]. Véase también MACÍAS RODRÍGUEZ, Valeria (2015): *La participación de la iniciativa privada en las exposiciones internacionales de arte: el caso Televisa*, tesis de maestría en Estudios de Arte, Ciudad de México, Universidad Iberoamericana. Disponible en http://ri.ibero.mx/handle/ibero/327 [consultado el 05/02/21].

15 "Respuesta dada a la primera carta del Señor Iturbide", en *Cartas de los Señores generales D. Agustín de Iturbide y D. Vicente Guerrero*. Disponible en https://archivos.juridicas.unam.mx/www/bjv/libros/2/595/69.pdf [consultado el 05/02/21]. Subrayado de G. J. C.

16 Huntington, 1997.

17 COLCHERO, María Teresa (s. f.): "'Y diversa de mí misma, entre plumas ando'. Perspectiva teológica del poema 'Primer Sueño' de Sor Juana Inés de la Cruz", *Revista de la Facultad de Filosofía y Letras*, Puebla, Benemérita Universidad Autónoma de Puebla. Disponible en https://filosofia.buap.mx/ [consultado el 05/02/21].

18 VARGAS, Luis Alberto (2014): "Recursos para la alimentación aportados por México al mundo", *Arqueología Mexicana*, vol. XXIII, n.º 130, noviembre-diciembre, pp. 37-57 y JIMÉNEZ CODINACH, Guadalupe (2010): *Dulce Patria: de caramelo y chocolate*, Ciudad de México, Sonric's.

19 Jiménez Codinach, 2020, *op. cit.*, pp. 42-48.

20 LLADÓ, Cristina (2019): "El diplomático Martínez Montes reivindica a España frente a su leyenda negra", *La Vanguardia*, 10 de abril [consultado el 23/12/20].

21 MARTÍNEZ MONTES, Luis Francisco (2018): *España: una Historia Global*, Madrid, Global Square Editorial, p. 5.

22 Ibíd.

23 Ibíd.

24 Ibíd., p. 6.

25 ORTEGA SÁNCHEZ, José María (2020): "La 'mirada' anglosajona sobre el mundo hispano", *Cuadernos de Pensamiento Político*, n.º 65. Disponible en http://www.revistasculturales.com/articulos/103/cuadernos-de-pensamiento-politico/2076/1/la-mirada-anglosajona-sobre-el-mundo-hispano.html [consultado el 05/02/21].

26 JIMÉNEZ CODINACH, Guadalupe (1997): *México: su tiempo de nacer, 1750-1821*, Ciudad de México, Fomento Cultural Banamex.

27 ARANA, Marie (2019): *Silver, Sword and Stone. Three Crucibles in the Latin American Story*, Nueva York, Simon & Schuster.

28 Ibíd., pp. 280-281.

29 Ibíd., p. 283.

30 Audiencia de Santo Domingo, Archivo General de Indias, en PARES, Portal de Archivos Españoles. Disponible en http://pares.mcu.es/ParesBusquedas20/catalogo/description/1859548 [consultado el 05/02/21].

31 GIBSON, Carrie (2019): *El Norte. The Epic and Forgotten Story of Hispanic North America*, Nueva York, Grove Press.

32 GIBSON, Carrie (2019): "Silver, Sword and Stone review-much bloodshed, little improvement", *The Guardian*, 24 de agosto. Disponible en https://www.theguardian.com/books/2019/aug/24/silver-sword-and-stone-review-marie-arana-latin-america [consultado el 24/02/21].

33 ROCA BAREA, María Elvira (2016): *Imperiofobia y leyenda negra. Roma, Rusia, Estados Unidos y el Imperio español*, Madrid, Siruela.

34 Ibíd.

35 Estrecho mítico que se suponía unía la mar Océano (el Atlántico) con la mar del Sur (el Pacífico) en la parte septentrional del hemisferio americano.

36 SHALER, William (1990): *Diario de un viaje entre China y la costa noroeste de América efectuado en 1804*, Guadalupe JIMÉNEZ CODINACH (trad. y ed.), Ciudad de México, Universidad Iberoamericana.

37 Ibíd., p. 63.

38 Ibíd., p. 64.

39 Ibíd.

40 Ibíd.

41 Ibíd., p. 75.

42 Ibíd., p. 76.

Título:
La disputa del pasado. España, México y la leyenda negra

Coordinador:
Emilio Lamo de Espinosa

Autores:
Martín F. Ríos Saloma
Tomás Pérez Vejo
Luis Francisco Martínez Montes
José María Ortega Sánchez
María Elvira Roca Barea
Guadalupe Jiménez Codinach

De esta edición:
© Turner Publicaciones SL, 2021
Diego de León, 30
28006 Madrid
www.turnerlibros.com

Primera edición: marzo de 2021

Diseño de la colección:
Enric Satué

Ilustración de cubierta:
Ortelius World Map *Typvs Orbis Terrarvm*, 1570. ⊘ Dominio público

ISBN: 978-84-18428-43-2
DL: M-3158-2021
Impreso en España

La editorial agradece todos los comentarios y observaciones:
turner@turnerlibros.com